Análisis de la música española del siglo XX

En torno a la generación del 51

Agustí Charles Soler

Análisis de la música española del siglo XX

En torno a la generación del 51

Agustí Charles Soler

Fotocopiar está
legalmente prohibido

© Copyright 2020 by Agustí Charles Soler

© Edición autorizada para todos los paises a:
Impromptu editores, s.l.
C/. Alqueria de Raga, 9 - 46210 Picanya (España)
email: info@impromptueditores.com
www.impromptueditores.com

I.S.B.N.: 1ª Ed. 1ª Imp.- 978-84-120707-9-8 (2020)
       1ª Ed. 2ª Imp.- 978-84-120707-9-8 (2022)

Depósito Legal: V-1036-2020

Imprime: gràfiques **vimar**
www.vimar.es   Tel. 96 159 43 30

Índice general

PREFACIO

La segunda mitad del siglo XX ha traído consigo un sustancial número de nuevas formulaciones creativas, algunas de ellas insospechadas. La música, como las otras artes, y especialmente las plásticas, no ha sido ajena a aquéllas. Sin embargo, la notable influencia de las escuelas tradicionales europeas, influenciadas por la consecución de un lenguaje único a partir de la estandarización de la notación musical, ha hecho que en ese corpus artístico la música ocupara, inmerecidamente, un lugar secundario. El cultivo del arte como desarrollo individual iniciado en el romanticismo se halla distanciado del concepto *escolástico*, del cual la música no ha querido o sabido prescindir. De hecho, todas las tendencias que parten del inicio del siglo XX han pretendido crear una corriente de pensamiento afín que las reafirme, alcanzándose así un nuevo academicismo, o lo que en los últimos decenios se ha venido a llamar *antiacademicismo academizado*. No ocurre lo mismo en las otras artes, en las cuales la libertad de decisión ha sido mayor y mucho más individualizada. Esto nos ha llevado a centrar en determinados polos de atracción el desarrollo del pensamiento musical, así como a sus consecuencias.

En la cultura occidental el lenguaje de los sonidos se halla indisolublemente ligado a las fuentes originarias que, desde el gregoriano lo han impregnado. Incluso en los casos en los que se ha pretendido asimilar conceptos e ideologías no occidentales se las a situado dentro de la principal resolución musical de occidente, y consecuentemente regladas por sus leyes. Pocos son los compositores que han aceptado íntegramente los postulados creativos de otras culturas, puesto que en primer lugar habría que situar la importancia de la música en su propio contexto y escalafón social. La música como arte de contemplación y goce estético difiere del contenido extramusical que posee en las diversas culturas y del cual es indisociable. Pero no es en esa concepción donde vamos a situar nuestro trabajo, sino en el contexto de desarrollo individualizado de un lenguaje y su afinidad con respecto al de otros compositores. Sobre estas cuestiones se ha escrito y debatido mucho, por lo que difícilmente podremos realizar nuevas aportaciones. Únicamente aspiramos a dar al lector nociones de lo que va a regir este trabajo, indicando el punto de vista que nos habrá de llevar a determinadas conclusiones.

Conceptos como armonía y contrapunto son inseparables en nuestra cultura. Los otros conceptos que su práctica nos ha proporcionado son una forma de ahondar en el detalle de su combinatoria. Tanto se ha hablado de la imposición de la armonía y el contrapunto como una forma artificial de desarrollar un modelo sonoro particular, como de que la disposición de la naturaleza conlleva la solución que nos arroja la armonía, de la cual el contrapunto es su desarrollo, o viceversa. Probablemente ambas opiniones sean ciertas, y quizás así pueda explicarse que dos fenómenos aparentemente dispares se asocien en un momento dado de nuestra evolución. Pero debemos ser cautos cuando realizamos dichas afirmaciones, puesto que únicamente resultan válidas en nuestra cultura. Otras culturas no occidentales no poseen la misma escala de valores, aunque algunas reglas puedan coincidir. De uno u otro modo, la repetición de un modelo establecido, derivado de la disposición modal gregoriana y la armonía ha impregnado nuestro desarrollo musical hasta convertirlo en lengua materna. Incluso un oyente con pocos conocimientos musicales es capaz de discernir cuando una cadencia se ha realizado bien o mal. La *regla* de su *correcta pronunciación* se ha impuesto por encima de todo. Su combinación y desarrollo ha hecho todo lo demás. No es por casualidad que la mayoría de ideologías y estéticas musicales tengan como eje fundamental de su existencia la voluntad de convertirse en regla de uso universal, pretendiendo copiar la consecuencia del uso de la reglamentación tonal. Así, la aspiración de *lenguaje propio* es algo que se ha adueñado de buena parte de la música del siglo XX, entendiendo aquél como lo único que hace de un compositor su verdadera y única forma de ser. Con ello hemos alcanzado la ansiada libertad artística, si bien el mundo que nos rodea sigue amparado en modelos vetustos y difíciles de eludir. La música actual no tiene otra posibilidad más que la de sobrevivir dentro de un proceso de influencia externa en la que el avance y las nuevas formulaciones son, de entrada, peligrosas y cuestionables. La originalidad deviene pues un acto artísticamente heroico, porque de antemano supone la indiferencia.

Dos compositores alejados —tanto geográfica como ideológicamente—, jugaron un papel definitorio y supusieron un primer paso hacia la individualización musical como característica propiamente dicha. Desde su propia perspectiva ayudaron a ampliar los horizontes de la música que en aquel entonces era nueva. Arnold Schoenberg y Charles Ives fueron, en cierto modo, visionarios e intentaron reflejar en su música las inquietudes artísticas de su tiempo. Sin embargo, mientras que Ives utiliza la ampliación del concepto de música tradicional basado en el contrapunto y la armonía, Schoenberg introduce un lenguaje que aspira a convertirse en regla, a modo de ampliación tonal, como su posible sustituto. La ideología de su imposición es simple: si el mundo tonal se desarrolla a partir de la delimitación de determinadas

PREFACIO

reglas, un lenguaje que se establezca también a partir de otras reglas —siempre dentro de un marco de coherencia orgánica— posee potencialmente la misma capacidad de impregnación que cualquier otro. Schoenberg vaticinaría que su modelo dodecafónico sería *«el método de composición que llevará al predominio de la música alemana durante los próximos 100 años»*. Quizás no consiguió su objetivo con el método, pero su significación se adueñaría de la mayor parte de las nuevas tendencias musicales que se gestarían en aquel momento y hasta nuestros días. La construcción de un lenguaje o modelo expresivo, desde la concepción de la regla más simple a la más compleja, ha sido uno de los principales preceptos de la nueva música a partir de la segunda mitad del siglo XX. Desde la presentación del dodecafonismo hasta los cursos de Darmstadt distan aproximadamente 25 años, en los que media una guerra mundial devastadora y una cierta incredulidad sobre la construcción musical a partir de los preceptos dodecafónicos. Los compositores reunidos en los años 50 alrededor de los cursos de Darmstadt fueron los grandes instigadores del movimiento que, paradójicamente tenía en Webern y no Schoenberg como punto de partida. Sin duda esto era debido a la supuesta asepticidad weberniana en el uso de materiales musicales derivados de la combinatoria serial. La ideología de innovación y estructuralismo que conllevaba se apoderó de la composición musical, llegando a convertirse en *método* para muchos compositores. La perseverancia en el *método* ha provocado que sus directos sucesores apadrinen una corriente que se ampara en una *tradición vanguardista* tan inamovible como la que protegían los compositores tonales de finales del siglo XIX y principios del XX.

A muchos de estos movimientos se les ha estudiado en gran profundidad, especialmente en su lugar de origen. No se puede decir lo mismo de la música española del mismo período, en muchos casos dejada de lado por no ocupar un lugar prominente en la música europea frente a lo que a menudo se ha considerado arte de primera fila, como el cine, la pintura, etc. A esto se añade una cierta adoración de los grandes nombres internacionales. No deja de resultar paradójico que la música siga figurando, en la mayor parte de la prensa escrita de nuestro país, dentro del apartado de espectáculos, negándole indirectamente su validez como arte. Por otra parte, los trabajos que se han realizado concernientes a la situación de los compositores españoles han sido siempre tratados desde un ámbito temporal y de forma básicamente biográfica[1]. En lo mencionado han influido otros factores, entre los cuales destaca uno de gran importancia. Luis de Pablo lo citaba en su día: *«[...] aún en los casos en que nuestra música tenga la misma calidad que la suya [...], resulta que llegamos tarde al reparto de los puestos. El reparto nos lo encontramos ya dado,*

---

[1] Sin duda, el libro más amplio sobre el tema es el de Tomás Marco: *La música Española del siglo XX*. Madrid 1989. Ed. Alianza.

estaba hecho, los primeros puestos estaban ocupados»[2]. Esto a contribuido a empobrecer, e incluso anular, los posibles estudios que podían realizarse sobre nuestra música y que nunca han visto la luz. La potenciación de la música en nuestras universidades puede mejorar los estudios futuros, aunque la mayor parte todavía está por hacer.

La lectura del entorno español que podríamos realizar con lo hasta aquí mencionado es que la música española actual no interesa a nadie, ni siquiera a sus propios protagonistas, preocupados más por la supervivencia que por el estudio serio de sus maestros o coetáneos. Lo curioso es que los estudios más significativos sobre la música de determinados compositores españoles —exceptuando las biografías— han sido realizados por musicólogos extranjeros y consecuentemente publicados fuera de España. No se trata de falta de interés, sino de que apenas se posee una información coherente de aquélla, a excepción de una minoría de especialistas.

Esto nos demuestra que la música española se halla desprotegida y por consiguiente no se difunde del mismo modo que la de determinados compositores europeos, especialmente franceses, alemanes, italianos y británicos. Pero cuando sí lo es se catapulta hacia puestos de relevancia internacional. Nombres como los de Luis de Pablo, Cristóbal Halffter y Francisco Guerrero, son moneda corriente en festivales internacionales. Aún así, seguimos sordos ante la música española, ya sea desde la práctica ausencia de obras en las programaciones de las orquestas nacionales y comunitarias, hasta de la carencia de estudios analíticos serios sobre sus obras.

Es lamentable que hasta la fecha no se haya realizado ningún trabajo profundo sobre el lenguaje de la música española y de los compositores que desarrollaron su trabajo a partir de la guerra civil, aunque fuera únicamente para conocer su evolución. Todo ello acarrea una enorme sensación de orfandad, especialmente heredada en la mayor parte de los compositores más jóvenes, siendo necesario recurrir a modelos creativos de importación para conseguir aquella tradición que parece inalcanzable.

Desde nuestro punto de vista, el camino hacia esa posible tradición pasa por conocer lo que otros hicieron con anterioridad, aunque a veces no posea la suficiente calidad como para ser considerado del mismo nivel que otros autores de adscripción extranjera. No creemos que sea el caso actual, ya que tenemos en España compositores de talla internacional lo suficientemente valiosos como para poder competir a la par con otros creadores. Sin embargo, es cierto que muchos de esos compositores no han

---

2   VVAA: *Escritos sobre Luis de Pablo.* Madrid: Ed. Taurus, 1987. Pág. 16.

hecho escuela en nuestro país, aunque no hay que culparles por ello, ya que cuando alguien no se siente suficientemente reconocido acude a otras salidas con tal de no permanecer en el anonimato en el que vegeta la música contemporánea española, que a menudo parece nutrirse de la mediocridad como medio para la inmovilidad.

El propósito de este trabajo es pues bien claro. Pretendemos aportar un grano de arena en algo que nos parece fundamental: *sentar las bases para la consecución de un conocimiento sólido de la música española actual*. Claro está que no pretendemos llevar a cabo dicho enunciado en su totalidad, para ello se requeriría un cuantioso número de estudios. Debido a que un trabajo de este tipo precisa de síntesis, de lo contrario resultaría estéril, hemos querido abordar una de las generaciones de compositores españoles vivos de mayor relieve en la música de la posguerra, la Generación del 51. A dicha generación pertenecen un número importante de compositores, de los cuales hemos seleccionado a varios, a nuestro juicio los más solicitados y de mayor reconocimiento, tanto por la trascendencia de su música como por la de su pensamiento. Junto a éstos se hallan otros que, aún sin pertenecer al grupo que formó la citada generación, han mantenido con aquélla una relación ideológica significativa. Con esta selección no pretendemos descalificar a los ausentes. A ellos les pedimos disculpas de antemano, puesto que en cualquier libro hay que establecer un límite.

De los ocho compositores aquí analizados, Ramón Barce, Carmelo Bernaola, Antón García Abril, Joan Guinjoan, Cristóbal Halffter, Tomás Marco, Luis de Pablo y Josep Soler, se ha escrito un largo artículo individual, realizando un análisis de por lo menos dos de sus obras más importantes. A cada uno le hemos añadido un subtítulo que creemos que le identifica en el panorama compositivo actual, del cual son representantes destacados. Con ello hemos pretendido acercarnos al compositor mediante un trabajo exhaustivo para que, observada su obra desde el interior, nos dé una referencia fundamental de su método de trabajo. En el modo de enfocar estos análisis nos adherimos a la opinión de Pierre Boulez: *«estimamos como indispensable constituyente de un método analítico activo el que debe partir de una observación minuciosa y exacta de los hechos musicales que nos son propuestos; se trata por consiguiente de encontrar un esquema, un lugar de organización interna que dé cuenta, con el máximo de coherencia de estos hechos, y por tanto, la interpretación de la composición debemos deducirla de esta aplicación particular»*[3].

Todos los artículos aquí publicados han sido revisados por sus protagonistas, con tal de evitar poner fuera de lugar cuestiones que no pertenezcan a su propia idiosincrasia creativa. En definitiva, nos hemos propuesto que este trabajo arroje la

---

[3]	Boulez, Pierre: *Penser la musique aujord'hui.* París: Ed. Gallimard, 1987. Pág. 14.

máxima claridad posible sobre el desarrollo del lenguaje de una de las más importantes generaciones de compositores españoles del siglo XX. Por otra parte éste no es un libro de crítica, por lo que el lector no va a encontrar referencias, alusiones, ni comparaciones referentes al gusto musical, o a la mayor o menor calidad de cada una de las obras analizadas. Eso es algo que deberá decidir cada cual por sí mismo según sus conocimientos y sensibilidad. Nuestro propósito es el de realizar una labor meramente técnica. Somos de la opinión de que cada trabajo debe ocupar su lugar, y no se debe confundir ni dirigir el gusto del lector ni del oyente hacia ninguna dirección, mucho menos aún cuando se trata de análisis musical. Nos sentiremos complacidos si este libro ayuda a valorar de modo consciente y realista las obras de los compositores elegidos, dando al lector elementos de juicio para hablar en consecuencia. Sólo nos queda esperar que otros trabajos sigan el enfoque aquí presentado y que en un futuro podamos discutir sobre el valor de la música española en un estadio más avanzado que el actual.

AGRADECIMIENTOS

Que este libro vea hoy la luz no se debe únicamente al esfuerzo de quien lo suscribe, sino al empeño de personas cercanas al autor, sin cuya colaboración habría sido imposible llevarlo a cabo. Por lo dicho, en primer lugar quiero expresar mi agradecimiento a Pilar Dañobeitia Olaeta y a Diego Cayuelas, quienes tuvieron la paciencia de leer minuciosamente cada uno de los capítulos, aconsejándome los cambios necesarios tanto en el estilo como en la forma, y cuyas apreciaciones contribuyeron de manera fundamental a su redacción final.

Debo agradecer el apoyo recibido a la revista de musicología "Nassarre", y a sus directores Pedro Calahorra y Alvaro Zaldívar; a Vicente del Valle y al Anuario Musical de CSIC, traducido en la publicación de la primera redacción de varios de los artículos aquí reunidos. También agradezco a los compositores su amabilidad a la hora de proporcionar los materiales necesarios de las obras analizadas, así como la paciencia demostrada en su lectura y corrección. También a Enrique Rivera y la extinta editorial Rivera Editores s.l..

Como no puede ser de otra manera, agradezco especialmente a la editorial Impromptu editores por hacer realidad la publicación de la segunda edición, más aún tratándose de un libro técnico de estas características.

Y cómo no, debo a mi mujer y mis hijos la mayor de las gratitudes por su paciente espera durante las interminables jornadas de trabajo que supuso su realización.

Barcelona, 8 de mayo de 2020

Capítulo I. Luis de Pablo

Poesía-Música

Análisis de Sonido de la Guerra y Senderos del Aire

INTRODUCCIÓN

Luis de Pablo, nacido en Bilbao en 1930, es uno de los compositores españoles de más reconocido prestigio dentro y fuera de nuestras fronteras. Su trabajo como organizador, conferenciante, director, crítico, además de un largo etc., le han proporcionado una relevancia en la música española y europea que escapa a cualquier intento de minimizar o cuestionar la calidad y divulgación de su música. De Pablo ha sido, y es, una persona muy activa en el mundo musical, y resulta frecuente verlo en los foros internacionales como jurado, profesor, etc., además de encontrarse continuamente programado en muchos de los más destacados festivales internacionales. Las obras que aquí vamos a analizar son un ejemplo de ello.

Ese camino no ha sido para Luis de Pablo nada fácil, al igual que para la mayoría de compositores españoles que desarrollaron su actividad creativa en España a partir de la segunda mitad del siglo XX. El trayecto ha sido dificultoso y lleno de trabas y, curiosamente, mayores en su país de origen que en cualquier otro país extranjero. Sobre ello, quien subscribe este trabajo recuerda una pregunta al compositor en una conferencia que aquél realizara en Zaragoza en 1990, en el marco de actividades de la clase de composición del Conservatorio Superior de Música, en la que se le planteaba la razón del porqué mantenía su residencia en España si su música era más valorada en otros países de Europa, a lo que De Pablo contestaba: *«¿Y porqué me tengo que ir yo? que se vayan ellos, yo he hecho mucho más por este país que los que me critican»*. No hay más que observar el catálogo de sus obras, junto a los elementos externos que la rodea, para ver que la mayoría han sido encargadas por entidades extranjeras y estrenadas fuera de nuestro país.

Hablar de estos asuntos no es, sin embargo, nuestro fin, si bien lo dicho nos muestra la falta de criterio cultural que a menudo podemos observar en la escena musical de nuestro país. Pero situémonos exclusivamente en el plano musical. Luis de Pablo es un compositor intensamente preocupado por la concepción y configuración del material sonoro de la composición y de todo lo que lleva consigo para convertirse, susceptiblemente, en obra de arte. Fruto de

---

[1]   DE PABLO, Luis: *Aproximación a una estética de la música contemporánea.* Madrid: Ed. Ciencia Nueva, 1967.

esta inquietud era el libro que al respecto escribía en 1968[1], en el que plasmaba la vivencia y necesidades de una generación de compositores de su tiempo, entre los cuales De Pablo ocupa hoy un lugar destacado. Si bien aquel libro daba a conocer la forma de pensar de un compositor de 37 años —lo cual puede parecernos poco actual—, sentaba con ello las bases de un pensamiento creativo propio, tanto desde el punto de partida del rigor en el trabajo compositivo, como de la necesidad de expresión musical: « *[...] la afirmación personal —el don puesto al servicio de la creación— no bastaba. Había que añadir, decíamos, la inserción de dicha afirmación en un determinado contexto que rodea al creador, teniendo aquélla que realizarse bajo determinadas circunstancias y no de forma anárquica y desprovista de sentido*»[2]. Aunque esta postura se hallaba circunscrita a un momento en que era la música aleatoria la que más conmovía al compositor, por ser ésta la que provocaba mayor intensidad y necesidad de búsqueda de nuevos modelos expresivos —puesto que era una música en la que el instante de su ejecución constituía su realidad virtual—, hoy sigue siendo plenamente vigente en su pensamiento. Posiblemente sea esta característica la que le aleja de sus coetáneos, es decir: el control del lenguaje empleado en la obra musical; en el que la necesidad creativa y material empleado para la creación ocupan un lugar común de importancia, y uno no puede existir sin el otro. Quizá lo aquí afirmado puede parecer pretencioso, e incluso para algunos, *«poco creativo»* —algo que también cita en cierta medida el propio Luis de Pablo en dicho texto—, aunque no deja de ser singular que sea tradición en la música europea y occidental o, por lo menos, en la música que en la actualidad nos merece cierta consideración como tal. Quizá se deba al hecho de que el hombre occidental precisa de codificación en la mayoría de sus actos. Lo que no resulta mínimamente codificable tampoco nos satisface como comunicación íntegra. Esto último es algo que, al fin y al cabo, la música pretende producir.

Anton Webern citaba al respecto, en 1932: « *[...] es verdad que si queremos hablar de música sólo podemos hacerlo si reconocemos que es la propia naturaleza con sus leyes en relación al sentido del oído*»[3], algo que ampliaba posteriormente Pierre Boulez —incluso hasta la exageración— cuando citaba, en una carta a John Cage: « *[...] la materia sonora no puede organizarse sino serialmente, pero ampliando el principio a consecuencias extremas [...]*»[4]. También habría que añadir que menor es la necesidad de

[2]   DE PABLO, Luis: *Aproximación a una estética de la música contemporánea.* Pág. 29.
[3]   WEBERN, A. : *El camí cap a la nova música.* Barcelona: Ed. Antoni Bosch, 1982. Pág. 24.
[4]   BOULEZ, Pierre: *Puntos de referencia.* Barcelona: Ed. Gedisa, 1984. Pág. 114.

control tanto en cuanto menor sea el grado cultural de cada pueblo. En cualquier caso, no es nuestro objetivo el de determinar la calidad de las obras según el material que contengan, sino el de arrojar luz sobre cómo estas han sido realizadas, con el único propósito de acercarnos así al pensamiento del propio compositor.

Debemos aclarar, sin embargo, que en el principio creador de Luis de Pablo no existe voluntad de control absoluto del material musical como medio de expresión totalitaria, sino más bien lo contrario: el control del material obedece a una necesidad de coherencia que se encuentra siempre al servicio de la idea —en cierto modo, intuición—, ya que ésta es necesaria para la elaboración de un material que continuamente debe renovarse: «*[...] es en gran parte de casos inútil, hasta perjudicial, la excesiva teorización. [...] el compositor debe ser un intelectual, que la intuición sola no basta y que es preciso un compromiso real con su momento, en lo que éste tenga de más rico y contradictorio. [...] lo que la perspectiva nunca hará será añadir a una obra valores que no posea —a lo más, encontrará una traducción de los mismos más acorde a su sensibilidad— [...]*»[5].

Las dos obras que aquí vamos a tratar son un claro ejemplo de esta idea, así como de la necesidad de expresión mediante medios complejos que mantienen, a su vez, una enorme coherencia interna. Estas obras se hallan alejadas del pensamiento del compositor de treinta y siete años que anteriormente citábamos. **Sonido de la guerra** es una obra escrita en 1980, y **Senderos del aire** data de 1987. En ambas no se utilizan, más que esporádicamente, los elementos aleatorios de decenios anteriores. Incluso, hay quien ha denominado este período compositivo —que va hasta el actual— como *período rosa*[6], por el hecho de que ambas obras responden a criterios musicales que se hallan dentro de lo que podríamos denominar *madurez compositiva* del autor, en el que la música fluye sin la necesidad de renovación continua de las ideas, tal y como acaecía en la década de los sesenta. El hecho de que hayamos escogido estas dos obras obedece, por una parte, a que ambas son muy queridas por el propio Luis de Pablo y, por otra, a que llevan consigo una carga poética que da cuenta de la personalidad creativa del compositor. Somos conscientes de que con un análisis único de dos obras no es posible dilucidar, por completo, una trayectoria creativa. Nuestro propósito es dar herramientas al lector para que

---

[5]   DE PABLO, Luis: *Aproximación a una estética de la música contemporánea.* Pág. 34, 37 y 25.
[6]   Citado en el artículo de Renzo Restagno: *Sonido de la guerra, pequeño preámbulo metodológico en primera persona. Escritos sobre Luis de Pablo,* Madrid: Ed. Taurus,1987. Pág. 182.

éste pueda comprender, desde su propia perspectiva y con una información detallada, el proceder del compositor, que es a su vez ejemplo de un criterio creativo propio e intransferible.

Con el fin de realizar el trabajo con mayor coherencia y eficacia vamos a abordar individualmente cada una de las piezas, para poder así comparar y ejercer un nexo común de unión entre una obra de formato camerístico y otra de formato orquestal, en este último caso de gran envergadura.

SONIDO DE LA GUERRA

La obra reciente de Luis de Pablo se caracteriza por ser una música que huye de prejuicios musicales que, a menudo, deben su origen a modas o formas del quehacer musical cotidiano, puesto que éstas inevitablemente impregnan la vida de cualquier compositor: es imposible no verse influido por otros modos de trabajo —compositivo—, especialmente en el período formativo, ya que los comienzos son siempre imitativos de lo que resulta ideal, y lo ideal difícilmente puede ser hallado sin el previo paso hacia la agudización del sentido del gusto y del desarrollo de la propia personalidad. No queremos decir con esto que **Sonido de la Guerra** sea una obra que utilice ideas del pasado, ni mucho menos, aunque no huye de un uso melódico imitativo de lo que el propio texto relata —en determinados momentos es casi descriptivo— . Este uso obedece a un criterio menos rígido que el de antaño a la hora de escoger el material musical: cualquier modelo es utilizable siempre que se sitúe en un contexto de expresión ideal.

Sonido de la Guerra es una obra escrita para flauta baja, arpa, celesta y dos percusionistas, los cuales utilizan vibráfono, timbales, campanas tubulares, marimba, flexatón, bongos, tam-tam y temple blocks. A los antedichos se les añade un instrumento solista, el violonchelo. El texto es extraído, por el propio compositor, de los **Diálogos del conocimiento** de Vicente Aleixandre: *«Elegí para esta cantata un texto admirable de Vicente Aleixandre, entresacado de sus **Diálogos del Conocimiento**». No sólo su contenido me conmovía como ningún otro, sino que así intentaba pagar una deuda de gratitud al poeta, al que había tenido la inmensa suerte de conocer [...]»*[7]. Es encomendado a dos voces solistas: tenor y soprano, además de un recitador. Al fragmento se le

---

[7]   Citado en la contraportada de la grabación en Disco. Madrid: RCA Records, 1981.

añade un coro de cuatro voces femeninas —dos sopranos y dos contraltos—, las cuales no cantan ninguna parte del texto, sino que se limitan a vocalizar.

La partitura, según el texto empleado, se divide en cuatro grandes partes:

1/   El Brujo (180 compases)
2/   El Soldado (74 compases)
3/   El Pájaro (72 compases)
4/   El Soldado. La Alondra (319 compases)

Cabría también situar en un contexto esclarecedor las cuestiones no musicales que rodean a la obra, ya que nos aportarán datos relevantes. **Sonido de la Guerra** fue escrita con motivo de la campaña de la Cruz Roja española de los «Derechos humanos sobre la Paz» y el texto no podía ser más adecuado, pues narraba los horrores de la guerra. La obra, como antes se ha mencionado, no es una obra descriptiva —aunque en algún momento pueda parecerlo—, sino que se trata de una música narrativa en la que, más que una descripción del propio texto, existe una visión personal y profunda del horror de la guerra expresado, principalmente, por el dolor que transmite —metafóricamente— la melodía del violonchelo, como proveniente de un corazón desgarrado.

Para la descripción narrativa, Luis de Pablo utiliza una combinación sumamente interesante: el texto es recitado y cantado por la voz externa, la que habla (soprano, tenor y recitador), mientras que el violonchelo es la voz interna, la del alma, la que únicamente se expresa mediante el propio sonido. Sólo queda interrumpida la voz del alma durante el sueño, que es representado, a lo largo de toda la obra, mediante la vocalización del coro de mujeres.

El material musical utilizado es relativamente simple, y es el mínimo necesario para elaborar la idea del dolor y las vivencias de la guerra. Dicho material se encuentra supeditado al propio contexto expresivo. Hay que añadir, además, que la parte del violonchelo tiene como punto de partida una obra anterior, escrita para el mismo instrumento *a solo* y titulada **Ofrenda**, pieza que De Pablo escribió con motivo de **La velada de Benicarló** de Manuel Azaña.

Vistas las cuestiones que envuelven la composición de la obra, sin la cual no sería posible reconocer ciertos rasgos de su música, vamos a adentrarnos, a partir de ahora, en el hecho puramente compositivo, con el objeto de observar de cerca los medios de expresión y el lenguaje empleados en la elaboración del material sonoro, y poder así extraer las pertinentes conclusiones. Para ello vamos a realizar una descripción, paso a paso, de toda la obra.

El brujo

El texto que inaugura la obra y que gobernará esta primera parte es el siguiente:

> Solo quedé. Arrasada está la aldea.
> Ah, el miserable
> conquistador pasó. Metralla y, más veneno
> vi en la mirada horrible. Y eran jóvenes.
> Cuántas veces soñé con un suspiro
> como una muerte dulce. En mis brebajes
> puse el beleño de no ser, y supe
> dormir, terrible ciencia última.
> Mas hoy no me valió. Con ojo fijo
> velé y miré, y seco
> un ojo vio la lluvia, y era roja.
> Pálido y seco,
> y ensangrentado en su interior, cegó.

Esta primera parte se articula en cuatro grandes secciones: la primera, que se extiende hasta el compás 66, la segunda, desde el compás 67 al 87, la tercera desde el compás 88 al 110, y la cuarta desde el compás 111 hasta el final.

Visto de ese modo, aparece una gran desigualdad proporcional entre cada una de las partes, aunque al observar la partitura más de cerca el fraseo y el continuo vaivén del violonchelo, siempre sobre figuraciones distintas, dejan entrever subsecciones que aclaran mucho mejor la globalidad de la obra, dando mayor transparencia a la intervención de los instrumentos. Al mismo tiempo se muestra la continua evolución hacia una mayor densidad instrumental.

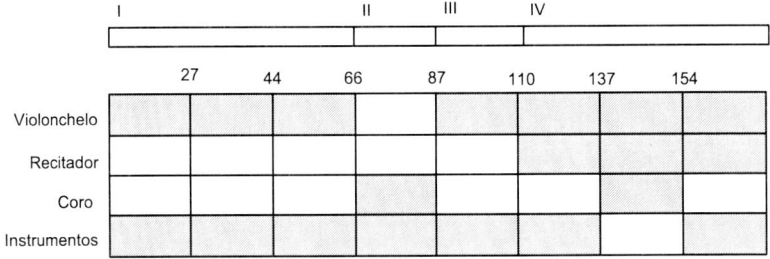

Ejemplo 1

En el ejemplo anterior se observa una subdivisión interna en la que prima, por encima de todo, la homogeneidad del número de compases de cada subsección, que se ordena del siguiente modo:

$$27\text{-}17\text{-}22\text{-}21\text{-}23\text{-}27\text{-}17\text{-}26$$

La relación simétrica existente en esta primera parte es evidente; esta simetría ayuda a equilibrar la continuidad del discurso musical, a lo que igualmente contribuye el ahorro continuo del timbre que hace el compositor, para llegar progresivamente a un despliegue de la totalidad de los solistas, que no se dará hasta el compás 137.

En la primera sección (hasta el compás 66), tenemos una considerable introducción protagonizada por el violonchelo, cuya melodía inicial es la derivada de la obra para violonchelo solo titulada **Ofrenda**. El comienzo de dicha melodía es el siguiente:

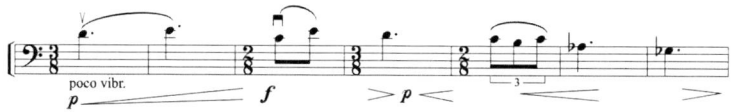

Ejemplo 2

Esta melodía contiene rasgos que, si bien en su primera audición no son reconocidos como tales resultarán, sin embargo, cruciales para el desarrollo de la obra. Estos rasgos se fundamentarán, principalmente, en el uso de terceras en los encadenamientos melódicos. Estas, junto a la relación pretendidamente consonante, le confieren una connotación seudotonal que quedará negada con la aparición de los otros instrumentos. Por otra parte, resulta evidente que una sucesión basada en la superposición armónica de terceras —y melódica de segundas—, posee una connotación claramente tonal y, en el caso de De Pablo, éstas se interrelacionan sin jerarquización alguna, incluso en un contexto de superposición que arroja como resultado final una sonoridad de tipo atonal. Sin embargo, el uso característico de este medio para la composición, huyendo del amaneramiento del uso de fuertes choques tonales como los utilizados en la escuela post-serial de Boulez y Stockhausen, entre otros, es una peculiaridad del autor.

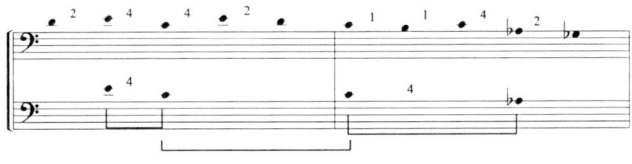

Ejemplo 3

Este encadenamiento melódico, en el que las terceras resultan ser el intervalo privilegiado, va a aparecer con mayor claridad en el arpa y, sobre todo, en la celesta, que lo efectuarán a partir de un eje fundamental que sigue siendo el propio violonchelo.

Ejemplo 4

Estas agrupaciones por grupos de terceras son llamadas, por Luis de Pablo, *agregados*, entendiéndose a estos como los acordes que se autogeneran hacia el agudo o hacia el grave mediante encadenamientos de terceras u otros intervalos superpuestos. Con ello resultan privilegiados varios intervalos: los de tercera mayor y menor, los de cuarta justa, los de quinta justa y tritono. Esta forma de articular el material sonoro es algo que ya había utilizado en obras anteriores. Claude Helffer, en su análisis sobre el **Concierto para Piano nº 1**, hace mención de un *agregado* semejante que se manifiesta en el siguiente acorde[8]:

Ejemplo 5

Obsérvese que, aunque la estructura es distinta, mantiene en común con **Sonido de la Guerra** ciertas connotaciones de encadenamiento vertical. Esta articulación se va a mantener durante toda la obra y, en particular, sobre esta parte introductoria (hasta el compás 66).

---

8   Citado en el artículo de Claude Helffer: *Un análisis del Concierto nº 1 de Luis de Pablo. Escritos sobre Luis de Pablo.* Madrid: Ed. Taurus,1987. Pág. 115.

Los cambios de compás son continuos y no parecen obedecer a una combinación rítmica prefijada. Son fruto de una necesidad de articulación melódica por encima de un control rítmico de pulsaciones, por lo que así se consigue cierta ambigüedad de pulsación. Hasta el compás 27 el grupo instrumental actúa como simple acompañante, enturbiando el sonido del violonchelo, algo que el mismo instrumento ya realiza continuamente mediante el uso de efectos (armónicos, trémolos, pizz, etc.). Será, de hecho, este continuo cambio de la articulación y del timbre lo que genere cierta sensación de inseguridad y desconcierto, aludiendo a la intención del texto, en el que impera la desolación. A partir del compás 28 aparece, en el grupo instrumental, un cierta intención hacia la homofonía, que tiene como precedente la culminación en el agudo del compás 27, con el agregado realizado entre Arpa y Celesta.

Ejemplo 6

Junto a los elementos de carácter homófono que aparecen en esta pequeña sección, que va hasta el compás 45, hace entrada, por primera vez, un juego rítmico en el que se mezcla el grupo instrumental con el *pizzicato* del violonchelo, en una combinación rítmica complementaria. Este ritmo, al ser utilizado en un contexto de volumen instrumental considerable —en el conjunto de la obra—, se va a hacer notar, y será un elemento a desarrollar con posterioridad.

Ejemplo 7

En el compás 45 hay una especie de retorno a la melodía inicial, aunque con ciertas diferencias melódicas a pesar de que en su globalidad el contenido lineal sea prácticamente idéntico. Es en esta última parte donde se da cita, de nuevo, la idea de repetición melódica en ostinato aparecida en el compás 27, y aunque en aquella ocasión lo hacía como elemento culminante, aquí va a aparecer con mayor constancia en los cinquillos de la celesta en el compás 54, junto a la asociación —de nuevo igual que en el compás 27— del arpa y la celesta, aunque con un acorde que podemos considerar contrario al universo armónico recreado por De Pablo: *el cluster*. Hasta aquí podríamos enumerar tres elementos que complementan la introducción: la melodía del violonchelo (el alma), el acompañamiento esporádico del grupo instrumental (lo exterior), y la pulsación en forma de latido (corazón). Todos hacen uso de relaciones de tercera, e incluso en algunos momentos resulta muy evidente. Así es el caso del compás 5.

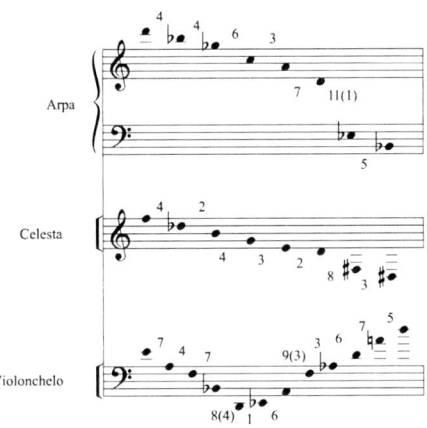

Ejemplo 8

Podríamos decir, sin temor a equivocarnos, que lo anteriormente mencionado va a ser lo primordial a lo largo de toda la obra, y únicamente la diversidad tímbrica va a traer consigo elementos novedosos. Éste es el caso del coro, que hace su entrada en el compás 67. El encadenamiento, tanto melódico como armónico, es simple, aunque tal simplicidad no es gratuita y tiene un objetivo claro: crear un mundo de ensueño, a modo de espejismo, que se halle a su vez dentro del contexto sonoro de la obra. Obsérvense, en el ejemplo 9, los 5 compases iniciales.

A partir de ahí las voces van a ser utilizadas en una imitación contrapuntística, únicamente acompañadas por la percusión, que va a mantener un movimiento melódico y armónico semejante, terminando en el compás 86. Posteriormente retorna la importancia al violonchelo que, junto a la flauta realizan un dúo expresivo en el que la relación de terceras es clara y evidente

—en el violonchelo—, mientras que la flauta utiliza combinaciones de segunda y tercera, concluyendo en el compás 110 con una escala descendente.

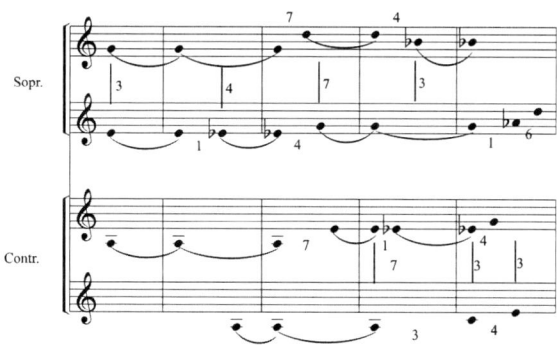

Ejemplo 9

En el compás 111 empieza la siguiente sección, en la que aparece por primera vez el recitador. Su entrada va precedida de un pizzicato del violonchelo en forma de pulsación, junto a los glissandi de la percusión —timbales— y arpa, sobre un acorde disminuido a partir de Do#, en el que se sustituye Mi por Re:

Ejemplo 10

Este acorde le proporciona al fragmento un gran dramatismo, ya que se mantiene en una pulsación constante y continua hasta el compás 166, únicamente perturbada por la doble pulsación que resulta de dividir a la negra en dos mitades. Alcanzará el punto culminante en los compases 118 a 126. Esta pulsación traduce lo que el propio texto expresa, es decir, la sensación de soledad y vacío después de la batalla, con el palpitar del corazón como único sonido.

En el compás 138 aparecen juntos, por primera vez, los tres elementos más significativos de la pieza: el violonchelo, el recitador y el coro, con la aparición de un *sueño-suspiro*, acompañada de un continuo latir del violonchelo.

El material utilizado en esta parte no aporta ideas nuevas, sino que es una reelaboración del empleado en el anterior coro del compás 67. En el compás 154 el sueño se quiebra súbitamente, permaneciendo la voz y el violonchelo en un movimiento fijo de carácter similar al de la pulsación anterior, con la única excepción de que es ahora la celesta quien hace su aparición para ascender progresivamente hasta culminar en el compás 165 en su nota más aguda (Do6). A partir del compás 166 la calma vuelve de nuevo en las notas tenidas en el violonchelo, con la única diferencia del grupo instrumental, que cesa en el compás 171 para dar lugar a un pequeño solo de violonchelo que será con el que terminará la pieza.

En esta primera parte Luis de Pablo ha marcado ya las *pautas* del material utilizado y su contorno melódico específico. El uso de este material es relativamente simple. En primer lugar, el compositor da preponderancia a los intervalos siguientes:

> Segunda Mayor (2)
> Tercera Mayor (3)
> Tritono (6)
> Cuarta y quinta justa (5 ó 7)

En segundo lugar aparecen otros intervalos como elementos secundarios, utilizados aquí como intervalos de contraste:

> Segunda menor (1)
> Tercera menor (3)

Este uso, ya anunciado al principio, le lleva a desarrollar un lenguaje de características modales. Véase como la utilización intervalica inicial en el violonchelo genera la siguiente escala:

Ejemplo 11

Esta escala es relativamente simple, pues se trata de la escala de tonos enteros. Dicha simplicidad, que hasta sorprende en la música de Luis de Pablo, será puesta de manifiesto a lo largo de toda la pieza, en la que como anteriormente se ha mencionado, prima el sentir expresivo sobre un uso riguroso del material musical.

POESÍA-MÚSICA

El soldado

Tras la primera parte, que actúa a su vez como idea introductoria, en *El Soldado* únicamente van a intervenir el tenor y el violonchelo, en una bella alegoría de la voz del alma y la del ser humano; un dúo en el que el soldado se debate entre la vida y la muerte y el violonchelo (el alma) encarna la propia vida que se resiste a desaparecer. El texto utilizado aquí es el siguiente:

> No estoy dormido. No sé si muero o sueño.
> En esta herida está el vivir, y ya
> tan solo ella es la vida.
> Tuve unos labios que significaron.
> Un cuerpo que se erguía, un brazo extenso,
> como unas manos que aprehendieron: cosas,
> objetos, seres, esperanzas, humos.
> Soñé, y la mano dibujaba el sueño,
> el deseo. Tenté. Quien tienta vive. Quien conoce ha muerto.
> Solo mi pensamiento vive ahora.
> Por eso muero. Porque ya no miro,
> pero sé. Joven lo fui. Y sin edad, termino.

Para resaltar la peculiaridad de cada uno de los participantes, Luis de Pablo escoge valores de gran movimiento para el violonchelo y, en contraste, valores más largos para la voz, además de un mayor diatonicismo en las secuencias melódicas de ésta última. El objetivo es hacer obvias las diferencias entre ambos; así, mientras que la línea del violonchelo es continuamente oscurecida por movimientos rápidos y por grandes saltos, la del tenor es absolutamente lineal:

Violonchelo

Tenor

Ejemplo 12

De hecho, se trata casi de un recitativo *alla antica*. No sabemos si será por casualidad o no, el hecho es que la pieza guarda cierta similitud con el uso serial que Alban Berg hace en su ópera **Lulú**, en la que el personaje diabólico está representado por una serie de carácter tonal o consonante, y el resto de los personajes lo hacen con series no tonales.

La connotación tonal es evidente, sobre todo, en la melodía final —última frase musical de la voz—, puesto que se trata de una escala completa de Mi Mayor descendente, lo que constituye, de uno u otro modo, un retorno a la parte inicial. Sin embargo, el hecho de que también sea Mi el eje tonal sobre el que se inicie la obra —en el violonchelo— no resulta nada definitorio, ya que constituye más un hecho casual que predeterminado. También aquí hace Luis de Pablo un uso del tipo de compás igual al de la pieza anterior, es decir, una combinación fruto de la idea expresiva y no de una combinación delimitada.

El pájaro

En esta pieza no interviene el hombre, y sin él no existe razonamiento humano, por lo que no es utilizado el violonchelo. La visión es la de un espejismo, como en un sueño, en el que es el pájaro quien observa el horror. Si la anterior pieza se articulaba como un todo, en este caso, la diversidad de elementos que se suceden uno tras otro es considerable, así como los cambios de *tempi* que pretenden enfatizar el carácter del sueño poco regular —y nada humano— del animal.

Van a ser aquí la soprano y el coro de mujeres quienes tengan el mayor protagonismo, junto a los instrumentos de percusión de metal —vibráfono con motor y flexatón— , que resultarán ideales para crear esa atmósfera de espejismo. El texto utilizado aquí es el siguiente:

> ¿Quién habla aquí en la noche? Son venenos
> humanos. Soy ya viejo y oigo poco,
> mas no confundo el canto de la alondra
> con el ronco trajín del pecho pobre.
> Miro y en torno casi ya no hay aire
> para mis alas. Ni rama para mi descanso.
> ¿Qué subversión pasó? nada conozco.
> Naturaleza huyó. ¿Qué es esto? Y vuelo
> en un aire que mata.
> Letal ceniza en que bogar, y muero

Serán, sin embargo, estos cambios de tiempo los que determinen el proceso formal , además de ser los conductores de la densidad sonora:

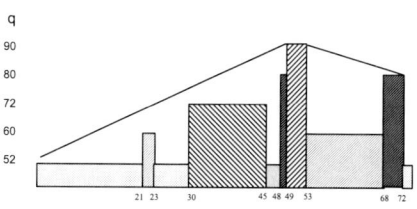

Ejemplo 13

En este gráfico podemos observar la diversidad de *tempi* utilizados. En él se subrayan las secciones de diverso tamaño. Así obtenemos la relación de *tempi* siguientes: 52-60-52-72-52-80-90-60-80-52, en la que podemos observar un acelerando constante que posteriormente retorna al *tempo* inicial.

En la primera parte (hasta el compás 21) intervienen el coro y la voz haciendo uso de melodías de tipo diatónico, en las que reaparecen los intervalos citados en la primera pieza:

Voz

Coro

Arpa

Ejemplo 14

Esta intervállica, de carácter pentatónico, esgrimida al comienzo por la voz e imitada por el Arpa, va a mantenerse a lo largo de toda la pieza. La segunda sección (compases 21 a 23) consiste simplemente en un calderón sobre el que se realizan unos acordes que servirán de nexo de unión con la tercera sección, en la que aparecen de nuevo los elementos iniciales. Dicha interválica nos llevará hasta el compás 30, a partir del cual empieza la cuarta sección en un tempo más rápido y homófono que enlaza con el compás 44. En el compás 45 —quinta sección— vuelve de nuevo el tempo inicial, acelerando progresivamente hasta el tempo de q= 90 en el compás 49, tempo que se va a mantener hasta el compás 55 —a excepción de los dos compases finales—, donde empieza el solo de la soprano. En esta sexta sección (compás 55) aparece un solo de la soprano que va hasta compás 67. Aquí se encuentra la sección en que menos se sostiene la idea de connotación diatónica utilizada hasta el momento. La voz va a utilizar saltos melódicos poco comunes, —con respecto al resto de la obra—, aunque en su mayor parte se generan a partir de la misma idea, resaltando así sobre el contexto de linealidad mantenido a durante toda la pieza:

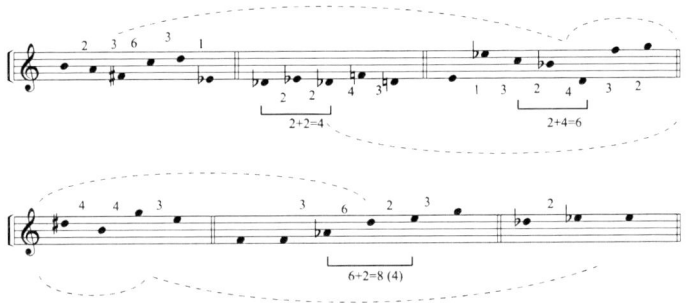

Ejemplo 15

Este fragmento es sumamente interesante, ya que contiene los elementos que resultarán ser los generadores del material organizativo.

No resulta obvio, a simple vista, discernir tales elementos, pero si observamos el ejemplo número 15 veremos cómo De Pablo utiliza dos ideas: la simetría interválica en la construcción de cada una de las frases musicales — e incluso del propio texto—, y la relación intercalada del número de notas aparecido en cada una de las frases:

| 6 | - | 7 | - | 6 | (simétrico) |
| 5 | - | 4 | - | 3 | (decreciente) |

A lo mencionado se le añade la relación interválica con la idea inicial junto a la dualidad mayor y menor que se establece en la segunda frase y que será parte constitutiva de la organización del final de la pieza.

El pájaro finaliza en una última sección de gran verticalidad (compás 72), en la cual la soprano sostiene una métrica distinta con respecto al resto de los intérpretes. En este fragmento aparece, con claridad absoluta y por primera vez en toda la obra, la idea que la rige, es decir, la dualidad que se establece entre el campo de tercera mayor y el campo de tercera menor, junto a su eje paralelo que es, al mismo tiempo, el elemento disgregador del panorama sonoro: *el tritono*. El final se construye de tal modo que la sonoridad del tritono se mantiene entre la contralto, vibráfono, arpa y flauta baja, mientras que la soprano va jugando con la dualidad de tercera Mayor-menor. Mientras tanto el timbal mantiene un pedal sobre Sol. Todo ello configura la estructura armónica siguiente:

Ejemplo 16

Obsérvese la clara relación existente entre la configuración armónica del ejemplo 16 y la melódica del ejemplo 15.

El soldado, la alondra

Esta última pieza es la que aglutina todos los elementos aparecidos en la obra. La pieza se puede dividir en tres grandes secciones, y en cada una de ellas aparece uno de los solistas:

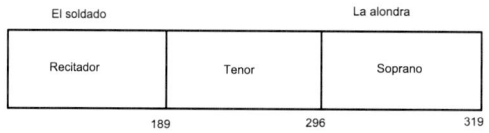

Ejemplo 17

El texto que va a ser utilizado aquí es el siguiente:

EL SOLDADO

Si alguien llegase... No puedo hablar. No
puedo gritar. Fui joven y miraba, ardía.
tocaba, sonaba. El hombre suena. Pero mudo, muero.
Y aquí ya las estrellas se apagaron,
pues que mis ojos ya las desconocen.
Sólo el aire del pecho suena. El estertor
dentro de mí respira por la herida,
como por una boca. Boca inútil.
Reciente y hecha solo
para morir.

LA ALONDRA

Todo está quieto y todo está desierto.
Y el alba nace, y muda.
Pasé como una piedra y fui a la mar.

En la primera sección aparece la idea del estupor del campo de batalla junto a la voz del soldado moribundo. Esto es expresado musicalmente con un arpegiado del violonchelo, con sordina y en trémolo, junto al trémolo de los timbales en glissando y al de la flauta baja. Los últimos acompañan a la voz del soldado que actúa como la idea del sueño, mientras la agitación del alma es personificada por el violonchelo, lo cual nos va a llevar hasta el compás 98 y con posterioridad a un ostinato, que empieza en el compás 91 sobre la nota Do# en el timbal y el violonchelo, mediante una articulación parecida a la que ya se utilizara en la primera pieza (compás 41 y siguientes). A partir del compás 99 y hasta el 189, el violonchelo cambia su articulación y pasa a ser la de una pulsación en pizzicato, aunque manteniendo el mismo arpegiado anterior y añadiendo de nuevo, en el compás 121 a 125, la idea de pulsación aparecida en el compás 94, en este caso sobre la nota Do.. Este cambio de articulación va a preludiar la nueva entrada del recitador en el compás 126 para volver, a modo de recapitulación o pequeña *codetta*, al unísono del compás 166, retornando a los trémolos que van a desintegrarse en un arpegiado sobre armónicos naturales. Se enlazará con los acordes de la celesta y las campanas, acordes que representan la síntesis de la verticalidad de los agregados utilizados por De Pablo (ejemplo 18).

En la segunda sección surge la primera imitación de elementos aparecidos con anterioridad. Por una parte, el tenor imita el mismo giro melódico que la soprano utilizara en la tercera pieza, es decir, Sib-sol; y por otra parte, el violonchelo imita de forma variada el principio de la obra.

POESÍA-MÚSICA

Ejemplo 18

Ejemplo 19

Obsérvese que De Pablo utiliza una inversión de la idea inicial —espejo— cuyo comienzo se utilizan las mismas notas Do-Re-Mi (tercera mayor), lo que nos lleva a un dúo entre el tenor y el violonchelo de 26 compases que retorna en el compás 138 y se prolonga al 165, o sea, 27 compases. Esto nos da una idea de la regularidad métrica de cada uno de los períodos. Le sigue un fragmento homófono del tenor y el coro. En este fragmento el coro vuelve a representar el sueño de la muerte, en el que incluso participa la voz del soldado (tenor), utilizando las ideas melódicas ya aparecidas en los anteriores coros, los cual nos lleva al compás 297, donde tras un acorde de tercera menor, realizado por las campanas, se inicia el canto de la Alondra a modo de epílogo.

La última sección, con la que concluye la obra, utiliza una interválica totalmente diatónica, como la que ha prevalecido durante toda la pieza, acompañada de una *multipulsación* realizada por el arpa, celesta y percusión hasta el compás 308, en el que todo el grupo instrumental se reduce aquí a un pequeño dúo final de la soprano y la flauta baja.

Hasta aquí hemos podido observar un uso del material sonoro singular, puesto que no se trata de ningún modelo concreto sobre el que poder realizar una comparación, ya que es absolutamente personal. Tampoco se trata de un lenguaje tonal, sino de un lenguaje que también utiliza los recursos comúnmente reservados a la tonalidad y, principalmente, a la consonancia, aunque siempre lo hace con un sistema combinatorio que no se rige por sistemas jerárquicos.

Estas apreciaciones, que ahora ya son evidentes, son utilizadas por Luis de Pablo a la mayoría de sus obras actuales. Por ello a este período se le ha denominado, como anteriormente ya hemos mencionado *Período Rosa*, manifestando las características de mayor consonancia que contiene su música. La obra que vamos a analizar seguidamente guarda semejanzas con **Sonido de la guerra**, aunque su enorme complejidad conlleva el uso de medios de elaboración del material musical mucho más complejos, que aunque no vamos a desarrollar en su totalidad esperamos que el lector pueda obtener una base firme sobre la que comprender el procedimiento compositivo empleado.

SENDEROS DEL AIRE

Si bien **Sonido de la guerra** era una obra de gran contenido social y de compromiso frente a la crudeza e injusticia de la guerra, **Senderos del Aire** es una obra muy diferente, en la que la carga poética recae, en este caso, sobre un formato orquestal monumental, con uso de instrumentos poco habituales: 4 flautas, 4 oboes, 4 clarinetes en la, 4 fagotes, saxofón tenor en Si bemol, 6 trompas en Fa, 4 trompetas en Do, 4 trombones, tuba, piano, 2 arpas, celesta, timbales, 4 percusionistas, 16 violines primeros, 14 violines segundos, 12 violas, 10 violonchelos y 8 contrabajos. En la percusión destaca el uso de los *Steel drums*, probablemente la primera obra escrita en España en la que se utilizan dichos instrumentos. Estos son, en realidad, de uso bastante reciente, sobre todo en la plantilla orquestal: se construyen sobre la base de bidones de petróleo dentro de los cuales se practica —en su interior— ciertas deformaciones a modo de placas metálicas, que son las que producen su peculiar sonido.

Senderos del aire fue compuesta a petición de la Suntory Limited para el tercer aniversario de su programa internacional de composición musical, a celebrar en Tokyo en 1988.

Se podría decir que **Senderos del Aire** se sitúa entre las obras de tipo descriptivo más importantes del compositor, aunque entendiendo el término en un sentido diferente al tradicional de la música programática, y aplicado, en este caso, al de la expresión de la sublime experiencia humana: *«[...] nunca he hecho música descriptiva ni ilustrativa, no; lo que he hecho siempre es crear un determinado orden sonoro, a veces con referencia a alguna situación, y esto presupone una cierta dosis de fe en que un estado de ánimo pueda quedar plasmado en música [...]»*[9]. La obra intenta narrarnos, como indica su título, una imagen siniestra y teatral a modo de aventura en una gran tormenta sonora; sin embargo, **Senderos** no se refiere a un texto ni a una idea de tipo totalitario, sino a la idea del ser humano como punto de referencia. La obra contiene ideas de retorno hacia una más fácil percepción y escucha por parte del oyente, aunque no se trata de un retorno a una nueva tonalidad o nuevo romanticismo, sino lo que Piet de Volder llama en su artículo *«Expressions of monumentalism»*, retorno hacia un *nuevo monumentalismo*.

El oyente se encuentra ante una obra monumental y de expresividad extrema que recuerda en ciertos momentos al monumentalismo orquestal de Bruckner, Mahler y, cómo no, Debussy, así como al de Schoenberg en **Erwartung** y los **Gurrelieder**, a pesar de que el propio Luis de Pablo se declare ajeno a la influencia de la música de Mahler o Bruckner. Este acercamiento a los medios tradicionales que encontramos en la obra, la hace más comprensible para la mayoría de los oyentes. Sin embargo, no por ello deja de pertenecer a su contemporaneidad artística como modelo expresivo, ya que aunque la obra utiliza ideas del pasado —que de hecho no han sido nunca despreciadas por el propio compositor—, las pone en un lugar presente, teniendo en cuenta lo que el propio de Pablo decía en los años 60: *«[...] el compositor debe ser un intelectual, que la intuición sola no basta y que es preciso un compromiso real con su momento, en lo que éste tenga de más rico y contradictorio»*[10].

El proceso formal

De Pablo también se aleja en esta obra de los patrones de pensamiento musical adquiridos en el período revolucionario de los años 50 y 60, en los que había que *quemar etapas*, y en los que la trayectoria compositiva se afirmaba con fuertes dosis de renovación ideológica. Ésto era ya expresado por el propio

---

[9]   Citado en la entrevista de José Luis García del Busto titulada: *Un diálogo con Luis de Pablo. Escritos sobre Luis de Pablo*. Madrid: Ed. Taurus, 1987. Pág. 17.

[10] DE PABLO, Luis: *Aproximación a una estética de la música contemporánea*. Pág. 36.

32

compositor cuando decía: «*[...] la necesidad de aceptar el azar puro como única forma de componer válida hoy*»[11]. En **Senderos**, apenas hallamos fragmentos aleatorios, puesto que reutiliza —tras haber adquirido experiencia y despojándose de prejuicios innecesarios—, los elementos que tanta influencia han tenido en la música del siglo XIX, los cuales, por otra parte, no le son en exceso ajenos. Cabe señalar aquí que sería hacia los años 50 cuando Stravinsky recuperara la estructura básica de la forma clásica para crear una nueva idea o *modelo estilístico* que se traduciría en su neoclasicismo —para no decir de la música de Shostakovich, Bartók, Hindemith, etc.—.

Senderos se compone de una multiplicidad de pequeños y extremadamente variados elementos, desarrollados de forma indefinida y en constante renovación. Con ellos construye una continua metamorfosis temática que produce distintas configuraciones, y que aunque parten de una idea temática expuesta al inicio a modo de tema principal, se organizan a partir de una estructuración clásica:

- Abundan las imitaciones contrapuntísticas.
- Los acordes y combinaciones armónicas son siempre consonantes.
- Se hallan a menudo elementos repetitivos, tanto rítmicos como melódicos, a menudo en ostinato.
- Se utiliza una idea de carácter temático, repetida a modo de reexposición y desarrollo.

De Pablo usa en la partitura dos formas de enumeración, la convencional, de números de compás, y la de letras. Las letras indican partes completas de 99 compases, excepto en la letra G que es un *senza tempo*; la letra I de 7 compases; J, L, N, O, S, U y V, también *senza tempo*; y T de 91 compases. Sin embargo, esta combinación apenas arroja luz en el análisis, ya que cada una de estas es utilizada para dar claridad a su dirección orquestal, y en ningún caso se trata de una organización relacionada con el proceso de elaboración de la obra.

El punto de partida es la organización inicial que, lejos de desarrollarse como una idea *leitmotiv*, lo hace como idea temática de estilo clásico. Esta idea inicial posee, además, tres partes claramente definidas, y no lo son sólo por su desarrollo melódico, sino por el tímbrico, y serán, de hecho, las generadoras del discurso musical posterior.

---

[11] DE PABLO, Luis: *Aproximación a una estética de la música contemporánea.* Pág. 50.

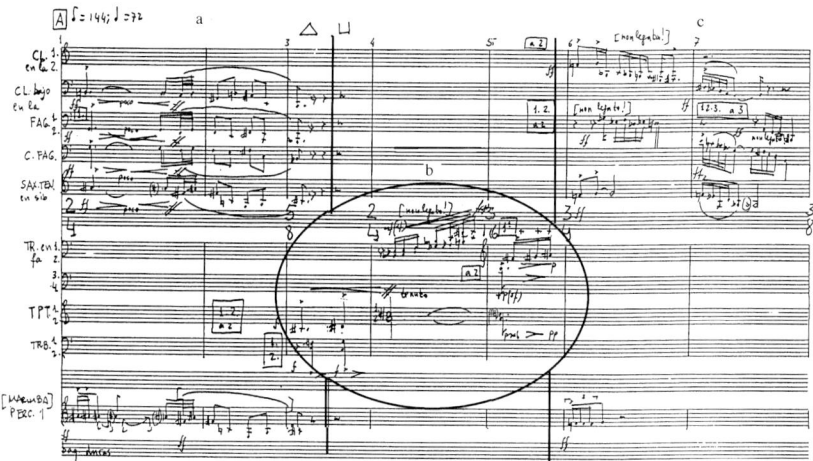

Ejemplo 20

Esta misma idea inicial es repetida de forma parecida en Q 61, aunque con aumentación de los valores en la parte del trombón primero y a modo de reexposición.

Ejemplo 21

Teniendo en cuenta los elementos que aparecen a lo largo de toda la obra y de acuerdo a su ordenación, exponemos aquí el orden formal que a nuestro juicio la rige.

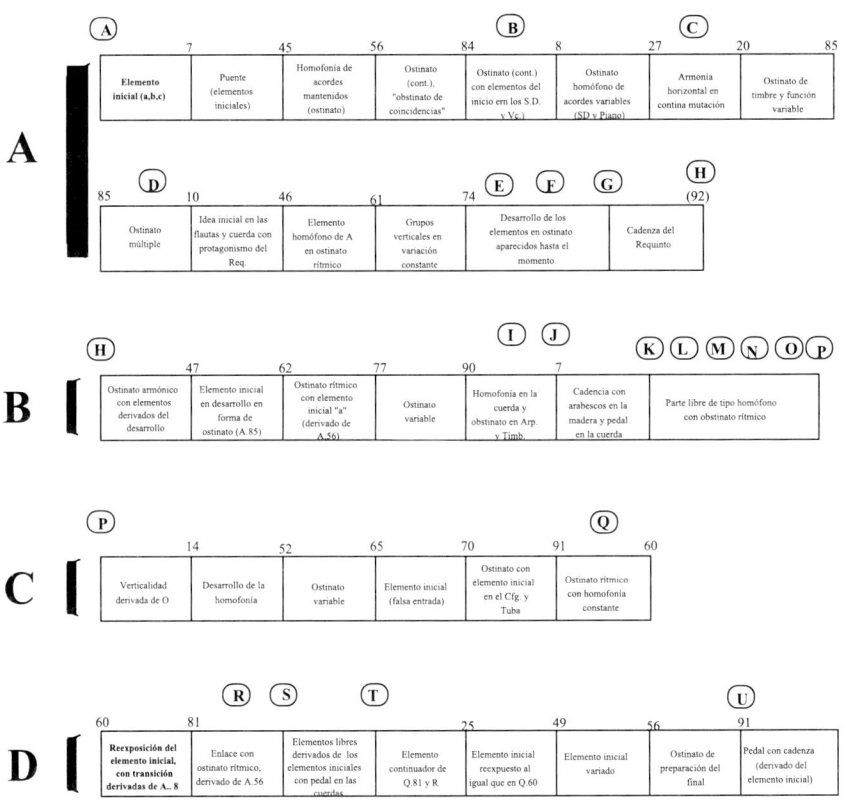

Ejemplo 22

Conviene resaltar, sin embargo, la continua variación de ideas — aunque estas siempre surgen de las tres iniciales antedichas— que De Pablo utiliza en la obra, de forma similar a lo que ocurre en **Sonido de la Guerra**. Esta variación continua hace difícil reconocer muchos de los procesos empleados en su composición, del mismo modo que resulta altamente complejo definir cómo se desarrollan a partir de los elementos iniciales.

En la distribución formal hemos establecido una división de tipo piramidal que acoge, en primer lugar, los grupos de mayor envergadura:

A/   Donde aparece el elemento inicial de la obra, en el que los 7 primeros
        compases actúan como tema.
B/   Desarrollo principal.
C/   Desarrollo de los elementos derivados de A, es decir, el ostinato y la
        homofonía contínua.
D/   Reexposición y cadenza final.

En el ejemplo 22 observamos que las cuatro secciones importantes poseen un nexo de unión, con una parte libre que actúa como punto de equilibrio entre ellas. La culminación del pedal estructural lo encontraremos en las letras J a P, entre las que se encuentra el fragmento de *senza tempo* más importante, justo en el centro de la obra. Los otros fragmentos de *senza tempo* tienen una ampliación en sentido creciente y decreciente —en cuanto a la duración del tiempo—, que no hacen más que apoyar la sensación de clímax temporal.

La reexposición no aparece claramente hasta el compás Q.60, aunque antes ya se produjo un falsa entrada con las trompas en unísono, utilizando un elemento parecido a la idea temática inicial (compás P.65) que anunciaba el regreso al elemento del principio. Esta reexposición temática del primer elemento (a) únicamente se repetirá en el compás T.49.

Deducimos pues, del anterior análisis, que nos hallamos ante un tipo de concepción formal de tipo *Sonata*, aunque desarrollada a partir de distintos puntos de vista que los tradicionales. Estas diferencias conceptuales con respecto del término clásico son suficientes para señalar el alejamiento de su significado tradicional.

El elemento principal como generador del material sonoro

El principio de la obra, como ya hemos anunciado anteriormente, se abre con una idea de carácter temático que posee tres elementos claramente definidos. Ahora bien, cada elemento tiene una estructura interna propia, cuyo contenido resulta imprescindible analizar, ya que de aquél derivará todo lo que continúa.

Dividiendo en 3 partes la entrada de 7 compases (ejemplo 20), obtenemos los siguientees elementos.

Elemento a

El primer elemento aparece en tres voces homófonas y con distinta disposición melódica, aunque con una estructura rítmica idéntica:

Ejemplo 23

Este elemento, a su vez, deriva en dos distintos:

x/   Cabeza temática

y/   Cola cadencial

Ejemplo 24

Estas células temáticas también contienen una simetría interválica semejante a la que encontrábamos en **Sonido de la Guerra** (ejemplo 15).

Ejemplo 25

Esta interválica, observada verticalmente, origina otra nueva, que será fundamental para el desarrollo posterior de la obra, ya que contiene lo esencial de la idea de disonancia y consonancia que De Pablo va a utilizar en **Senderos**, y cuyo uso determinará su color armónico.

Ejemplo 26

Aquí hemos analizando las disonancias y consonancias tal y como propone E. Krenek[12] en sus estudios, es decir, en intervalos disonantes, consonantes y semiconsonantes (en este último caso sólo la cuarta justa). También los hemos analizado de dos formas independientes: el pentagrama superior indica la relación interválica entre las voces superiores, y el pentagrama inferior indica la relación entre las voces inferiores

De todo ello resulta una utilización interválica peculiar, puesto que siempre se utilizan una disonancia y una consonancia conjuntas. Sólo en un caso aparece la relación de dos disonancias. Las consecuencias que se derivarán de esto serán importantes, ya que De Pablo hará uso continuo de estos acordes.

Elemento b

La parte b se erige como el principal uso acordal homófono, realizado por las trompetas y los trombones y utilizado como transición hacia al elemento **c**. Sin embargo, los elementos que integran este elemento **b** serán muy importantes, sobre todo en lo que concierne al uso escalístico y acordal. Primero aparecen dos acordes:

Ejemplo 27

---

[12]   E. KRENEK: *Autobiografía y Estudios*. Madrid: Ed. Rialp, 1965. Pág 124 y ss.

El primero se comporta como un acorde de Re Mayor con séptima mayor, pero sin quinta, o sea, con una superposición de terceras que guardan entre sí la relación de una consonancia y una disonancia (con respecto a la nota inferior: Re-Do#). El segundo se comporta como un acorde de Do menor, y contiene dos consonancias.

A estos dos acordes (elementos verticales) le siguen dos escalas paralelas que utilizan la siguiente serie de sonidos:

Ejemplo 28

Obsérvese que existe en su contenido (previa enarmonización), una característica diatónica considerable, que le confiere una sonoridad claramente tonal, aunque difiera en su tratamiento y en el contexto global suene como una disonancia.

Elemento c

La parte **c**, en la que tienen resolución y contestación los elementos anteriores, nos llevará hacia el puente (c. 8). Inicialmente, sin embargo, se utiliza una escala parecida al elemento **b** pero en sentido contrario, es decir, descendente, a la que se le añade un movimiento paralelo que podría ser resumido así:

Ejemplo 29

Lo mencionado nos viene a confirmar algo que ya apreciábamos en **Sonido de la Guerra**: el uso de ideas en constante simetría, que tienen incidencia sobre la configuración melódica y, por ende, en la construcción formal; en segundo lugar, sobre el uso de ideas de connotación diatónica, algo que ya aparece como habitual a lo largo de las dos obras que aquí estamos analizando. Veamos cómo estas se aplican en el desarrollo posterior al principio temático, acerca del cual queremos hacer notar lo siguiente: los tres elementos, a pesar de ser distintos, contienen un engranaje melódico igual, lo que le confiere unidad como tema, e incluso como *leitmotiv*.

La imitación temática y sus aplicaciones

Todos los elementos temáticos del comienzo, y especialmente el primero (a), van a ser imitados continuamente durante toda la obra mediante todo tipo de aplicaciones, tanto rítmicas como armónicas, además de un sinfín de distintos procedimientos que, ante todo, tienen a dicho elemento como punto de partida. No obstante, hay que añadir que el elemento inicial nos revela varias cuestiones de trascendente significado en su desarrollo:

El uso del arabesco —entendiendo éste como un movimiento rápido de tipo mordente—, algo que ya encontramos en el primer compás.
La repetición constante, que muta paulatinamente hacia el ostinato.
La armonía de combinación disonante-consonante generada.
La relación entre el encadenamiento interválico horizontal con respecto al vertical.
La homofonía generada desde la verticalización interválica.

Lo que resulta más evidente, aunque tan sólo sea por su número de apariciones a lo largo de toda la obra, es el ostinato. Las nuevas ideas imitativas basadas sobre los elementos iniciales se encuentran continuamente, por lo que resultaría excesivo enumerarlas todas. Hemos creído conveniente seleccionar las que por su contenido interválico y formal resultan imprescindibles para realizar el análisis con evidentes conclusiones. Téngase en cuenta que el elevado número de instrumentos y el volumen de una obra de orquesta como la presente hace necesario tomar decisiones de este tipo. La primera imitación importante la encontramos en el compás A.39, en el unísono de la madera con la tuba, seguido de las trompetas también en unísono (ejemplo 30).

Comparándola con el motivo «y» del elemento «a» (ejemplo 24), podemos comprobar que corresponde a una inversión de dicho elemento «a». Obsérvese que la disposición es, en realidad, la misma que la inicial, aunque añade notas de paso intermedias. Lo encontramos prácticamente completo en el compás A. 56, junto al ostinato rítmico en el que las notas rítmicamente acentuadas, dobladas por el fagot y la trompa, corresponden al elemento inicial «x» de «a». Lo mismo ocurre con el elemento en ostinato del compás A. 85, tocado en los steel drums y los violonchelos (ejemplo 31).

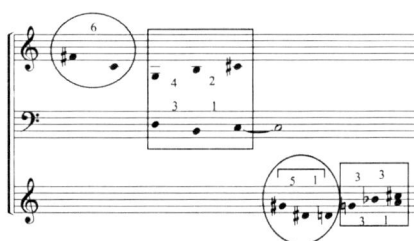

Ejemplo 30

Ejemplo 31

Ejemplo 32

En otro compás, el B.45, se utiliza también una variación del tema inicial en los violines junto a una inversión exacta en los violonchelos:

Ejemplo 33

Lo mismo ocurre en el compás C.85, en el cual aparece una combinación distinta de las mismas notas.

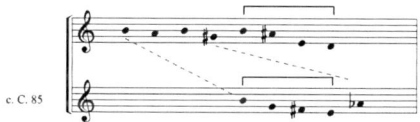

Ejemplo 34

Más tarde, en el compás D.11, en la cabeza de la primera disposición cadencial del requinto, encontramos el elemento **b** de modo prácticamente íntegro, con sólo un añadido sobre dicho elemento en forma de arabesco. Se articula del modo siguiente:

Ejemplo 35

Encontramos de nuevo, en el compás D.46, el elemento inicial (a); aquí lo realiza homofónicamente en la cuerda:

Ejemplo 36

Esto nos lleva hasta el compás H.47, en donde aparece de nuevo el elemento de A.85 en las violas, doblado por la marimba y combinado con los steel drums. Aquí lo hace diferente al de A. 85, aunque mantiene la idea del ostinato.

Ejemplo 37

Algo parecido ocurre en el compás H.70, donde aparece el elemento inicial «x» de «a» en el clarinete primero que, aunque lo hace junto al resto de instrumentos da madera, su presencia en el fragmento es evidente.

Ejemplo 38

En el anterior ejemplo se puede observar la continua dualidad Mayor-menor proveniente del sistema de agregados de Luis de Pablo, y que constituye una de las características más notorias de su música. El juego de terceras se hace evidente al final de **I**, donde únicamente será éste el utilizado en el fragmento:

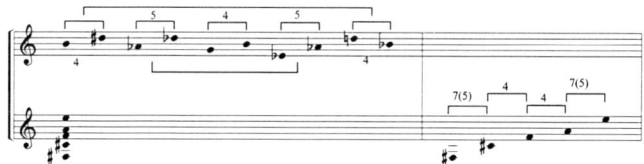

Ejemplo 39

Este grupo de terceras se combina dentro de un eje simétrico, tanto horizontal como vertical, que tiene siempre en común la dualidad de tercera Mayor-menor, junto a la de cuarta y quinta justa como intervalo equivalente.

Posteriormente, en el compás P.65, encontramos de nuevo una interválica que se articula de modo parecido al de la idea «a» del inicio, aunque su combinación resulte ser la contraria:

Ejemplo 40

Aunque el elemento «a» se halla ligeramente variado contiene lo esencial del tema. Finalmente, en el compás Q.60 encontramos de nuevo la reexposición del tema inicial, en la que se observa una pequeña variación. Ésta será repetida con posterioridad en el compás T.25, aunque también ligeramente modificada.

Ejemplo 41

Hasta aquí hemos ido observando el uso temático que hace Luis de Pablo de una idea o tema que se comporta, en realidad, como *Leitmotiv*. Sobre éste se desarrollan todos los elementos horizontales. Este modo de trabajar, es decir, el de configurar la obra a partir de un elemento, aunque este sea intuitivo,

«*[...] cada caso es diferente, y si tienen algún denominador común (las obras) es el de haber sido siempre ideas intuitivas*»[13], constituye una de las características principales de la música de Luis de Pablo. Será pues la coherencia interna del lenguaje empleado lo que sostenga el proceder musical.

Pero pasemos a otro elemento de gran importancia que no hemos hablado todavía en profundidad, es decir, la plasmación vertical del material generado a partir de los elementos iniciales.

La imitación temática aplicada a la armonía

El uso temático o motívico de la obra se rige por un principio organizativo de cierto parecido al de la tonalidad clásica, es decir, por una ordenación de las distancias nota a nota de intervalos de características consonantes que, si bien no se rigen por el principio tonal, tampoco huyen de él. Tal uso conlleva una constante simetría interválica debida a la superposición de notas e intervalos (agregados), y el encadenamiento entre ellos. Esta simetría la observamos ya en la longitud de los elementos iniciales de la obra: 2-3-2 (a-b-c), lo que trasladado a distancias interválicas sería equivalente a:

segunda mayor-tercera menor-segunda mayor
(2)   (3)   (2)

A lo mencionado se le añade la estructura de intervalo disonante frente a intervalo consonante, lo cual le proporciona un punto de partida significativo en cuanto a lo que tiene que ver de construcción de un sistema armónico.

De Pablo utiliza este recurso para construir la armonía que gobernará la obra. Para poder observarlo con mayor claridad realizaremos una breve lectura de los elementos verticales principales.

El compás A.46 será el primero en el que exista una clara verticalidad, y es además, un elemento en ostinato con trémolo. El acorde utilizado aquí es el siguiente:

---

[13] GARCÍA DEL BUSTO, J.L.: *Un diálogo con Luis de Pablo*. Pág. 18.

Ejemplo 42

O sea:

Ejemplo 43

La simetría de este acorde es evidente.

Solb	-	Re	-	Mi	-	Sib
	8		2		6	
			8			

Algo parecido ocurre en el compás B.13, donde se parte de un acorde efectuado por la cuerda que evoluciona hasta terminar, súbitamente, en el compás B.27. La combinación que se establece es la siguiente:

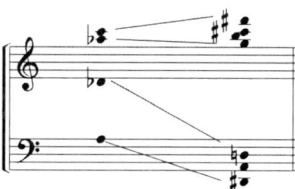

Ejemplo 44

Lo mencionado comporta una relación interválica que se articula también desde la simetría antedicha.

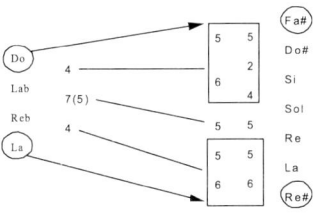

Ejemplo 45

Si aquí la simetría es evidente, ésta aparece constantemente mutilada por el uso de los agregados, lo que no ocurre, sin embargo, en el compás D.61, sin duda el lugar donde más claramente aparece dicha simetría, que se mantendrá invariable hasta el compás D.75.

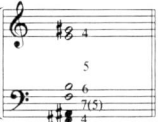

Ejemplo 46

La estructura de estos acordes sería comparable a la de los acordes de séptima Mayor o menor, disminuidos o aumentados. De hecho, no difieren más que en que mientras aquellos son organizados únicamente por terceras, los que aquí nos ocupan lo hacen por formaciones más complejas.

En lo que sigue, las estructuras armónicas principales no van a ser distintas, y en su mayoría se articularán del mismo modo. En el compás **H.1** encontramos de nuevo un pedal armónico que utiliza el acorde siguiente:

Ejemplo 47

Acorde que se fundamenta en la estructura interválica

<u>8</u>-3-1-<u>8</u>-<u>3</u>   -   2-9   -   4-8-4

En el compás H.90 tenemos la composición interválica siguiente:

Ejemplo 48

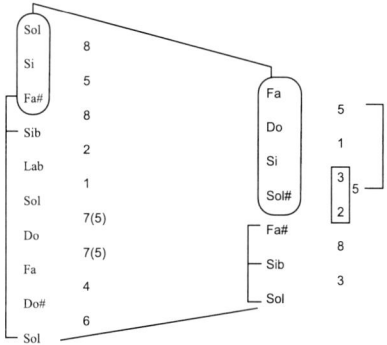

Ejemplo 49

En este caso el movimiento es contrario al que observábamos en el ejemplo 44 y 45, aunque se mantiene la constante de realización simétrica, que se aumenta o disminuye según sea el ámbito mayor o menor. En este caso no sólo disminuye el ámbito, que pasa de tener una distancia interválica en las tres notas superiores de 8-5-8 a 5-1-5, sino también el número de notas que posee. Es, sin embargo, en el pedal de **O** donde se halla más clara la voluntad de encadenamiento simétrico de la obra:

Ejemplo 50

No resulta siquiera necesario apuntar la interválica utilizada, ya que resulta evidente. Hasta aquí hemos podido ver cómo se articulan todas las partes de la obra y su conexión con el resto, algo que ya comentábamos al inicio del análisis. No hay duda, sin embargo, de que una obra de estas características precisaría de un análisis más exhaustivo de los elementos que incluye, pero nuestro propósito no es el de proporcionar una visión minuciosamente detallada de la partitura, sino la de encontrar y dilucidar los rasgos fundamentales presentes en la génesis de su lenguaje musical. Nos queda aún un asunto que tratar cuya importancia resulta evidente en el análisis y que hasta ahora sólo ha sido vagamente apuntado: el uso del ostinato.

Algo que no pasaría inadvertido en la escucha de **Senderos**, ni aún a los oídos de un aficionado, es la utilización de pedales continuos: de elementos rítmicos, de acordes mantenidos, etc.. Su uso nos lleva a recordar una de las obras más importantes de este siglo: **La Consagración de la Primavera** de Igor Stravinsky. Es evidente que Stravinsky llevó este concepto a extremos que se alejan del planteamiento compositivo de Luis de Pablo. Resulta curioso que De Pablo utilice el mismo recurso para cohesionar: ¿qué mejor que un pedal — que supone la repetición continua— para mantener el equilibrio sonoro, y de paso proporcionar al oyente un elemento de seguimiento auditivo relativamente simple? En la división formal (ejemplo 22) dábamos ya una referencia de situación de las apariciones del ostinato, por lo que no vamos a insistir en ello de nuevo .

Este modelo de expresión es utilizado por De Pablo con gran ingenio, de tal modo que buena parte de la obra yergue sobre un ostinato en continuo cambio, a modo de mutación de la idea original. A partir de esta mutación todos los elementos serán desarrollados como ritmo o acorde sostenido de uso variado, en los que no falta la creación de nuevas ideas (secciones *senza tempo*), aunque manteniendo siempre los ejes básicos de su elaboración: la horizontalidad (acordes) y la verticalidad (escalas).

A modo de Epílogo

Pierre Boulez cita a menudo la frase *«No hay nada de tradición en la música francesa»*, aunque en las circunstancias españolas, en las que sufrimos un desfase cultural, debido principalmente a la guerra civil, no hay duda de que desearíamos tener algo de aquella *nada de tradición* de la que nos habla. En todo caso, los creadores españoles saben la paciencia con que Luis de Pablo les ha escuchado y ha intentado —mediante sus clases, ya sea en el Conservatorio de Madrid, donde ejercía como Catedrático de "Nuevas técnicas del siglo XX"; en cursos diversos o en su domicilio particular—, crear una línea de comunicación en la música española que pasa por su propia obra y que se apoya sobre la base del rigor en el trabajo, junto a una clara voluntad de estudiar buena parte las estéticas de la música actual.

Este trabajo ha pretendido dar cuenta del modo de pensar y elaborar el material musical de uno de nuestros principales creadores. De Pablo es, sin duda, uno de los compositores españoles de la Generación del 51 que más ha interesado a los creadores que le han seguido. Luis de Pablo no posee un sistema de elaboración del material musical complejo —si es que su trabajo se pudiera llamar sistemático—, sino todo lo contrario. Se basa en un método de autogeneración que, mediante lo que el autor llama agregado, provoca que la música se vaya sumando a sí misma generando su propio discurso armónico.

Algo que sorprende en la música de Luis de Pablo es que no utiliza apenas elementos musicales de extrema dureza sonora, sino que ésta, si la hay, es generada por la multiplicidad de ideas consonantes o semiconsonantes, huyendo del concepto germano, principalmente promovido por el serialismo, de evitar la consonancia a toda costa. Este modo de elaborar el material sonoro es el que dificulta su análisis, que resulta altamente complejo por la interrelación de cada fragmento y las implicaciones que ello conlleva. Al lector que haya abordado la obra de Luis de Pablo le puede haber ocurrido, simplemente, *que se ha perdido*. De hecho, aunque su procedimiento de trabajo se base a menudo en elementos simples, no es posible abordarla, en su totalidad, si no se poseen parte de los manuscritos. Nadie debe sorprenderse por ello, ya que esto ocurre en la mayor parte de la música de la segunda mitad del siglo XX.

Ya para terminar, no se puede decir, de forma definitiva que, *éste es el modo de escribir de Luis de Pablo*, sino únicamente que, *éste es el modo en que escribió dichas obras*, ya que la evolución es inherente a la tarea de un creador, y los cambios en su proceder son, en consecuencia, inevitables. Posiblemente ahí se encuentre la magia de la creación musical, lo que la hace tan bella e inesperada.

Capítulo II. Joan Guinjoan

Música Mediterránea

Análisis de Tensión-Relax, Concierto para fagot y conjunto instrumental y Música per a Violoncel i Orquestra

INTRODUCCIÓN

Joan Guinjoan, nacido en Riudoms en 1931, es uno de los compositores catalanes del siglo XX más reconocidos. Aunque a menudo y por edad se le ha relacionado con la generación del 51 su obra empieza diez años más tarde. No será hasta principios de los 60 cuando la música de Joan Guinjoan irrumpa con fuerza en el mundo de la composición española contemporánea. De todos modos posee obras anteriores a esta fecha, aunque son consideradas por el compositor como piezas de formación. Que Joan Guinjoan inicie su carrera creativa a edad avanzada lo motiva el hecho de que primeramente no fue la composición el camino elegido, sino que ésta sobrevenía tras la carrera pianística que brillantemente le llevaría a las salas de conciertos de toda España. En ello influyeron una serie de factores. En primer lugar, en la época de su formación musical no era posible realizar, ni en Catalunya ni España, unos estudios musicales de cierto nivel, incluso como pianista, lo que le obligaría a viajar a París: «*Durante tres años estudié una auténtica técnica del piano en la École Normale de París, con la dificultad de tenerme que ganar simultáneamente la vida*»[1]. Para el autor esto supondría un paso hacia el encuentro con personalidades del mundo de la música que le ayudarían de modo determinante en la tarea de su formación, algo imprescindible para el joven creador. Especialmente contribuyó la figura de Cristòfor Taltabull, por otra parte maestro de toda una generación de compositores catalanes: Mestres-Quadreny, Josep Soler, Joan Guinjoan, entre otros, tuvieron en él punto de partida hacia el conocimiento de diversas estéticas musicales desconocidas en la España de aquél entonces: «*[...] el maestro Taltabull fue para mí un auténtico descubrimiento. Era un sabio y una bellísima persona, que no merecía la poca consideración que se le tuvo por culpa de las circunstancias [...]*»[2]. Más tarde ampliaría sus estudios de composición y orquestación en la Schola Cantorum de París, y aunque estos eran cursos de talante conservador, le proporcionaron la oportunidad de conocer la música que se hacía en el París de la época. Joan Guinjoan ha calificado ese período como muy importante en su vida, puesto que durante aquellos días aprendió el dominio de la orquestación y del contrapunto. De hecho, en su obra se aprecia el trabajo realizado en esa época, pues aún siendo netamente

---

[1] GUINJOAN, J. y MESTRES-QUADRENY, J.M.: *Diàlegs a Barcelona.* Barcelona: Ed. Ayuntamiento de Barcelona, 1988. Pág. 11.
[2] *Ibídem.* Pág. 15.

contemporánea mantiene importantes vínculos con la tradición, ya sea mediante un tipo de escritura que parte de procedimientos convencionales, o mediante el uso de modelos de desarrollo armónico y contrapuntístico basados en temáticas tradicionales.

La trayectoria como compositor no ha sido nada fácil para Joan Guinjoan, sobre todo tratándose de un músico que provenía de la Catalunya rural de la postguerra, si bien su carácter extrovertido le ha ayudado a abrirse camino en una sociedad hostil hacia la música contemporánea. Esto ocurría, especialmente, en el mundo de la sociedad musical catalana de mediados del siglo XX, y ha sido eso, junto al trabajo duro de la tierra, lo que muy probablemente ha influido en su música y le ha hecho *«prescindir de cualquier superficialidad o diletantismo»*[3].

La mencionada peculiaridad, junto al carácter mediterráneo de su música, lo hacen un compositor singular entre los de su generación: «En *mi caso, creo que el Mediterráneo ha influenciado mucho en mi música: el sol, un color que quizá no es rico en matices, pero es muy claro. La luz, en el aspecto tímbrico de mi obra, lo veo presente. Digámosle Impresionismo, la cuestión es que yo me siento muy bien con ese color, y lo atribuyo a la luz del campo de Tarragona y del Mediterráneo en general»*[4]. Es precisamente ese colorido el que hace que su música sea tremendamente personal y que, a pesar de la necesidad de renovarse en cada una de sus obras —« *mi afán de búsqueda tiene una explicación bastante concreta: en mi mente, el hecho de repetirse equivale también a una especie de plagio»*[5]—, mantenga un carácter que la hace reconocible como suya. El concepto de lo Mediterráneo no es algo que implique visceralidad —por otra parte siempre asociada a la cultura mediterránea—, sino todo lo contrario. Joan Guinjoan es un compositor muy preocupado por el material sonoro: «*[...] hay en ella (su música) una seguridad y realismo, a la vez que un gran sentido de la forma, que le hace superar el concepto de músico mediterráneo»*[6].

Su producción musical parte de un lenguaje serial que tiene en Schoenberg referencia ineludible[7], dirigiéndose con el paso del tiempo hacia un tratamiento aleatorio que se incrementa paso a paso, derivado de la búsqueda de nuevos procedimientos de trabajo que tenían en ese modelo expresivo, junto a la búsqueda e invención de nuevas grafías, su último destino. En la actualidad Guinjoan tiende a un retorno de escritura tradicional, lejos de esnobismos e influencias de falsa

---

[3] ALBET, Montserrat. Prólogo del libro *Ab Origine*. Barcelona: Ed. Àmbit, 1981. Pág. 51

[4] GUINJOAN, J. y MESTRES-QUADRENY, J.M.: *Diàlegs a Barcelona*.Pág. 82.

[5] GUINJOAN, Joan: *Ab Origine*. Pág. 61.

[6] ALBET, Montserrat. Prólogo del libro *Ab Origine*. Pág. 52

[7] En su faceta de director de orquesta Guinjoan ha dirigido en numerosas ocasiones la obra del compositor alemán, y algunas de sus interpretaciones —Suite Op. 29, Concierto de cámara nº 9, etc.— con Diabulus in Música son ya antológicas.

modernidad, buscando un mayor entendimiento entre compositor e intérprete y huyendo de elementos de libertad excesiva que impidan una verdadera comunicación.

La búsqueda de formulaciones musicales siempre distintas, junto a la necesidad de encontrar nuevas ideas para la creación tienen en el análisis de obras de otros compositores su punto de referencia, lo que hace que su música resulte a veces ecléctica, por otra parte algo inherente a la cultura mediterránea. Pero es precisamente esto, es decir, aunar elementos de distinta índole para darles forma de bloque único, lo que hace del compositor un caso excepcional. Con ello el oyente puede encontrarse sumergido dentro de un mundo de color exuberante que le lleva, a través de un caleidoscopio sonoro, hacia una dirección variable que resulta ser siempre la acertada en el acontecer del tiempo sonoro. No hay duda de que la influencia de los estudios realizados en la Schola Cantorum resultaron definitorios para lograr el color instrumental de su música, por otra parte necesario para transmitir sus ideas con claridad y seguridad de maestro. Precisamente esa es una de las características de la música de Guinjoan: sus orquestaciones suenan siempre muy «llenas», de volumen casi impresionista. Conocida es la influencia que posee de las orquestaciones de Ravel o Debussy.

A pesar del respeto y la admiración que Guinjoan profesa hacia Schoenberg, su música no posee excesiva influencia del maestro alemán, excepto en lo que respecta a honestidad y rigor en el trabajo, en el cual no hay una búsqueda de la modernidad por simple modernidad, sino la búsqueda de lo nuevo como idea artística *per se*: «*[...] el arte profundo es portador no simplemente de un nuevo estilo, sino de una nueva idea, y no queda nunca relegado porque otro estilo trate de alzarse con la patente de la modernidad*» [8]. Por esa razón el serialismo de Guinjoan es ingenuo y raramente utilizado, ya que se prefieren otros modelos de partida. Un ejemplo de lo mencionado es el uso de derivaciones del desarrollo motívico que impregna buena parte de sus obras, y que tienen que ver más con las formulaciones musicales de Anton Webern que con las de Schoenberg, por otra parte necesarias para eliminar el concepto de desarrollo clásico sobre un tema o motivo temático, conceptos formulados por Guinjoan en la mayor parte de sus obras.

Podríamos alargar éste discurso, pero no es nuestro cometido, sino otro que juzgamos más creativo: observar cómo se articula la música del compositor para averiguar el desarrollo de su razonamiento interno, lo que nos permitirá conocer formulaciones e ideas que resultan siempre difíciles de apreciar externamente, e

---

[8]   GUINJOAN, Joan. *Ab Origine*. Pág. 65.

incluso a menudo imposibles de definir con claridad. Para ello vamos a realizar el análisis de dos obras aparentemente dispares, tanto en su concepción como en su instrumentación: **Tensión-Relax** para multipercusión, y **Música per a violoncel i orquestra,** que como su título indica, se trata de un concierto para violonchelo y orquesta.

Tensión-Relax

Tensión-Relax fue escrita en 1972 y es una de las obras para instrumento solo más significativas del catálogo del compositor. La obra ha sido interpretada por todo el mundo, y el propio compositor la tiene en gran estima: *«Juntamente con Zyklus, de Stockhausen, e Intérieur de Lachenmann ,Tensión Relax ha sido calificada, tanto por los mejores solistas internacionales como por la crítica, como una de las piezas de percusión más importantes de la música de nuestro tiempo.»*[9].

Esta obra es un claro ejemplo del eclecticismo en la música de Guinjoan. En ella encontramos, desde elementos rítmicos de absoluta precisión hasta elementos de total libertad, coronados en una improvisación que deja entera libertad de elección al intérprete. La obra utiliza un único percusionista con un aparato instrumental cuantioso que da rendida cuenta de la dificultad de su interpretación. Debido a la cantidad de instrumentos el autor realiza, en el inicio de la partitura, un gráfico con su distribución, imprescindible para el intérprete (ejemplo 1).

Por otra parte, el gran número de instrumentos utilizados implica un uso abundante de signos no convencionales, sobre todo en lo que se refiere a la diferencia que conlleva la notación de un instrumento u otro. Conocer su significado resulta imprescindible, tanto para leer la obra como para interpretarla (ejemplo 2).

No obstante, Joan Guinjoan la concibió y escribió de forma tradicional, sin utilizar la mayoría de dichos pictogramas. Estos se determinarían con posterioridad a propuesta de la casa editorial, con el fin de simplificar su ejecución. En todo caso, la obra es un claro reflejo de la necesidad de búsqueda tímbrica del compositor; búsqueda que va más allá de una tímbrica convencional y se establece en el encuentro de nuevas texturas y colores que, por otra parte, son innatos en el colorido tímbrico

---

[9]   GUINJOAN, J. y MESTRES-QUADRENY, J.M.: *Diàlegs a Barcelona.* Pág. 66.

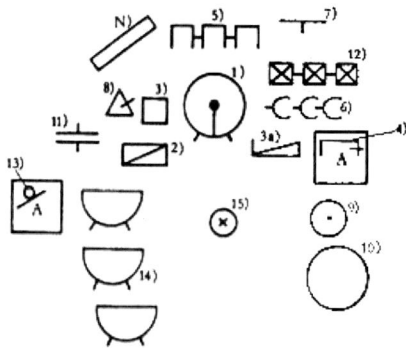

Ejemplo 1

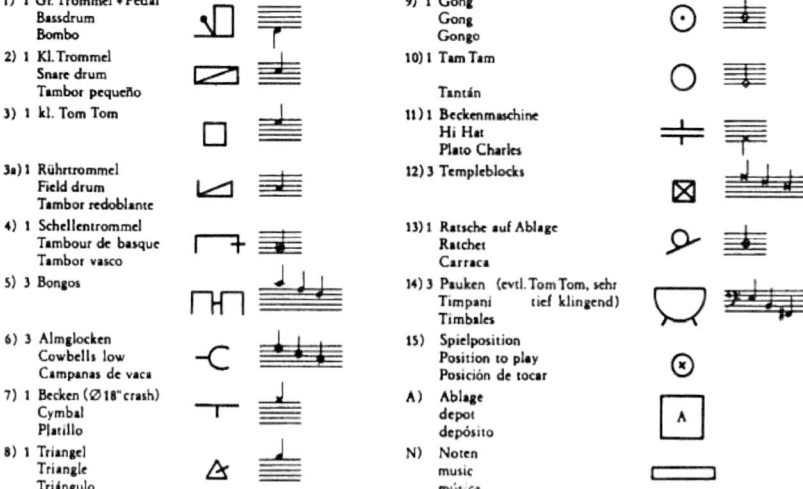

Ejemplo 2

de la música mediterránea. Aún así, y paradójicamente, tienen en Schoenberg y Debussy punto de partida: *«A partir de Schoenberg en particular, el instrumento será cada vez más considerado como parte de una textura, una componente parcial de texturas variadas, tomado cada vez en un contexto distinto»*[10]. Joan Guinjoan ha utilizado siempre al timbre como elemento importante de su desarrollo musical, aunque su punto de partida es frecuentemente intuitivo y raramente basado en estudios morfológicos de su contenido intrínseco. Por esa razón hay siempre algo de improvisación en la distribución tímbrica, lo que a veces hace difícil determinar analíticamente su construcción y contenido musical.

En todo caso, y siguiendo las pautas de lo que él mismo cita en su libro **Ab Origine** —además de remitirnos a sus propias partituras—, podemos resumir los elementos utilizados por Guinjoan en los siguientes:

a/   Desarrollo de elementos tímbricos

b/   Uso de elementos simples de tipo motívico-celular como medio del desarrollo contrapuntístico de la obra.

c/   Mezcla de ideas compositivas, tomadas en algunos casos de músicas ajenas a su propia obra.

d/   Investigación continua de nuevos procedimientos.

Todos estos elementos a menudo se dan cita en una sola obra, unidos de modo que se integran en un contexto de coherencia que a primera vista parece difícil de lograr. Esto da rendida cuenta de la capacidad de audición del fenómeno sonoro-tímbrico que el compositor posee al escribir la partitura, que sin duda tiene su origen en su trabajo como intérprete y director. Esto le ha proporcionado conocimientos que le permiten controlar el acontecer musical con gran precisión, evitando sorpresas en la búsqueda de nuevas formulaciones tímbricas. Téngase en cuenta, además, que utilizar una gran diversidad de elementos en una misma obra en su audición puede llevar al agotamiento. Sin embargo, no es posible controlar completamente el proceder de las ideas que rigen cualquier obra, siendo la intuición y las decisiones individuales las que finalmente determinan la dirección a tomar, algo que por otra parte es fundamental en la música de Guinjoan.

---

[10]   BOULEZ, Pierre. *Le timbre et l'ecriture, le timbre et le langage.* Artículo contenido en el libro *Le timbre, métaphore pour la composition.* París: Ed. IRCAM, 1991. Pág 544.

Relación tímbrico-instrumental

Como se ha citado anteriormente, la obra utiliza un instrumental considerable, en el que existe una relación obvia: 3 timbales, 3 bongos, 3 cencerros, caja —tambor redoblante— tom tom (3), 3 temple blocks, todos ellos ordenados del grave al agudo. Esta relación en grupos de tres elementos puede parecer anecdótica, pero tendrá importante influencia en todos los parámetros musicales, incluso en los aspectos formales, algo que observaremos más adelante.

El instrumentista no sólo utilizará las dos manos, con baquetas duras, blandas, etc., sino que también el codo, la palma de la mano, el puño, y uno de los pies para poder tocar todos los instrumentos. Utilizar los dos pies hubiese comportado que el ejecutante tuviera que estar sentado, con lo que perdería agilidad en la interpretación. Los timbales son los únicos instrumentos que poseen una afinación temperada, y la mantienen de forma fija a lo largo de toda la obra: fa#-si-mi, es decir, una relación de cuartas ascendentes. Esta afinación provoca la sensación auditiva de que coexiste en la obra un sentir tonal, casi tradicional, en el uso de estos instrumentos[11]. Eso es algo que resulta curioso en su audición, puesto que contrasta con el uso nada convencional del resto del aparato instrumental.

El proceso formal

La obra contiene una serie de elementos importantes que son, a nuestro juicio, determinantes, sobre todo en lo que se refiere a su concepción formal, puesto que de ellos deriva todo el elenco de ideas que conforman su desarrollo y en el que la repetición es utilizada únicamente en elementos celulares de pequeña extensión. Además estos son siempre variables. Se podrían resumir del siguiente modo:

a/   Pulsación

b/   Ritmos fijos

c/   Libertad

---

[11] En la mayoría de obras clásicas y románticas el uso de los timbales se limitaba a la afinación de tónica y dominante, y a lo sumo se le añadía otro timbal afinado en la subdominante. Si tomamos en este caso a Si como tónica, tenemos a Fa# como dominante y Mi como subdominante.

A menudo se encuentran mezclados entre sí, manteniendo la dualidad de pulsación como equivalente de la medición temporal y la libertad como azar absoluto: ambos son de contenido extremo. Los ritmos fijos son utilizados en determinados momentos y de forma aislada. De hecho, la obra parte de la pulsación más simple, la de negra, para culminar en la improvisación. Mientras se realiza dicha improvisación se mantiene una pulsación continua que nos lleva al final de la obra, poco a poco diluyéndose.

La enumeración realizada por el compositor ayuda enormemente a la realización del análisis, puesto que gobierna prácticamente a cada uno de los nuevos acontecimientos de la pieza. De hecho, cada uno determina el fin del anterior, a la vez que el inicio del siguiente, que normalmente es siempre distinto. Es precisamente esto lo que dificulta su análisis. Para facilitar nuestro trabajo y ayudar a su comprensión, en primer lugar clasificaremos los números de ejecución, obedeciendo al orden basado en el criterio de ordenación de los elementos establecido anteriormente:

1.- Pulsación (negra)
2.- Ritmos fijos
3.- Pulsación (tendente a la desintegración)(corchea)
4.- Ritmos fijos
5.- Pulsación (pasando de la desintegración a la regularidad métrica) (dos semicorcheas)
6.- Libertad + ritmos fijos
7.- Ritmos fijos
8.- Libertad (tendente a la pulsación)
9.- Ritmos determinados (tendentes a la desintegración)
10.- Pulsación (negra con puntillo)
11.- Pulsación + ritmos derivados de los anteriores.
12.- Pulsación + ritmos determinados
13.- Ritmos determinados (tendentes a la pulsación)
14.- Ritmos determinados + pulsación retardada
15.- Ritmos fijos
16.- IMPROVISACIÓN
17.- Pulsación (con desintegración de la improvisación)
18.- Ritmos fijos + pulsación (tendente a la desintegración)

Esta sucesión del uso del material musical a lo largo de toda la obra se nos aparece, en principio, como poco coherente. Sin embargo, el siguiente gráfico aclara enormemente la evolución de estos elementos:

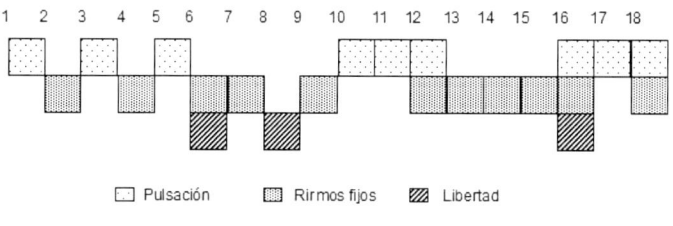

Ejemplo 3

De antemano es interesante observar que la repetición que existe del número de instrumentos en grupos de tres aparece también reflejada aquí; los elementos de pulsación lo hacen también en grupos de tres, al igual que los de libertad, que aparecen con únicamente tres veces a lo largo de toda la pieza. También se puede observar que en la obra se produce una cierta ambigüedad formal, en la que los elementos se reparten libremente a lo largo de aquella, de modo que sólo en la improvisación —en el número 16— aparecen los tres simultáneamente. Éste número supone la coronación de todo un proceso en continua variación, y que paradójicamente tiene en la improvisación (máxima libertad) su punto álgido de exactitud rítmica.

Si bien el elemento de pulsación resulta evidente, no lo son tanto los de ritmo fijo y libertad, que aparentemente pueden parecer fuera de control, e incluso alejados de un rigor estructural. Por otra parte, en una obra para percusión, en la que el ruido es el elemento musical puro parece necesario, e incluso obligado, que la estructuración sea la columna vertebral de la construcción de la obra, aunque sólo sea para evitar que aquella se transforme en un continuo ir y venir de motivos e ideas sin sentido. Guinjoan estructura a ambos muy claramente, pero desde un punto de partida clásico que recuerda el uso que Varèse hace del tema en su obra **Ionisation**. Para el análisis aislaremos a cada uno de estos elementos, lo que nos proporcionará mayor precisión en las conclusiones.

Ritmo, estructuración y desarrollo del material musical

Es evidente que en una pieza para percusión de estas características, en la que apenas se utilizan instrumentos temperados, lo que por encima de todo va a dominar será el ritmo y su desarrollo mediante estructuras de aumentación y disminución de diversa índole, o sea, mediante una idea de organización que proporcione coherencia. El desarrollo rítmico de la pieza es sumamente rico en la creación de nuevos elementos, y para ello utiliza dos formas de realización. Que dicho desarrollo rítmico sea amplio es algo que resulta imprescindible en una obra de estas características. Los modelos principales son los siguientes:

a/   El ritmo estricto, escrito con valor absoluto.

b/   El ritmo libre, escrito con relación a pulsación determinada (a modo de mancha rítmica que le ensombrece).

a/ El ritmo estricto

Se desarrolla a partir de varias células que parten, fundamentalmente, del ritmo inicial efectuado por el bombo de pedal, que se comporta como elemento generador:

Ejemplo 4

Este ritmo, junto a sus posibles combinaciones, se va a mantener durante un largo período de tiempo, intercalado siempre con otros elementos: *pulsación y trino mantenido*. Dicha combinación utiliza variaciones específicas que progresivamente irán tomando forma, e incluso se desarrollarán hasta organizar nuevos elementos concretos.

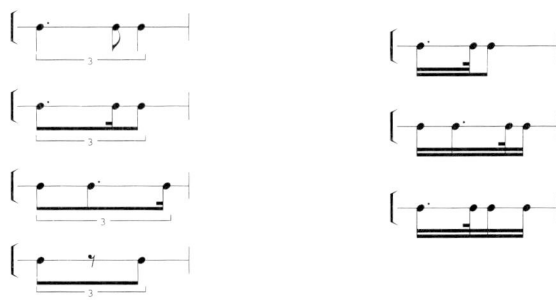

De tipo ternario (tresillo)   De tipo binario

Ejemplo 5

Hay que decir, sin embargo, que dichos ritmos no parecen organizados para que se autodesarrollen progresivamente, sino que se comportan como módulos independientes en los cuales el ritmo aparece siempre variado y distinto. Para ello Guinjoan mantiene un determinado orden a lo largo de la pieza, compuesto únicamente de pequeños elementos desarrollados imperceptiblemente y en distintas direcciones. No obstante, poseen en común el número de pulsaciones, elementos dentro de agrupaciones variables, además de un largo etc. Creemos más útil enumerar cada uno de los que a nuestro juicio son más significativos.

1.- *Elemento de ritmo fijo (número 2)*. Se desarrolla en dos direcciones, un elemento en tresillo y otro en crecimiento por adición de elementos. Obsérvese cómo el primero crece hacia un número de 6 notas, mientras que el segundo mantiene un número de pulsaciones desde el primer elemento en desarrollo hasta el último (en total 17 semicorcheas) . Se repite un total de 5 veces.

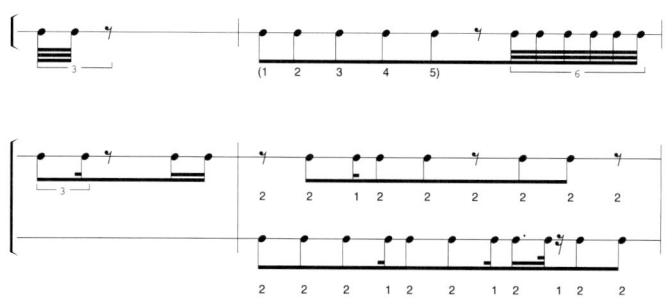

Ejemplo 6

2.- *Elemento de ritmo fijo (número 4)*. Toma como punto de partida varios elementos distintos:

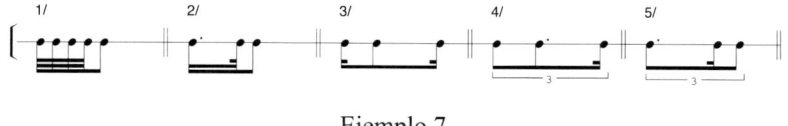

Ejemplo 7

Se desarrollan de forma modular, es decir, mediante distintas combinaciones que utilizan los mismos elementos constructivos (ejemplo 8).

3.- *Desarrollo del elemento aparecido como pulsación ampliada en la parte final del número 2, que se comporta como elemento generador en el número 5*. Ésta es una ampliación del concepto de tres elementos que aparece en el número de instrumentos utilizados (3), (ejemplo 9).

Ejemplo 8

Ejemplo 9

Reaparece en el número 5 en los timbales, con la combinación rítmica siguiente:

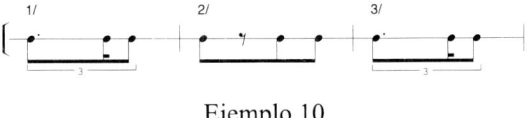

Ejemplo 10

Al ser mezclado con los otros instrumentos produce la siguiente combinación rítmica:

Ejemplo 11

Esta combinación va a finalizar, mediante un uso combinado de los elementos, hacia el final del número 5, con el acelerando rítmico y los calderones de los cencerros.

4.- *Elemento rítmico fijo con disminución temporal (número 6)*, que mantiene una disminución progresiva del silencio intermedio a la vez que utiliza una aumentación rítmica de la idea citada en el ejemplo 9:

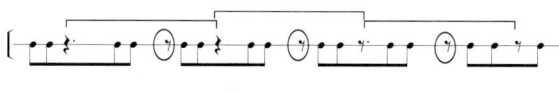

Ejemplo 12

5.- *Combinatoria de elementos con retorno a pulsaciones de ritmo simple (número 7)*. Empezando en una combinación rítmica compleja, que tiene su origen en los números 2 y 4, se desarrolla hacia un ritmo fijo que es repetido 3 veces completo, finalizando en una disminución por supresión de elementos.

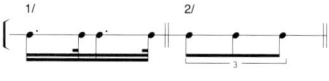

Ejemplo 13

6.- *Elemento rítmico no retrogradable (número 9)*. La no retrogradación no es literal, ya que no se retrograda nota a nota, sino que se retrogradan los elementos rítmicos, es decir, se oponen unos a otros de forma modular cambiando sensiblemente su aspecto:

Ejemplo 14

7.- *Elemento rítmico como oposición a la pulsación (número 11)*. Éste es una derivación del elemento inicial, que se superpone a una pulsación de negra:

Ejemplo 15

8.- *El elemento rítmico combinado de 2 semicorcheas-corchea (número 12).* Actúa como proceso previo al de la pulsación de grupos de 2 semicorcheas (ejemplo 9), que será en el que culminará.

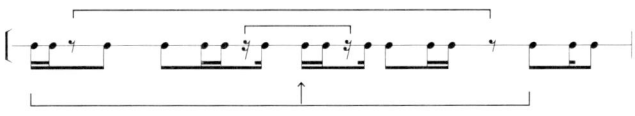

Ejemplo 16

9.- *Elemento de grupo de 5 y 6 notas (número 13).* Será utilizado posteriormente en el número 15, siendo además el clímax del aparecido en el número 2.

Ejemplo 17

Dentro de esta combinación de notas rápidas, que poco a poco va ejerciendo más peso en la obra, aparece también el ritmo fundamental de aquella, a modo de gestualidad de tipo *leitmotiv.*

Ejemplo 18

10.- *Disminución rítmica del elemento inicial con desarrollo (número 14).* En este caso aparece un *collage* de las ideas anteriores que se inicia con elementos derivados del número 4 (a), del número 12 (b), y del inicial en disminución (c).

Ejemplo 19

11.- *Culminación rítmica (número 15)*. Los elementos rítmicos que aparecen aquí no conllevan nada nuevo, puesto que son en realidad la combinación de las ideas anteriores, aunque en disminución rítmica, lo que implica un aumento de la tensión que se coronará en la siguiente parte mediante el período de improvisación. Destaca el uso del cinquillo de fusas que hasta el momento había aparecido únicamente en el número 13. Sin embargo, aquí no se utiliza el seisillo que también se hallaba en aquél, intercambiado por el grupo de 4 fusas.

Al principio aparece el elemento inicial que, como se puede observar, se ha transformado progresivamente.

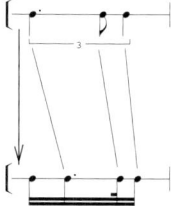

Ejemplo 20

Posteriormente aparece el grupo de cinco y cuatro fusas, repetido retrogradado hacia el final de la sección. Se comporta como clímax rítmico en el que se repiten los mismos elementos, únicamente con cambio de timbre.

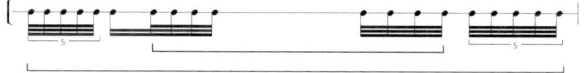

Ejemplo 21

12.- *La improvisación (número 16)*. Sin duda es la parte más importante de la obra y será, de hecho, la coronación de los elementos anteriores a los que se les suma la libertad de ejecución.

En su audición no se escapa la influencia del Jazz que contiene dicho fragmento. Ésta misma la reconoce el compositor cuando dice que *«En mi música aparecen a menudo elementos jazzísticos, por lo menos yo los siento a mi manera»*[12]. Para ello utiliza un elemento característico y habitualmente utilizado en las improvisaciones de la batería: la pulsación en los *platos de charles*. Al observar los

---

[12]   GUINJOAN, J. y MESTRES-QUADRENY, J.M.: *Diàlegs a Barcelona*. Pág. 60.

ritmos que en ella participan es fácil preguntarse si realmente no fue éste el principio organizador de la obra, es decir, la puesta en escena del material primario que participa en ella, siendo la realización final su desarrollo.

Ejemplo 22

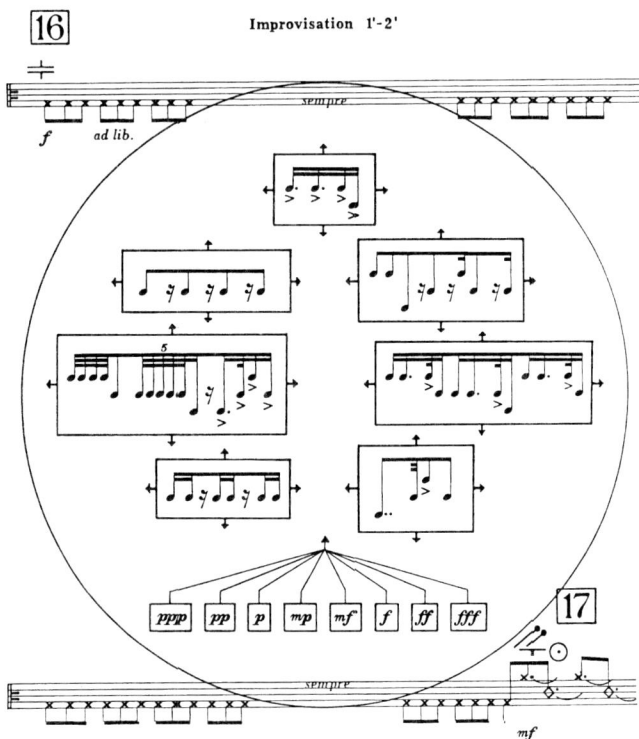

Guinjoan utiliza en esta sección una curiosa forma de improvisación que llama la atención por su espectacularidad, especialmente al observar la partitura, aunque ese no sea su propósito: «*Algunas piezas son muy bonitas sobre el papel, e incluso algunas de ellas son plásticamente maravillosas. En mi despacho tengo un cartel de la catedral de Colonia dibujada a base de notas musicales, pero no se como sonaría*»[13]. El instrumentista elige el ritmo y el instrumento sobre el cual realizarlo,

---

[13]   GUINJOAN, J. y MESTRES-QUADRENY, J.M.: *Diàlegs a Barcelona*. Pág. 53.

junto a la dinámica deseada. Únicamente prevalece como idea fija la pulsación constante y los ritmos superpuestos, el resto será de libre elección.

13.- *Elemento rítmico en evolución progresiva sobre pulsación (número 17)*. Las células rítmicas que aquí aparecen lo hacen en evolución rítmica continua, aunque su composición interna se halla directamente vinculada a los ritmos previos a la improvisación, e incluso con aquella misma.

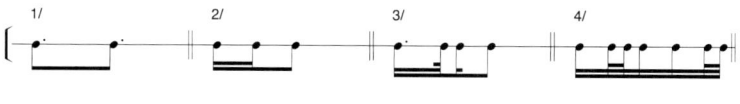

Ejemplo 23

14.- *Elemento principal y coda final (número 18)*. La pieza termina con un desarrollo rítmico en el que sólo interviene el elemento fundamental junto a un *perdendosi* en los instrumentos de planchas metálicas, con el añadido de glissando en los timbales por primera y última vez. Parece que aquí la obra sintetiza su final, además de dar a entender su motivo rítmico principal con claridad, repitiéndolo en distintos grupos de instrumentos homogéneos durante un total de seis veces: tres en los instrumentos de membrana y otras tres en los instrumentos de pequeña percusión, cada uno de ellos separado por un silencio de corchea que completa la pulsación:

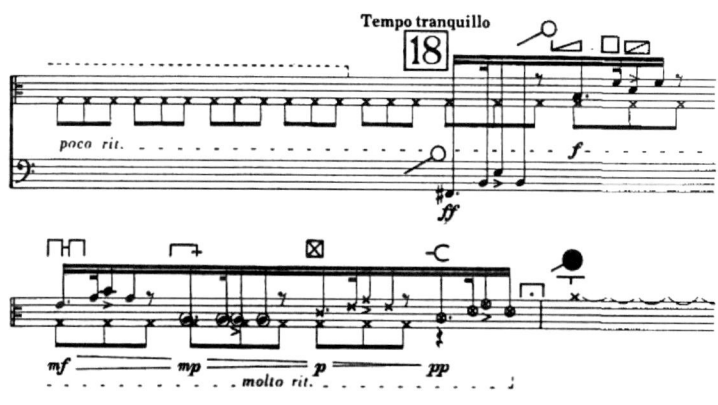

Ejemplo 24

No deja de ser curioso que en este final aparezca de nuevo la relación sobre grupos de tres repeticiones —recuérdese que la pulsación también lo hace en grupos tres corcheas—, y quizá sea casualidad que 18 es múltiplo de tres, o lo que es lo

mismo, seis veces tres, aunque quizá sólo sean conjeturas. Aún así, el hecho de que
así se produzcan no deja de ser significativo en el desarrollo de su estructuración.

b/ El ritmo libre, anotado con relación a pulsación determinada

Una característica que posee la pieza es la de la relación existente entre
ritmo y pulsación, efectuados en constante transformación rítmica y tímbrica
mediante el uso de distintos valores: negra, corchea, negra con puntillo, dos
semicorcheas, etc. Estas formas de pulsación implican una regularidad que suple a
un posible ritmo fijo (entendido éste como el tradicional, y por tanto, de continuidad
temporal determinada), permitiendo distintos modos de improvisación rítmica. De
este modo proporcionan un elemento de azar que, por sus propias características de
libertad va a ser diferente en cada una de las interpretaciones, algo que el compositor
pretende.

Los elementos de azar los encontramos a lo largo de toda la pieza, y aunque
poseen un aspecto diferenciado entre sí, en realidad son generados a partir de una
misma idea de libertad que tiene como punto de confluencia el acompañamiento de
distintas formas de pulsación. Véanse aquellos que, aparte de la improvisación,
aparecen mayor número de veces:

1.-   *Forma libre de velocidad de pulsación variable:*

Ejemplo 25

2.-   *Elemento de tempo totalmente libre en oposición a la pulsación:*

Ejemplo 26

3.-   *Pulsación en trémolo de tempo libre:*

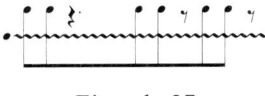

Ejemplo 27

4.-   *Elemento en pulsación determinada con apariencia indeterminada:*

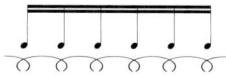

Ejemplo 28

Con lo dicho hasta aquí se observa que el uso rítmico es tratado de forma contrapuntística, alejada de cualquier procedimiento más o menos matemático como los que han regido la mayor parte de obras para percusión de la segunda mitad del siglo XX. La obra es, sin duda, meramente intuitiva. Los elementos que participan son repetidos incesantemente y siempre transformados. En realidad sólo el elemento del comienzo se repite íntegramente a lo largo de la pieza.

A pesar de que Guinjoan huye de procedimientos derivados del desarrollo clásico, la obra se basa en aquellos, aunque con un tipo de división en el que cada sección parece erigirse en centro de la obra, pese a que se hallen fuertemente unidas una a otra mediante elementos de carácter improvisado, en los que el ruido puro se ordena frente a su normal desorden. Sin duda la influencia de obras como **Zyklus** de Stockhausen y **Psappha** de Xenakis se dejan notar en la pieza, si bien en **Zyklus**, Stockhausen construye mediante la libertad de acción un modo de codificación que arroja coherencia, y en **Psappha** Xenakis realiza todo lo contrario a partir de la pulsación como elemento primario. Guinjoan utiliza una simbiosis entre ambas, en la que se nota la influencia de la tradición, puesto que no pretende huir de aquella, sino construir un lenguaje íntegro mediante el uso de distintos modelos de expresión.

Además de lo antedicho, no hay duda de que existe una influencia del Jazz a lo largo de toda la pieza y, en concreto, en el manejo de la batería, instrumento que Guinjoan conoce perfectamente por sus experiencias de juventud. Desde la disposición de los instrumentos —básicamente la disposición de una batería de Jazz—, hasta su manejo, se tiene la sensación de encontrarse en un mundo nada desconocido y desconcertante por lo novedoso de su tímbrica. Sin duda Guinjoan conseguía con esta obra uno de sus mejores logros de su carrera compositiva, algo que le llevaría a componer otras obras para formaciones similares.

A lo largo de la pieza aparece también otra de las grandes características de su música y que podremos observar en el concierto para violonchelo: la continua búsqueda de nuevos procedimientos de ejecución. En **Tensión-Relax** se ven acentuados por el uso de todos los medios a su alcance que tiene el intérprete para golpear un instrumento, es decir: golpear con la mano, con el codo, con todo tipo de baquetas, y un largo etc. De hecho parece que no hay otro modo, puesto que se ha agotado hasta el límite de lo posible. Esta búsqueda de nuevas formas de percutir tiene influencia en la producción tímbrica. También hay que decir que ésta es sorprendente no sólo en la pieza aquí analizada, sino en toda la música de Guinjoan. Todo ello forma parte de ese particular colorido que adorna su obra.

La siguiente pieza que analizaremos es una obra orquestal con instrumento solista, por lo que será más rica en matices de combinación instrumental, teniendo en cuenta que ya no se trata de una forma de controlar el ruido, sino de un modo de desarrollar el discurso musical a partir de una idea celular concreta. Ésto es algo que tiene mucho que ver con lo mencionado hasta el momento, y no sólo en cuanto a los procedimientos de desarrollo, sino que también en cuanto al uso tímbrico de la orquesta y, sobre todo, del instrumento solista.

Música per a violoncel i orquestra

La composición de la obra se realizó en varias etapas: la primera data de 1975 y su revisión de 1980, en ambas ocasiones estrenada por su dedicatario, Lluís Claret. Que Lluís Claret fuera el intérprete le proporcionó la posibilidad de contar con un ejecutante de primera línea, con las consecuencias que de ello derivan, pudiendo trabajar directamente con aquél ultimando hasta el último detalle, lo que supondría un reto importante en su carrera artística. El concierto es una obra considerada por Guinjoan como una de las más importantes de su catálogo, y en ella se culmina el trabajo desarrollado en **Ab Origine**, especialmente en lo que respecta al estudio del tratamiento de los instrumentos de cuerda: *«Trataba de fusionar una serie de elementos puramente tonales con los atonales, los de la música serial y los microtonales o cuartos de tono que aplico a la cuerda. Más que cuartos de tono, yo les llamaría oscilaciones rítmicas»*[14]. Efectivamente, la obra incide específicamente en el tratamiento de los cuartos de tono, y por esa razón resulta mucho más compleja. A pesar de todo, su ejecución forma parte de un concepto de composición de rango superior, en el que el compositor no pretende que la afinación de los microtonos sea absolutamente precisa —por otra parte algo prácticamente imposible— sino que es el medio para buscar un nuevo tratamiento interválico que en este caso se traduce en una realización tímbrica de connotaciones orientales.

---

[14]   GUINJOAN, J. y MESTRES-QUADRENY, J.M.: *Diàlegs a Barcelona*. Pág. 64.

Joan Guinjoan escribió la cadencia, a petición de Lluís Claret, que posteriormente se desvincularía del concierto para convertirse en una pieza independiente con el título de **Cadenza**. El concierto empieza con ella, por lo que se comporta como eje principal sobre el cual se va a desarrollar todo el tratamiento del material musical, tanto de alturas como de la armonía y el timbre. A lo largo de la obra apenas hay notación gráfica —a parte de la musical—, y cuando aparece lo hace tímidamente, tal vez debido a que no es posible aplicar el mismo tratamiento a un instrumento solista que a una orquesta, puesto que aunque se pueden utilizar determinadas grafías, siempre resultan complejas a la hora de los ensayos. Incluso parece que Guinjoan descubriera al escribir la **Cadenza** que su material organizativo le permitía llegar todavía mucho más lejos, creciendo desde el inicio, con el instrumento solista, hacia la totalidad del conjunto. En este caso la orquesta es amplia: flautín, 2 flautas, 2 oboes, corno inglés, 2 clarinetes, clarinete bajo, 2 fagotes, contrafagot, 4 trompas, 3 trompetas, 2 trombones, tuba, 4 percusionistas con un número considerable de instrumentos, arpa, piano y cuerdas.

Como es habitual en la música del compositor, el uso de elementos tímbricos es asombroso, utilizando un elevado número de combinaciones instrumentales que hacen de la obra una fuente inagotable de recursos de color. Ese torbellino de timbres en el que de principio a fin se mueve el concierto posee una organización interesante, en la que cabe destacar, sobre todo, el elemento de partida, ya que su aparente limitada significación lo hace casi imperceptible, si bien la habilidad de combinación, mutación y de desarrollo que emplea Guinjoan le llevan a construir un gran proceso formal que no es posible observar si no es de forma minuciosa. En primer lugar, y para concretar en aspectos más concretos, vamos a realizar un análisis de la cadencia, ya que se comporta como el núcleo principal de la obra, partiendo de ella a la organización del resto del concierto[15].

La *Cadenza* como principio motívico y de desarrollo

No tendría sentido analizar la obra completa sin haber observado minuciosamente en primer lugar la **Cadenza,** ya que como antes se ha mencionado, es ésta la que va a dar paso al concierto, por lo que no se encuentra integrada en él, sino éste en aquella. La **Cadenza** posee una forma propia que se desvincula del resto y que parece estructuralmente construida a partir de su combinación.

---

[15] La diferencia entre la cadenza editada independientemente de la del concierto es mínima, y únicamente se distingue en el final, que en la primera es conclusivo.

La ordenación formal podría resumirse del siguiente modo:

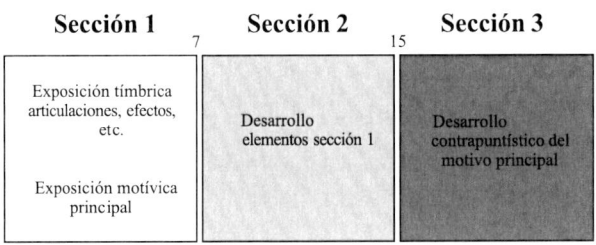

Ejemplo 29

Es difícil entenderse con el número de compases de la partitura. Por esa razón hemos optado por ceñirnos exclusivamente al número de compases del original con el único propósito de no confundir al lector. Téngase en cuenta que el análisis se ha realizado a partir del manuscrito original, por lo que la numeración puede verse sensiblemente alterada en la partitura editada. También debemos citar que utilizaremos una numeración para la cadencia y otra para la parte orquestal, que empezará de nuevo en 1—por otra parte tal y como lo realiza Guinjoan—. Cabe mencionar aún que en la división formal efectuada en el ejemplo 29 se ha tenido en cuenta únicamente el carácter de cada una de las secciones, ya que las tres forman un todo indivisible.

Hay que destacar que la **Cadenza** se erige como el lugar donde exponer las posibilidades tímbricas y la capacidad de producir sonidos distintos que posee el instrumento solista, lo que equivale a un uso tímbrico muy variado que puede parecer incluso excesivo, pero que en el contexto del concierto resulta perfectamente equilibrado. Del mismo modo habría que añadir que nos encontramos ante una obra en la que el parámetro tímbrico es utilizado como elemento motívico generador, es decir, como si de un tema se tratara, algo que resulta obvio tan sólo observando la partitura a primera vista. En su primer sistema ya aparece un enorme abanico de posibilidades generadas a partir del distinto uso del arco en el instrumento solista: ordinario, sul ponticello, pizzicato, arco tallone, jeté, ponticello, jeté col-legno, battuto col-legno (ejemplo 30).

Esta continua producción de sonidos distintos no sólo se encuentra en la **Cadenza**, sino que se mantiene durante todo el concierto, trasladado al resto de la orquesta. Esta última también utiliza una variación tímbrica notable, especialmente en los instrumentos de cuerda y percusión (en estos últimos resulta obvio, ya que se cambia de instrumento continuamente).

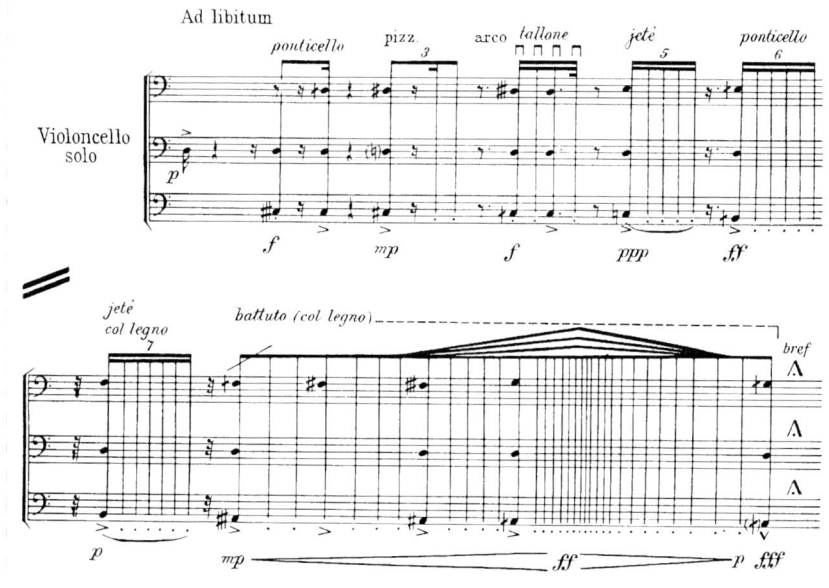

Ejemplo 30

Ahora bien, el lector puede preguntarse sobre la validez o no de dichos cambios tímbricos, ya que en música ocurre a menudo que un abanico excesivo genera uniformidad. Ese es, precisamente, el propósito de Guinjoan, es decir, neutralizar el acontecer tímbrico mediante el uso de distintos medios. De este modo se comporta como un timbre-motivo que, por su característica de continuo cambio resulta fácilmente reconocible. Esa formulación programática es con la que se inicia la obra (ejemplo 30), y la característica inicial del acelerando rítmico resultará ser uno de sus elementos principales. En este caso actúa como presentación.

Elemento o motivo interválico generador

Mientras que en el elemento del principio se mantiene una estructura interválica fija que tiene una relación semejante a la utilizada en los timbales en **Tensión-Relax**, aquí esta estructura no se comporta siempre como elemento generador, únicamente se trata de presentar el concepto tímbrico como tal.

Ejemplo 31

Con esto no queremos decir que su combinación no revista mayor interés, ya que si bien en el aspecto interválico parece tener una importancia relativa, puesto que se trata de un cromatismo microtonal ascendente y descendente desde una nota intermedia como pedal. Pero sí lo es precisamente ese hecho, es decir, el cromatismo microtonal, que tendrá enorme importancia a lo largo de la pieza, ya que es cuantioso el uso de intervalos de cuarto de tono.. Sin embargo, el elemento crucial sobre el que se sostiene la obra es sorprendentemente simple: la tercera menor, o sea, la distancia interválica de 3 semitonos.

Aunque resulte curioso, de nuevo interviene el número tres, de modo semejante al que aparecía en la anterior obra analizada. Obsérvese que tres son el número de sonidos que utiliza en la culminación e introducción de la cadenza. Esa tercera menor se encuentra a lo largo de toda ella. Sin embargo, la tercera menor genera su contraria, es decir, la tercera mayor o distancia de 4 semitonos. Esta célula inicial de tercera menor, junto a su contraria —utilizada en menor grado—, genera también una doble relación interválica que tiene en el tritono su clímax, es decir, la suma de dos terceras menores (3+3 = 6). Este concepto será importante no sólo en el desarrollo de la cadenza, sino en todo el concierto.

Cabría añadir, además, que la célula de tercera menor se va a integrar en el elemento del comienzo, es decir en el *microcromatismo* —aunque también utilizado como cromatismo—, y lo hará siempre con elementos rítmicos derivados de aquella en accelerando o ritardando:

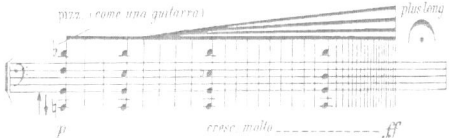

Ejemplo 32

Esta ordenación interválica por cuartos de tono, que a primera vista puede parecer insignificante, e incluso simple, no lo será en el resto de la obra, ya que será éste elemento el que origine el motivo principal del concierto. Se halla justo en la entrada de la orquesta y efectuado por el instrumento solista a modo de *tema*, realizado mediante intervalos microtonales que dan la sensación de desafinación, algo que frecuentemente posee la música en cuartos de tono y que incluso el propio

Alois Haba citaba en su tratado de armonía «*De las audiciones efectuadas hasta hoy podemos sólo deducir más o menos que la música de cuartos de tono es percibida no como desagradable, sino como inhabitual*»[16].

Ejemplo 33

Puede observarse que si eliminamos las notas intermedias del tema nos queda un microcromatismo por cuartos de tono que, de hecho, es lo que le proporciona a la melodía ese carácter extraño e inhabitual citado anteriormente, puesto que únicamente hay una distancia de tres cuartos de tono entre la nota más grave y la más aguda.

Ejemplo 34

En la reexposición temática este microcromatismo va a convertirse en un cromatismo por semitonos que le proporcionará una mayor amplitud interválica.

Ejemplo 35

De lo visto hasta el momento, a parte de los elementos temáticos, podemos deducir que hay dos elementos característicos utilizados a lo largo de la obra. Irán apareciendo sucesivamente: en primer lugar la tercera menor y su contraria, tercera mayor; y en segundo lugar el cromatismo por semitonos y cuartos de tono.

Ambos elementos son integrados uno en el otro, desarrollando el discurso global de la obra de forma paralela, si bien en la intervención de la orquesta su desarrollo se torna más complejo y el microcromatismo es menos utilizado. Esto se

16   HABA, Alois: *Nuevo tratado de armonía*. Madrid: Ed. Real Musical, 1984. Pág 163.

debe a que no todos los instrumentos de la orquesta pueden realizar cuartos de tono. La cuerda, que es la que más posibilidades tiene de utilizarlo, se ve limitada por el elevado número de instrumentos de cada grupo, algo que le impide ejecutarlo con claridad a excepción de pasajes muy concretos. Aún así la obra se nutre de una serie de elementos que tienen su origen en la tercera menor, punto de partida de su desarrollo. Dicha célula intervàlica se va a comportar como un elemento temático de primer orden y tendrá en la cadenza su más destacado protagonismo.

El desarrollo celular en la *Cadenza*

La cadenza desarrolla únicamente los elementos mencionados anteriormente, aunque limita el uso del cromatismo a un simple grupo de notas de paso intermedias, que sirven para conducirnos a los clímax intervàlicos de la célula de tercera menor. Éste sistema de elementos celulares ha sido utilizado en obras anteriores de Guinjoan. Uno de ellos es muy significativo. Se trata del citado en su libro **Ab origine**:

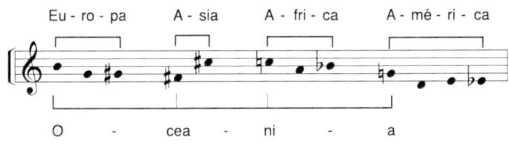

Ejemplo 36

Este fragmento, que corresponde al ballet **Los cinco continentes**, aunque utiliza distintos procedimientos intervàlicos además de los aquí mencionados, sirve como ilustración de la necesidad del compositor para desarrollar elementos a partir de ideas de connotación motívica y no temática, puesto que ello implicaría un desarrollo mayor. Es éste tipo de desarrollo el que Guinjoan evita constantemente.

Ese uso aparece ya en el comienzo, y se halla dispuesto en dos saltos de tercera menor que nos llevan a la distancia de tritono.

Ejemplo 37

La conclusión en el Sol# no aparece hasta el ataque sobre la nueva idea, que tiene lugar dentro de ese mismo primer compás, en el nuevo tempo de ♩ = 54-60.

Ejemplo 38

Mientras que el Sol# superior resuelve de inmediato, el Sol# grave lo hace más tarde, en el pizzicato de la mano izquierda. Tras ese Sol# se realiza una resolución sobre la nota La que actúa a su vez como final e inicio en la dominante —a partir del Re inicial—, a pesar de que estructuralmente sea más importante Sol#. A partir de éste último se efectuará un movimiento interválico en el que las terceras menores son las destacadas protagonistas.

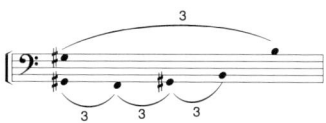

Ejemplo 39

Ese La resolutorio nos lleva directamente al intervalo de signo contrario, es decir, a la tercera mayor (4), y lo hace a partir del compás número 5, fragmento en el que se establece una dualidad menor-mayor que se coronará en la tercera menor seguida del tritono.

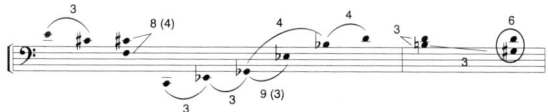

Ejemplo 40

Esa resolución hacia el tritono se realiza mediante un microcromatismo por cuartos de tono que, junto al battuto col-legno, producen un interesante resultado.

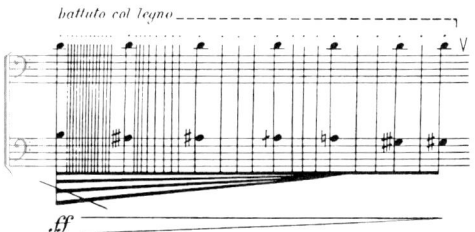

Ejemplo 41

A este grupo de encadenamiento interválico le sigue una repetición variada de lo anterior que nos lleva a una superposición de terceras mayores y menores en disposición abierta.

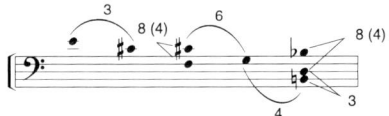

Ejemplo 42

Con posterioridad a la anterior disposición vertical, que por primera vez lo hacía sobre notas en cromatismo normal, aparece de nuevo un encadenamiento que se regula por la combinación de ambas terceras, predominando la tercera menor. Hay que añadir, sin embargo, que el cromatismo de segunda menor, que hasta el momento había sido utilizado sólo horizontalmente, es empleado por primera vez en sentido armónico, y lo será en lo que continúa. Precisamente ese grupo mixto de tercera menor (3), tercera mayor (4) y segunda menor (1), serán aquí los protagonistas.

Ejemplo 43

Esto nos lleva a un grupo de cromatismo interválico de velocidad creciente que se asienta sobre las bases antedichas.

Ejemplo 44

Es evidente que esa organización interválica no va a ser claramente audible, a ello ayudará el pizzicato *come una guitarra* que demanda el compositor. Sin embargo, tendrá un efecto psicológico importante a lo largo de la escucha de la **Cadenza** e irá, poco a poco, tomando fuerza en el subconsciente del oyente.

A la segunda sección (compás 8) le sigue un encadenamiento múltiple en el que aparece plasmado —aunque de otro modo— la configuración microtonal del comienzo. Internamente mantiene el encadenamiento de terceras ya mencionado, y se prolonga hasta el siguiente accelerando rítmico.

Ejemplo 45

El nuevo accelerando progresivo es aquí diferente, aunque mantenga las características anteriores. Es decir, en este caso se realiza mediante un arpegiado creciente que mantiene distancias interválicas de semitono.

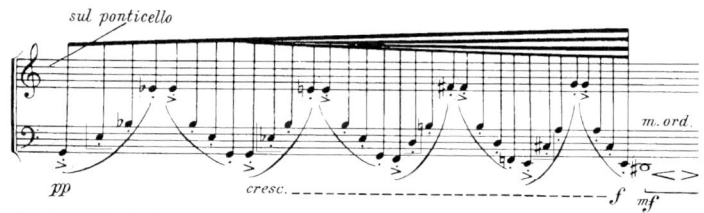

Ejemplo 46

Que éste elemento se realice en arpegiado proporciona mayor movilidad para el intérprete, con lo que puede realizar mayor cromatismo. Si el acorde fuera placado no resultaría posible, puesto que únicamente se puede ejecutar de forma normal en un máximo de tres cuerdas a la vez[17].

Este grupo de notas resuelve sobre la nota Re# grave, sobre la que se genera una combinación en la que van a aparecer tres intervalos importantes que ya no son nuevos: la tercera menor (3), la tercera mayor (4) y el tritono (6).

Ejemplo 47

Esta segunda sección termina con la reutilización del elemento principal con las mismas características del ejemplo anterior.

Ejemplo 48

En la tercera y última sección de la cadenza no va a haber novedades sobre el uso interválico, algo que creemos claramente expuesto hasta aquí. En esta nueva sección destaca, sin embargo, la imitación contrapuntística de dichos elementos, que podría resumirse del siguiente modo:

Ejemplo 49

---

[17] La posibilidad de realizar en el violonchelo acordes placados con las 4 cuerdas de forma continuada es prácticamente imposible. Únicamente lo es en ataques muy cortos que normalmente se realizan con un arpegiado rápido. Esto es debido a que la curvatura que posee la disposición de las cuerdas no permite tocar en todas al mismo tiempo.

Este fragmento es una reiteración sobre la misma idea, la cual se torna momentáneamente más tradicional sirviendo de preludio del inicio orquestal.

Hasta aquí la disposición formal de la cadenza es muy clara, y observando con mayor profundidad los elementos que la componen —a excepción de la última sección, que como ya se ha mencionado actúa como preludio introductório de la orquesta—, el resto se nutre de elementos que a pesar de que mantienen un nexo en común —el intervalo de tercera menor—, se hallan agrupados en motivos cortos, separados por un accelerando o ritardando rítmico. Es curioso observar que ese tipo de formulación era plasmada de modo similar en **Tensión Relax**, aunque en dicha pieza quedaba claramente reflejada en la enumeración de los fragmentos ya realizada por el propio compositor. Con esto podemos argumentar que existe en Guinjoan una necesidad de coartar la concepción del desarrollo y convertirla en un proceso de tipo modular organizado mediante la configuración y ordenación de distintos módulos que se comportan de modo independiente, unidos por uno u otro elemento, en su mayoría de carácter libre. Esta forma de resolver el desarrollo —con continuas interrupciones—, conlleva un excesivo truncamiento del discurso musical, lo que puede resultar demasiado variado. Pero como decíamos al inicio, ése es el propósito de Guinjoan, y es uno de los principales rasgos de su creación musical.

La cadenza va a culminar en un elemento de accelerando —escrito en notación tradicional—, sobre un cluster de tres notas a distancia de semitono que resulta ser el extremo agudo sobre el que se coronaba el accelerando introductório, a modo de dominante.

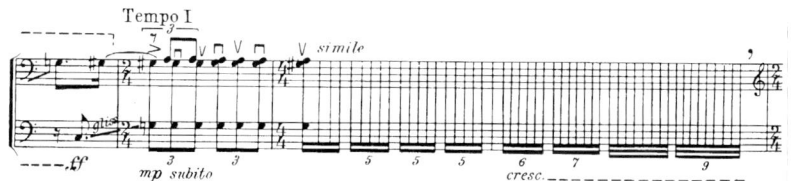

Ejemplo 50

No sabemos si era propósito de Guinjoan crear esa dualidad de tónica-dominante, pero sí conocemos la pretensión de construir un concierto con contenido formal clásico, en el que en realidad únicamente la **Cadenza** posee una concepción diferente con respecto al resto del concierto. Por otra parte el último se articula en una variante de la forma sonata.

La construcción formal del concierto

Como anteriormente se ha mencionado, existe un propósito ineludible de construir el concierto en base a una formulación clásica que, si bien se diferencia en cuanto a contenido orgánico general, mantiene su esencia. El propio Joan Guinjoan, en un curso realizado en Vilanova i la Geltrú (Tarragona) en el año 1987, proponía un proceso de encadenamiento formal de las siguientes características:

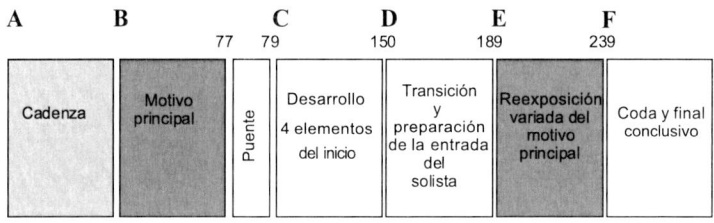

Ejemplo 51[18]

El proceso formal posterior a la cadenza tiene como punto de partida el motivo o tema principal que no aparece hasta el compás número 11, efectuado por el solista con un *dolce*.

Ejemplo 52

Ese tema es anunciado en la orquesta de forma variada y por el corno inglés, que en este caso lo realiza en un movimiento cromático ascendente.

Ejemplo 53

En realidad, lo único que diferencia a ambos es que uno es microtonal y el otro cromático. Este inicio temático posee también los rasgos de tercera menor y mayor citados con anterioridad, algo que también se halla en el resto de la orquesta.

---

[18] La enumeración del numero de compases a partir de la entrada de la orquesta es independiente de la **Cadenza** . Para ello se han utilizados los números de compás correspondientes a la revisión realizada por el compositor en 1980 y que figura en la partitura original.

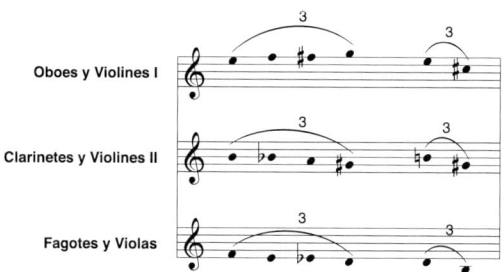

Oboes y Violines I

Clarinetes y Violines II

Fagotes y Violas

Ejemplo 54

El desarrollo de la obra

A lo largo del concierto los elementos principales del desarrollo son tomados de la **Cadenza**, sumándole a ésta el motivo o tema principal. En la primera sección únicamente son aquellos los desarrollados. Por otra parte, es obvio el cómo se integran estos en dicho discurso, lo que no merece ser enumerado paso a paso, puesto que redundaríamos en las ideas ya anotadas.

En este caso el violonchelo actúa como elemento conductor y la orquesta se halla plenamente supeditada a aquél. Por esa razón no se puede hablar de un uso del material en el que la orquesta añada nuevas ideas, puesto que éstas son las mismas del violonchelo. Cambia, sin embargo, el modo de exponerlas, tal y como ocurre en el compás número 48, en el que aparece un modelo de arpegiación que ya encontrábamos en la **Cadenza**, aunque plasmado aquí de distinto modo.

Ejemplo 55

Algo nuevo aparece en el compás 78, es decir, en el puente. Será aquí la primera y única vez en que la orquesta completa realice un pasaje libre. Se divide en dos partes: en la primera se realizan una serie de anillos, mientras que en la segunda únicamente los mantiene el flautín. Mientras tanto la percusión, arpa, piano e instrumento solista realizan un *ritardando* progresivo en notas de libre elección que resolverán en un Sol# en armónico artificial. La estructura de las entradas que efectúa la orquesta es la siguiente:

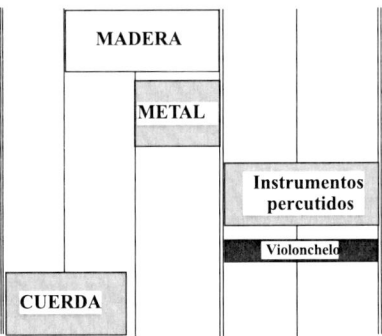

Ejemplo 56

El uso de esta macroestructura se halla cercana a la del cluster como oposición a la línea continua, o sea, a la orquesta frente al violonchelo. Esta forma de utilizar la orquesta la encontramos en compositores como Penderecki, Ligeti, Cristóbal Halffter, etc., es decir, en compositores que trabajan a menudo con sistemas de masa sonora o *micropolifonía*. Este grupo de puente, que por otra parte se aleja de las formas de desarrollo empleadas en el resto de la obra, va a servir de hilo conductor hacia la parte C, en la que aparecen cuatro gestos musicales que, derivados de la **Cadenza**, darán lugar al desarrollo. Serán utilizados a lo largo de toda esta sección:

    a./   Elemento de movimiento rápido y en valores cortos.

Ejemplo 57

    b/   Elemento de contorno melódico tonal en ritmo simple.

Ejemplo 58

c/   Glissando de tercera mayor en los contrabajos.

Ejemplo 59

d/   Glissando en armónicos en el violonchelo.

Ejemplo 60

Todos estos elementos serán desarrollados a lo largo de este fragmento, desembocando en el compás 150 a un nuevo tempo *Poco più mosso* que se comportará como parte orquestal de transición, en la que el violonchelo tiene uno de los pocos períodos de silencio de la obra, empezando de nuevo en el compás número 175 en un retorno a la idea del comienzo de la cadenza. Éste período de transición será utilizado como preparación de la reexposición en el compás 189 (sección E), donde el tema aparece de nuevo en el violonchelo, aunque en este caso sin cuartos de tono.

Ejemplo 61

Obsérvese que el cromatismo por distancias de semitono le va a dar al fragmento mayor peso anunciando el final próximo de la obra, aunque en este caso se utiliza sobre un *Sul tasto* en sustitución del *dolce* del tema principal.

La última parte del concierto, a partir del compás 239 y hasta su fin, será utilizada como coda conclusiva. Esta parte, que comienza con un pequeño fragmento cadencial del violonchelo solo —quizá hubiese sido éste el lugar elegido normalmente para realizar la cadenza—, utiliza un gran número de notas repetidas con la articulación de *jeté col-legno*, imitadas por el resto de la orquesta.

La obra termina con un glissando en pizzicato de tercera menor descendente —de Mi a Do#— tras el fortísimo de la orquesta, algo que sirve como guiño al oyente al tiempo que es muestra palpable de que la asociación de estas dos notas son algo más que un simple intervalo en el contexto de la obra.

En cuanto a la utilización de la orquesta

Si algo sorprende en el concierto, aparte de la multitud de recursos tímbricos utilizados por el violonchelo, es el uso de la orquesta. Su utilización no es aquí la que a menudo encontramos en los conciertos con solista, que por otra parte suele ser la orquesta prototipo, es decir, utilizando los tuttis, grupos instrumentales homófonos, etc., de la orquestación romántica. La orquestación del concierto responde totalmente a una búsqueda tímbrica novedosa, y es utilizada con una meticulosidad a menudo sorprendente a pesar de lo que conlleva de dificultad de montaje en una orquesta convencional, puesto que probablemente destinará pocos ensayos para su preparación —o por lo menos en número menor a los deseados por el compositor—. Se podría decir que la partitura es un gran ejemplo de las posibilidades de efectos tímbricos en los distintos instrumentos de la orquesta, algo que también ocurre en otras obras del compositor como **Trama**, **Ab origine**, etc., y sin duda son un buen material de estudio para los compositores noveles. Ahora bien, Guinjoan no realiza esta mezcla tímbrica desde un estudio científico, sino que aplica para ello únicamente su intuición y experiencia, huyendo de una plasmación que podría resultar estéril: «*Ciertos compositores han buscado en otras disciplinas, esencialmente científicas, los modelos a menudo metafóricos para la jerarquización de los parámetros de control del timbre, con el riesgo de producir placages totalitarios de los que no resultan más que modelos arbitrarios sin necesidad ni fundamento musical*»[19].

A pesar de lo dicho hasta aquí, el encadenamiento tímbrico utilizado por Guinjoan no trae consigo nada novedoso con respecto a los procedimientos empleados, sino que lo novedoso es su continuado uso, como si en realidad fueran conceptos ordinarios. Esto, que funciona muy bien en la música de Guinjoan, podría resultar caótico para otro compositor que no dominara del mismo modo de dichos efectos y su resultado final.

A MODO DE CONCLUSIÓN

De las obras analizadas hasta aquí hay algo que resulta evidente: Guinjoan es un compositor claramente diferenciado del corpus creativo de música española, y por ello resulta difícil relacionarlo con los compositores de su entorno inmediato. Incluso resulta más fácil relacionarlo a determinados compositores provenientes de

---

[19]   BARRIERE, Jean-Baptiste. *Le timbre, métaphore pour la composition*. París: Ed. IRCAM, 1991. Pág. 12.

la escuela francesa —únicamente en cuanto a su modo de tratar el timbre—, o incluso a compositores mucho más jóvenes. Quizá el párrafo que él mismo cita en **Ab Origine**: *«Cuando en alguna entrevista me han preguntado: ¿De dónde vienes y a dónde vas?, la respuesta ha sido: Voy a encontrarme buscando cada vez más mis raíces de autóctono recalcitrante, con la humildad del origen ligada indisolublemente a la realidad de cada momento. He trabajado durante años la tierra sin eufemismo. He vivido la tierra. Fue un maravilloso contacto con la naturaleza que ahora intento reencontrar a través de la música»*[20], sea lo suficientemente definitorio de su inquietud y visión personal del entorno que le rodea.

Guinjoan es un compositor que a sus 70 años todavía sigue buscando en cada recodo de la composición actual cualquier novedad, no sólo para observarla desde su aspecto exterior, sino para examinarla desde su interior y sacar así conclusiones que puedan devenir novedosas en su pluma. Quizá ese aspecto y necesidad de búsqueda en un compositor maduro como Guinjoan pueda parecer testimonio de la falta de lenguaje propio, pero el lector y oyente deberá tener en cuenta que es precisamente ese multieclecticismo, entendido como medio de recabar todos los usos instrumentales y del propio lenguaje, del que sobrevive y encuentra razón de ser la música de Guinjoan. Es una música que partiendo incluso de lo ajeno se vuelve tremendamente personal, con color y definición inconfundibles.

Quizá sea ese el motivo por el cual la mayoría de compositores catalanes jóvenes se han sentido atraídos, en un momento u otro de su carrera, por el mundo creativo de Guinjoan. Y quizá también sea la riqueza de su lenguaje lo que resulte atractivo para aquellos, sobre todo en los compositores vinculados al mediterráneo, puesto que Guinjoan es tal vez el compositor catalán contemporáneo[21] que más ha sabido traducir de la naturaleza mediterránea su ambientación y color para convertirlo en música.

La obra de Guinjoan, sin duda, es una obra nueva, aunque tan sólo sea por lo distinta que es con respecto a las demás. Probablemente es una música más inteligible para quien entiende la forma de ser mediterránea que no para quien conoce la música de la segunda mitad del siglo XX, especialmente aquella que proviene del dictamen impuesto por los compositores de elite que han acaparado, e incluso dirigido, el gusto musical de la actualidad.

---

[20]   GUINJOAN, Joan. *«Ab Origine»*. Pág. 81.
[21]   No hay que olvidar al respecto compositores de la talla de Frederic Mompou o de Montsalvatge, aunque ambos han desarrollado toda su composición vinculados de una u otra forma a la tonalidad.

Por otra parte no hay duda de que en Guinjoan se mantiene el aprendizaje musical francés de su juventud. Esto es algo que ha ocurrido a la mayoría de compositores españoles, especialmente a los catalanes —el caso de Frederic Mompou es ejemplar—, pero téngase en cuenta que ésa era una de las pocas enseñanzas posibles en la España franquista y en la Cataluña de su juventud. Es evidente que sin un aprendizaje en el entorno francés nos podríamos preguntar sobre si la música de Guinjoan sería tal y como la conocemos, llena de matices de color y timbre, o tal vez una música de tipo serial, por otra parte la imperante en la Catalunya de nuestros días.

Llegado este punto cabría citar la frase de Manuel Valls que con cierto tono de ironía realizaba sobre el compositor: «*Ahora, Joan Guinjoan nos ofrece las entidades expresivas más inestables del universo musical de hoy, pero hay que entender bien el término inestable. Por esencia, la inestabilidad comporta dinamismo, evolución y transformación frente a la conceptualización de la estabilidad, que lleva consigo la idea de descanso, de falta de movimiento e inquietud*»[22]. Esta frase, citada en el compositor de 42 años, sigue aún vigente en buena parte de su música. Quizá sea la inocencia de quien quiere aprender a toda costa lo que empuja a compositores como Guinjoan a realizar su trabajo, ejecutado con una creciente e ineludible cota de calidad. Que por muchos años lo podamos seguir disfrutando.

---

[22]   VALLS, Manuel: *Entreactes de Concert.* Barcelona: Ed. Pòrtic, 1973. Pág. 110.

CAPÍTULO III. TOMÁS MARCO

METAMORFOSIS SINFÓNICA

ANÁLISIS DEL LENGUAJE MUSICAL EMPLEADO EN LAS SINFONÍAS 4 Y 5

Introducción

Tomás Marco es uno de los compositores españoles más conocidos por el gran público, tanto en España como en Europa. Académico por la Real Academia de Bellas Artes de San Fernando ha cosechado durante su prolongada carrera numerosos y renombrados premios: Premio Nacional de Música, Premio Gaudeamus, Premio Nacional de Radiodifusión, Premio Ondas, Premio Arpa de Oro, y un largo etc. Tomás Marco es además extensamente conocido en el medio musicológico por su prolífica serie de escritos —libros, artículos, crítica musical, etc.— , en su mayor parte dedicados a la música contemporánea (biografías, escritos sobre historia, etc). Esto hace de él uno de los compositores españoles que más y mejor conocen, desde su interior, la música española actual.

Su función de organizador, vinculado durante mucho tiempo al Centro de Difusión para la Música Contemporánea y a la Orquesta Nacional de España, además de su paso por el Ministerio de Educación y Cultura como Director General del Instituto de las Artes y de la Música (INAEM) le han hecho vivir y conocer como nadie la música española de vanguardia. A esto hay que añadir —en lo que a su propio mundo creativo se refiere— la imperiosa necesidad de búsqueda de nuevas formas de expresión, de la cual Tomás Marco es pionero. Todo lo mencionado le ha llevado a ocupar un lugar de privilegio en el *corpus creativo* español, tanto como compositor como organizador, de lo cual se ha beneficiado buena parte de los compositores españoles del siglo XX. Probablemente podría hacer suya la frase que en su día pronunciara Manuel de Falla: «*Por convicción y por temperamento soy opuesto al arte que pudiéramos llamar egoísta. Hay que trabajar para los demás simplemente, sin vanas y orgullosas intenciones. Solo así puede el arte cumplir su noble y bella misión social*»[1].

La anteriormente mencionada búsqueda de nuevas formas de expresión ha llevado a Tomás Marco a realizar una gran diversidad de obras con lenguajes y concepciones a veces muy contrastantes. Ésto se refleja sólo al leer el extenso catálogo de sus obras y observar que existe una importante variedad de títulos, que

---

[1]   GOMEZ AMAT, Carlos: *Tomás Marco*. Madrid: Servicio de Publicaciones del Ministerio de Educación y Ciencia,1974. Pág. 74.

94

van desde obras de clara concepción poética, a veces vinculada a elementos de su entorno directo (**Rosa-Rosae**, **Ecos de Antonio Machado**, **Soleá**, etc.), y en otros casos a obras con concepciones matemáticas y de tipo espacial (**Espejo desierto**, las sinfonías que aquí analizamos, **Concierto Eco**, **Settecento**, etc.). Esta dicotomía entre lo estructural y lo poético era ya observada por Carlos Gómez Amat : «*[...] una consideración de la música como un arte a la vez muy lógico y estructurado y muy intuitivo y mágico*»[2]; concepción que casi 20 años más tarde utilizaría el propio Tomás Marco como titulo a su discurso de entrada en la Real Academia : «*La creación musical como imagen del mundo entre el pensamiento lógico y el pensamiento mágico*»[3].

Su visión del mundo compositivo es la que le desmarca claramente de otros compositores a los que normalmente se le suele vincular, es decir, a la Generación del 51, de la cual varios de sus miembros serían sus maestros —aunque más en lo espiritual que en lo real— y con posterioridad compañeros, a lo que Tomás Marco responde «*No creo que se me pueda clasificar dentro de una generación que por lo general me lleva entre diez y doce años. Y no tanto por esto, sino porque [...] mi música surge de presupuestos diferentes y tiene otro aspecto [...]*»[4]. Esta posición del autor, desvinculada del entorno de una generación más adulta es la que le ha provocado la necesidad de buscar sus propias fuentes de expresión musical, llegando a no desechar ningún parámetro más o menos válido para la composición, al tiempo que le ha alejado de la tradición dodecafónica y serial de los años 50 y 60. Como él mismo diría: «*pertenezco por edad, a una generación para la que la experiencia serial no ha sido una meta, ni siquiera un punto de partida, sino un elemento más de aprendizaje*»[5], e incluso la frase utilizada por Enrique Franco «*ritorniamo alla antica. Verdi dixit*»[6], representa para Tomás Marco algo lo suficientemente válido como para ser utilizado en la creación musical. Sin embargo, será precisamente ese distanciamiento de la estética musical de su entorno vivencial —entendiendo a ésta como la corriente de mayor aceptación— la que Tomás Marco sabrá utilizar con mayor eficacia, no cayendo en lo que Adorno señalara en el año 1963: « *[...] la llamada generación joven se halla mucho más amenazada por el conformismo, la nostalgia profunda de seguridad, la negligencia y la disposición de seguir la*

[2] GOMEZ AMAT, Carlos: *Tomás Marco.* Pág. 50.
[3] MARCO, Tomás: Discurso Académico Electo, Madrid: Real Academia de Bellas Artes de San Fernando, 1993.
[4] GARCIA DEL BUSTO, José Luis: *Tomás Marco*. Oviedo: Colección Ethos Música. Servicio de publicaciones de la Universidad de Oviedo, 1986. Pág. 50.
[5] Ibídem. Pág. 22.
[6] *Diario ARRIBA, 25 de Octubre de 1967.*

corriente, que por ese fantasma del subjetivismo extremo que la proclamación dibuja en el muro»[7]; puesto que se olvida a menudo que es bajo el prisma de novedad y búsqueda de nuevos modos de expresión —aunque en determinados casos sea muy personal—, donde se encuentra el camino a seguir (si es que verdaderamente existe), ya que es necesario crear nuevas ideas que supongan una ruptura con los esquemas establecidos, a pesar de que no sea éste su último objetivo. Son precisamente esas nuevas ideas las que deben provocar la reacción estética necesaria para que el establecimiento no exista como tal. Respecto al uso de nuevas formulaciones Tomás Marco es tajante: «El *tercer movimiento es Almost a rock, y procede en efecto la estructura de un rock. No pretende ser el primer ejemplo de este género en la música (lo ignoro y además no me importa) y no quiero protegerme invocando a los compositores del pasado...*»[8]. Esta posición del compositor frente al mundo creativo le ha llevado a un éxito profesional —sin duda es uno de los compositores españoles más conocidos por el gran público—, pero también a un claro distanciamiento de determinados sectores de la composición musical.

Retornando de nuevo al mundo creativo del compositor, existe en su música una continua preocupación por el aspecto formal, algo que resulta evidente en sus últimas obras, que giran alrededor de temas que de uno u otro modo le sirven como medio para la estructuración formal. «*Será quizá exagerado, pero se puede afirmar que la problemática fundamental en la obra del músico es la de la forma*»[9]. No por ello dejan de tener un contenido poético que aparece normalmente en los subtítulos de aquellas, algo habitual en la música de los compositores españoles de su entorno —Cristóbal Halffter y Luis de Pablo utilizan también a menudo la subtitulación—. La obsesión por lo formal puede ser perfectamente reconocida, puesto que a menudo Tomás Marco utiliza los elementos de repetición hasta un nivel extremo, resultando su percepción muy evidente. Es el caso de la **Segunda Sinfonía**, en la que el acorde inicial y su ataque en fortísimo —prácticamente desvinculado del contexto global— se repite a lo largo de toda la obra con absoluta nitidez, si bien con continua mutación de las alturas.

---

[7] ADORNO, Theodor: *Disonancias*. Madrid: Ed. Rialp, 1966. Pág. 94.
[8] Citado en el libreto de la grabación en CD. Munich: Col-legno, 1991. Pág. 15.
[9] GOMEZ AMAT, Carlos: *Tomás Marco*. Pág. 28.

96

METAMORFOSIS SINFÓNICA

Sinfonía nº 2 (espacio cerrado). Inicio.[10]

Ejemplo 1

---

[10]   La sinfonía número 1 está editada por Alpuerto, la 2.4.5 y 6 por EMEC, y la número 3 por Salabert.

Este procedimiento de repetición y creación de estructuras férreas es habitual en buena parte de la música de Tomás Marco —tal y como podremos comprobar más adelante— y es más, es el concepto básico sobre el que se fundamenta su modo de estructuración, aunque con determinados matices y variaciones. Esto no sólo se refleja en el uso de elementos de material melódico, de acordes, de módulos de alturas, etc., sino que también aparece en el uso orquestal, algo que sorprende al oyente; es decir, el uso de una tupida y constante textura tímbrica mediante el uso de los instrumentos de percusión como elemento colorístico y redundante —de cierto parecido a la orquestación impresionista—, en la que la multiplicidad de líneas conlleva una policromía tímbrica de gran magnitud —algo que resulta obvio en las sinfonías[11], puesto que trazan una buena línea evolutiva en la carrera de Tomás Marco—.

Es curioso observar, sin embargo, cómo en su obra poco a poco se añaden elementos expresivos y melódicos cada vez de mayor envergadura, en ocasiones relacionados a la composición atonal de la *Segunda Escuela de Viena*, escritura poco utilizada en sus primeras obras. Enrique Franco citaba en 1974: «*Ha cultivado diversas técnicas y tendencias; pero tras los períodos que podríamos denominar ensayísticos, se inclina y decide por una vía puramente musical. Estamos, pues, ante una música expresiva [...]*»[12]. A ello hay que añadir el uso moderado de las citas de determinada música tonal, en algunos casos con un claro pretexto de utilización de elementos a modo de recursos imitativos: «*Es que, una vez irremisiblemente perdida la inocencia creativa, no hay más remedio que poder ironizar sobre la propia creación*»[13], y en otros casos como medio de *collage* e incluso parodia.

Sin embargo, al analista, e incluso al lector de su música, lo primero que le sorprende es la simplicidad de su escritura, que en algunos casos puede parecer infantil o, como diría Enrique Franco: «*[...] Yo me atrevería a afirmar que ha inaugurado una tendencia española: la nueva simplicidad*»[14]. Franco bautizó, probablemente sin querer —ha dado nombre a buena parte de las generaciones de compositores actuales— con el término «*nueva simplicidad*» la música de Tomás

---

[11] Las fechas de composición de las sinfonías de Tomás Marco son las siguientes:
   Sinfonía Nº 1 «Aralar», 1976
   Sinfonía Nº 2 «Espacio cerrado», 1985
   Sinfonía Nº 3, 1985
   Sinfonía nº 4 «Espacio quebrado», 1987
   Sinfonía Nº 5 «Modelos de universo»   , 1988-89
   Sinfonía Nº 6 «Imago mundi», 1990-92
[12] GOMEZ AMAT, Carlos: *Tomás Marco*. Pág. 50.
[13] Citado en el libreto de la grabación en CD. Munich: Col-legno, 1991. Pág. 12.
[14] Diario ARRIBA, 28 de noviembre de 1969.

Marco, y así es como ha sido conocida desde el exterior. Esta falsa idea de lo «*infantil*», que puede confundirnos en la primera visión de la obra, era ya recogida por Jacobo Romano « *Estamos quizás ante un ingenuismo de vuelta, es decir, sin asomo de imitación infantilista*»[15].

A partir de este momento nuestro objetivo va a ser adentrarnos en dos de las sinfonías de nuestro autor, la número 4 y la número 5, para intentar objetivizar sus elementos lingüísticos y conocer, desde su interior, cómo se articula y desarrolla su lenguaje expresivo, lo que a nuestro juicio servirá al lector para delimitar su lenguaje musical, puesto conocemos su música —desde el punto de vista auditivo— e incluso su trayectoria personal, pero muy poco su medio de realización creativa. El lector puede pensar, y sin duda no se equivoca, que analizando únicamente dos obras tampoco podremos saber con profundidad cómo se elabora la música de Tomás Marco. Téngase en cuenta, sin embargo, que éste es el problema que posee la visión parcial de la obra de cualquier compositor. En todo caso, nuestro propósito último es el de invitar a que en un futuro no lejano pueda ser más y mejor conocido mediante el análisis de otras obras. Las aquí analizadas serán, en todo caso, un posible punto de referencia. El objetivo de analizar las dos sinfonías citadas no es más que el de reunir y comparar dos obras que poseen entre sí una conexión intrínseca. En primer lugar, fueron escritas una a continuación de la otra, y en segundo lugar, poseen entre sí muchos elementos en común que a continuación observaremos.

Cuarta sinfonía

Aunque la Cuarta y Quinta sinfonía se hallan emparentadas entre sí —ambas utilizan parte del tema inicial de **Así habló Zarathustra** de Richard Strauss—, realizaremos un análisis independiente con el propósito de dilucidar su desarrollo individual para posteriormente llegar a conclusiones de mayor veracidad.

La **Cuarta Sinfonía**, subtitulada *Espacio quebrado,* utiliza un número de cuatro movimientos o partes relacionadas entre sí, tal y como su autor menciona: «*En Espacio quebrado procedo a la creación de un espacio general uniforme quebrado por cuatro espacios violentamente contrastantes, y también autónomos y uniformes*»[16]. De hecho, cada uno de estos movimientos se comporta como un espacio distinto dentro del contexto de su globalidad, aunque no hay separación alguna entre

---

[15]   GARCIA DEL BUSTO, José Luis: *Tomás Marco.* Pág .30.
[16]   Citado en el libreto de la grabación en CD. Munich: Col-legno, 1991. Pág. 15.

ellos. Tomás Marco opina que :«*En general no suelo escribir obras en varios movimientos ni dejo pausas entre los mismos de haberlos [...] no puedo soportar las interrupciones en el curso de una obra que sólo sirven para toser, rara vez para afinar, y en general para arruinar la atmósfera musical*»[17]. Sin embargo, en cada una de estas partes o movimientos se observa la repetición de determinados elementos, y principalmente un «*leitmotiv*»: los ocho compases iniciales en los que intervienen únicamente las dos arpas. Estos movimientos constituyen y representan, de uno u otro modo, ese *espacio*. Seguidamente realizaremos un análisis paso a paso.

Primera parte : *Quasi Star.(quasar).*

Anuncia el compositor que *«Quasi Star es una réplica a mi obra orquestal anterior Pulsar: una analogía [...] astronómica, porque en toda la obra se encuentra un clima de espacio astronómico y de color «solar»* [18]. En **Pulsar** utilizaba un elemento de pulsación que se mantenía a lo largo de toda la obra, lo que le daba unidad. En el primer movimiento de la **Cuarta sinfonía** existe, sin duda, un clima similar al de la pulsación, que por otra parte mantendrá a lo largo de toda la pieza, a excepción de la célula inicial que inauguran las dos arpas. A nuestro juicio éste será el elemento «*leitmotiv*» que encontraremos en todos los movimientos, aunque con ligeras variaciones. No obstante, en el comienzo de las dos arpas cabe observar dos elementos determinantes:

a/   La idea de verticalidad o armonía que inaugura dicha célula.
b/   La idea de horizontalidad o melodía que la concluye.

Estas dos ideas contrastantes son, además, el eje sobre el que se articula toda la obra, comportándose como el elemento principal de su desarrollo:

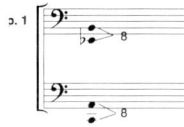

Elemento a

---

[17]   Ibídem. Pág. 14.
[18]   Citado en el libreto de la grabación en CD. Munich: Col-legno, 1991. Pág. 15.

Elemento b

Ejemplo 2

En la configuración de **b** predomina un uso interválico de las alturas a modo de escala, si bien con distancias interválicas mayores a las habituales, es decir, tritono, quinta y cuarta justas, etc., de modo que mostrada horizontalmente presenta un aspecto casi tonal:

Ejemplo 3

Obsérvese cómo en esta escala predomina, ante todo, el uso de las alteraciones de Sib y Solb, mientras que las notas naturales, que actúan como cromatismos entre aquellas, son en realidad notas de adorno. Véase también que la configuración de la escala comporta el uso de la tercera menor, lo que le confiere un carácter andalucista que aunque no es evidente en la audición —del modo en que está dispuesta en las arpas—, se halla omnipresente: «En *muchas de mis obras hay un fondo español, que no es directamente folklórico ni nacionalista*»[19]. Este elemento se engloba dentro de un proceso formal estricto que tiene en esta primera parte —al igual que sucediera con los clásicos en la forma sonata—, su máximo nivel de desarrollo. Además de lo mencionado, en la disposición formal de toda la pieza no falta una cierta alusión a la serie áurea como unificadora del discurso formal. La primera parte o movimiento posee un total de 267 compases, cuyo número áureo se halla exactamente en el compás número 165, lugar donde se efectúa un cambio dinámico importante. En ese mismo punto se añaden giros melódicos hasta ese momento desconocidos.

---

[19]   GARCIA DEL BUSTO, José Luis: *Tomás Marco.* Pág 91.

Si observamos la configuración global de toda esta primera parte no sólo aparece la serie áurea a un nivel general, sino que algunas partes intermedias también se hallan regidas por aquella. No falta, sin embargo, el uso de la concepción formal clásica de grupos de 8 compases, e incluso su subdivisión de 4+4 . Este es el caso del principio.

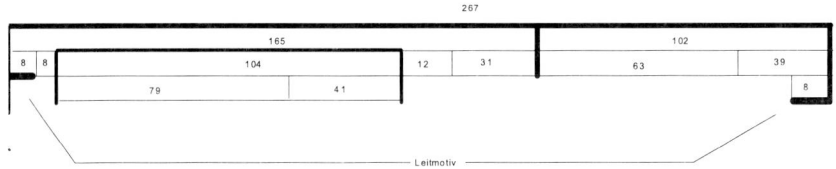

Ejemplo 4

Al final de dicha parte el concepto de uniformidad tonal queda todavía más claro con el uso del motivo inicial —o leitmotiv— en forma retrogradada, es decir, lo que antes antecedía al arpegiado de las arpas —o sea, la configuración vertical (elemento a)—, se encuentra aquí justo al final de la pieza, a modo de capicúa.

Inmediatamente después de este inicio aparece una pequeña disposición de dos grupos de 4 notas en las dos arpas, con un bajo tenido sobre Sol (contrabajos), y que curiosamente —no sabemos si por casualidad— tiene una apariencia similar a una obra del siglo XX de gran significación: **La Consagración de la Primavera** de Stravinsky, aunque eso sí, con un planteamiento distinto e incluso tímbricamente contrario:

Ejemplo 5

El uso de estos grupos de 4 notas será evolutivo, de modo que todos los demás instrumentos van a utilizar combinaciones similares a excepción de los de cuerda graves, que únicamente utilizarán notas tenidas. Esto se va a comportar como un pedal hasta el compás 121 que será reutilizado con posterioridad.

Dichos grupos, que se combinan arbitrariamente y con un ritmo inicial de semicorcheas que evoluciona hacia un seisillo, se articulan siempre en forma de grupos homogéneos que, o bien conservan un aspecto de escala o son una combinación interválica de tipo simétrico. Esta combinación se inicia en las 2 arpas (compás 9) del siguiente modo:

Ejemplo 6

En ningún caso estos módulos de 4 notas serán utilizados a modo de escala, tal y como ocurriera al principio con las arpas, sino que se articulan de forma siempre diferente, evitando la repetición de la combinación de cuatro notas. Los instrumentos que aparecerán más tarde también desarrollarán módulos de 4 notas, de modo similar al de los anteriormente citados:

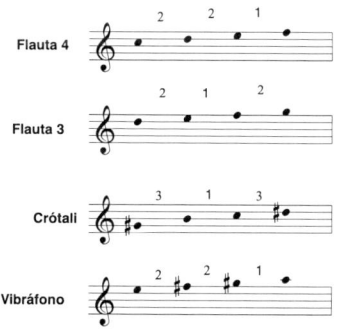

Ejemplo 7

Poco a poco todo lo mencionado culminará con una ampliación interválica (intervalos mayores) en los instrumentos de metal:

Ejemplo 8

Este clímax va acompañado de una culminación rítmica, en la que por primera y única vez se utiliza un elemento de silencio disgregador (compás 87), que se repetirá periódicamente cada cuatro compases.

Ejemplo 9

Mientras que los instrumentos agudos se organizan del modo mencionado, los instrumentos de cuerda graves realizan una combinación en pedal que va a ir sumando una nota progresivamente hasta completar un acorde de La mayor con séptima mayor y menor, además de la novena (compás 74).

A partir del compás 121 vuelve a aparecer el elemento vertical del inicio de la pieza, aunque con un contorno distinto, en este caso las arpas combinan cuatro notas: Do-Re-Sol-La, con un pedal sobre Do-Mi-Sol-Si en los instrumentos graves, de modo que la armonía del fragmento (compases 121 a 124) es claramente diatónica de Do. Frente a ello contrastan los fagotes, que utilizan una combinación interválica en la que predomina la combinación de terceras mayores y menores:

Fagot 2

Ejemplo 10

Esta combinación de tercera Mayor-menor será crucial para entender los procedimientos empleados en la última parte de la sinfonía, e incluso para comprender el enlace de ésta con la siguiente —**Quinta sinfonía**—, algo que además contiene un componente de *guiño conceptual* y de *visión personal*: «*[...] la cifra siete impregna toa la construcción de la obra desde muchos puntos de vista y es una cifra importante en mi vida [...]*» [20]. Recordemos que la suma interválica de la tercera menor y la tercera mayor nos arroja un total de 7 semitonos.

Este anuncio melódico, el primero que se realiza en toda la obra, va a ser el preludio del que en el compás número 166 tomará mayor fuerza, antecedido en el compás 146 por una melodía similar. Esta serie de texturas melódicas que aparecerán en los instrumentos de cuerda van a ser trascendentales en la última parte de la sinfonía. No poseen una verdadera disposición melódica —en un sentido puramente clásico—, sino que en realidad se componen de un grupo de melodías que mantienen estructuraciones interválicas como las mencionadas en el ejemplo anterior, aunque se articulan a modo de clusters movibles semejantes a los utilizados por Cristóbal Halffter.

Sinfonía número 4 (compases 165 a 168)
Ejemplo 11

---

[20] Citado en el libreto de la grabación en CD. Munich: Col-legno, 1991. Pág.12.

A dicho grupo de melodías le acompaña un pedal de las dos arpas sobre las notas La y Do en armónicos, a modo del *tic-tac* del reloj, herencia de otra obra anterior y que se articula del mismo modo: **Pulsar**. Este tipo de articulación —pedal con pulsación— se encuentra a menudo en la música de Tomás Marco. De hecho, será el elemento unificador del tercer tiempo de la sinfonía (*Almost a Rock*; casi un rock), el cual se desarrollará práctica y únicamente bajo el mencionado carácter de pulsación continua.

El resto del movimiento va a mantener esta idea hasta su desintegración en el compás número 250, donde de nuevo aparecerá sobre el pedal de Sol, en este caso en el extremo agudo y realizado por la flauta, al contrario del comienzo. Inmediatamente después, en el compás 253, aparece de nuevo el elemento horizontal de las arpas seguido del vertical, en este caso sensiblemente variado:

Ejemplo 12

Segunda parte: Hiperbórea

Como el propio compositor argumenta: « *[...] se llama Hiperbórea por alusión a las regiones oscuras y desconocidas al Norte físico. Por oposición al primero, está basado en sonoridades graves y lentas*». Este segundo movimiento utiliza una textura absolutamente contraria a la del anterior, aunque fundamentalmente su organización mantiene el mismo criterio inicial, es decir, el elemento horizontal frente al vertical. En este caso la construcción interna es distinta, si bien con una organización similar. Toda la pieza se organiza mediante la combinación de cuatro compases de notas tenidas junto a una pulsación de negra, además de un compás de resolución (4+1). Puede observarse cómo la primera verticalización que aparece en el compás número 272 utiliza las mismas alturas de sonidos con las que comenzaba la primera parte (ejemplo 2a). Esta idea de resolución de tipo cadencial se mantiene a lo largo de los 149 compases que posee el movimiento (hasta el compás 417), y se articula siempre con la combinación 4+1, a excepción de la parte final (compases 408 a 417), en la que se repiten los primeros compases del primer movimiento con una disposición simétrica: 3 compases de verticalidad, 5 compases de horizontalidad, 3 compases de verticalidad. En la verticalidad se sigue utilizando la idea inicial íntegra (ejemplo 2a), mientras que en la horizontalidad se realizan algunos cambios: únicamente se mantienen como notas alteradas el Reb, Solb y Mib en el arpa 1, y Sib y Mib en el arpa 2.

Sin embargo, en la parte intermedia del compás 328 hay una leve infracción de esta norma, en la que encontramos la combinación de 4 compases de verticalidad, 4 de horizontalidad (notas tenidas) frente a uno cadencial y otro segundo también cadencial, aunque con notas largas. Esta combinación tiene una explicación lógica teniendo en cuenta su forma general:

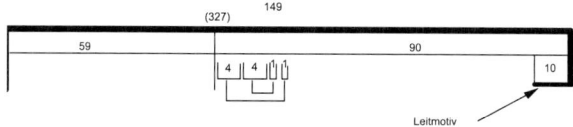

Ejemplo 13

Aunque el número áureo es aquí 92, esa pequeña variación de 2 compases es mínima en lo que a configuración global se refiere.

Volviendo de nuevo al comienzo del movimiento, podemos observar que en este caso no es Sol la nota pedal, sino Do, preparando lo que de uno u otro modo será la última parte de la sinfonía. Sin embargo, la combinación de las notas que participan en estos grupos de 4 compases, en los que se mantiene una nota tenida, va cambiando a lo largo de todo el movimiento. En primer lugar aparece únicamente Do, con su séptima de dominante Sib, para inmediatamente utilizar una combinación en la que tenemos las notas Do, Reb, Re y Sib; manteniendo inmediatamente después (compás 278) una agrupación vertical casi diatónica:

Ejemplo 14

Ésta sirve, a su vez, como pedal de la melodía que en el compás 283 realizará el primer fagot, idea que se relaciona también con el primer movimiento. Esta melodía, que irá pasando de un instrumento a otro hasta el compás 307, con un total de 5 frases distintas, nunca se repite, aunque el contorno melódico y rítmico es claramente imitativo. Parece tener aquí —al igual que en el anterior movimiento—

una función distorsionadora del conjunto. En dicha melodía existe una alusión a la interválica mayor-menor mencionada anteriormente:

Ejemplo 15

Ahora bien, en el elemento de tipo cadencial, es decir, el consecuente de la frase de 4+1 compases, hay una idea que cada vez será más significativa: el uso de las campanas afinadas. Si inicialmente las campanas no parecían tener una función importante, sí que la tendrán con posterioridad, especialmente debido a la reiteración de su sonido a lo largo del movimiento. En la partitura puede observarse cómo las campanas realizan, en el transcurso del movimiento, un descenso en forma de escala que culmina sobre la transformación de menor a mayor de la escala predominante. Se halla sobre un pedal de las arpas, que mantienen el acorde del comienzo de la obra:

Ejemplo 16

Tercera parte: Almost a rock

En esta pieza, y como su propio autor argumenta, «[...] procede en efecto la estructura de un rock [...] no quiero protegerme invocando a los compositores del pasado que introdujeron en la sinfonía movimiento de danza de su época, como el minueto o el vals. Creo que puedo hacer algo a partir de las estructuras del rock y eso me basta»[21]. Se trata pues de un rock, aunque visto a través de una malla que impide ver con claridad la concepción y forma de la danza, por otra parte idea perseguida por el compositor. Para crear la atmósfera ideal Tomás Marco utiliza el elemento de pulsación aparecido en el primer y segundo movimiento:

---

[21]   Citado en el libreto de la grabación en CD. Munich: Col-legno, 1991. Pág. 15.

Ejemplo 17

Esta pulsación es acompañada por las arpas y los contrabajos, que van a realizar una melodía a distancias de cuarta justa y tritono, posteriormente imitada por los otros instrumentos de modo canónico:

Ejemplo 18

Sin embargo, lo más significativo de este movimiento no es su articulación melódica o su disposición armónica. Si bien poseen cierta importancia en el contexto, mayor la tiene el acompañamiento de la percusión, que configura la característica principal del movimiento. De hecho, el uso de la percusión —en este caso 2 baterías, un grupo de cajas chinas y 2 bongos, además de los timbales—, le confiere el colorido específico de la danza. Este procedimiento perdurará en otras obras posteriores de Tomás Marco, como **Almagesto**, en la que también se utiliza un percusionista con una batería. La configuración formal se halla dispuesta de acuerdo a la lógica del discurso musical de la danza, dividida en fragmentos de ocho compases, a su vez subdivididos en grupos de cuatro. El bajo, que incide sobre una fórmula de cuatro compases retrogradada se articula de modo parecido a la serie de quintas o cuartas justas utilizada en la música popular. Será éste elemento el que sirva como nexo de unión entre las distintas partes. Para ello Marco utiliza disminuciones y ampliaciones de este modelo de acompañamiento, añadiendo pequeñas variaciones rítmicas.

Todo el movimiento se erige como una gran masa sonora, únicamente transgredida por las partes de la percusión sola, que mediante el ostinato del bajo y la pulsación se vuelve extremadamente obsesiva. Todo esto se mantiene hasta que aparece de nuevo el *leitmotiv* conductor de la sinfonía, con el que finaliza dicho movimiento.

Cuarta parte: Solaris

La última parte o movimiento gira alrededor de una de las composiciones más conocidas de la historia de la música: **Así Hablaba Zarathustra** de Richard Strauss. De hecho, este movimiento es utilizado por Tomás Marco como nexo de unión con la siguiente sinfonía. Mientras que en la **Cuarta** utiliza únicamente el fragmento inicial de la obra de Strauss, es decir, el antecedente, en la **Quinta** utiliza el consecuente, la cadencia armónica posterior a la cabeza temática.

Fragmento de Strauss utilizado en la cuarta sinfonía de Tomás Marco
Ejemplo 19

Fragmento de Strauss utilizado en la quinta sinfonía de Tomás Marco

Ejemplo 20

El uso del tema de Strauss —presentado casi de modo literal—, tiene aquí una función de parodia. Es utilizado como el tema oculto que rige toda la obra, aunque no aparezca hasta su final, por lo que se comporta de modo contrario a la clásica utilización del tema y variaciones. Esta parte, como su autor indica: «*[...] además de recapitular el material de los tres precedentes, tiene un predominio de los metales en busca de esa sonoridad solar [...]»*[22], reutiliza determinados fragmentos de los movimientos anteriores, añadiendo el uso casi obsesivo del tema de Strauss, que nunca concluye. Cuando así lo hace se trata de una distorsión, ya que ni tonal ni rítmicamente se corresponde al modelo straussiano. De ese modo la obra se estructura en un todo globalizador, en el que el único material musical diferente es, precisamente, el tema de Strauss, que se convierte en *leitmotiv alternativo*. La estructura formal que establece Tomás Marco es un tanto peculiar, a la vez que compleja:

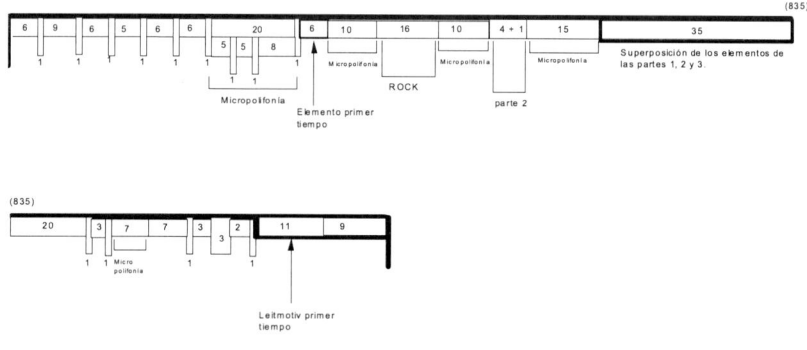

Ejemplo 21

---

[22]   Citado en el libreto de la grabación en CD. Munich: Col-legno, 1991.Pág. 15.

En ese marco de articulación formal aparecen todos los elementos anteriores, de modo más o menos claro. En el ejemplo anterior hemos mostrado la combinación del tema según la realiza Tomás Marco, de modo que en la parte inicial aparecen una serie de repeticiones temáticas que se agrupan como tema-resolución. La resolución, como ya se apuntaba anteriormente, es siempre sorpresiva: en el primer caso sobre un acorde de IV Grado sobre Sol (Fa Mayor), añadiendo los instrumentos de viento-metal con notas de distorsión armónica.

Ejemplo 22

A este elemento temático le continúa una idea semejante a la *micropolifonía,* es decir, una agrupación de melodías que generan un cluster movible, en este caso delimitado a los instrumentos de viento-metal y en una extensión que va desde el Do#1 al Re#5, utilizando el procedimiento de repetición de notas empleado en el primer movimiento. Seguidamente aparece el elemento principal del primer movimiento seguido del tercero, es decir, la danza rock, que en este caso no incluye la progresión por cuartas y quintas utilizadas en su movimiento. Ésta progresión se halla reservada a los compases 800 y siguientes, donde aparece la superposición de los principales motivos de los movimientos anteriores, por lo que se comporta como centro neurálgico de la pieza. Lo que sigue nos lleva ya a una recapitulación de la idea inicial de este movimiento (el tema de Strauss), añadiendo el leitmotiv que rige la obra.

La alusión temática, aunque progresivamente evolucionada, se convertirá en el paradigma del tema straussiano, como si se tratara de la lucha interna entre dos ideas o conceptos dispares. El único fragmento donde existe una mínima sensación de resolución temática es a partir del compás 855, en la que se realiza un acorde de Do mayor y menor superpuestos, produciendo una sensación de distorsión armónica. Únicamente el final del movimiento, el último acorde, tendrá una verdadera sensación de término, en este caso el de toda obra. Aparece tras el leitmotiv conductor, que se comporta como idea reexpositiva y apoyo de la resolución, a modo de lo que citara Schoenberg en su **Armonía**: «*Es como si en una comedia la* *situación, en un momento, se vuelve demasiado seria; pero nosotros hemos leído en el programa «comedia», y sabemos que la cosa no puede ponerse tan grave»*[23].

El uso de los elementos aparecidos en los movimientos anteriores no será ampliado aquí, a excepción del pedal sobre Do, como ocurría en el principio de la sinfonía (primer movimiento). Únicamente en la célula leitmotiv del compás 885 se retorna al espíritu del comienzo, reutilizando de nuevo la nota Sol, efectuada con armónicos en los contrabajos. Aquí será utilizada —aunque desde un punto de vista y carácter cadencial absolutamente diferente— como resolución de tónica-dominante, es decir, como microcosmos dentro del macrocosmos que implica la obra completa.

QUINTA SINFONÍA

La **Quinta sinfonía** es una de las obras más importantes y significativas de su catálogo —no hay más que ver la expectación que suscitó en los medios de comunicación y que recoge el libreto de su primera grabación. Desde su obra **Escorial** Tomás Marco no volvía a utilizar un formato orquestal del volumen aquí propuesto. Sin embargo, en esta **Quinta sinfonía**, con respecto a la obra antedicha, existe una evolución considerable del material de uso. Aunque en la mencionada obra y otras adyacentes Tomás Marco utilizaba una disposición tímbrica en continuo cambio, en la que era esta precisamente una de las principales premisas de su discurso musical, en la sinfonía aquí presentada se halla lejos de ese medio de *investigación sonora*, utilizando una disposición tímbrica y orquestal mucho mayor.

Mientras en **Escorial** (ejemplo 23) se encuentra una clara búsqueda de nuevas posibilidades tímbricas ensayadas en obras anteriores, la **Quinta sinfonía** se aparta de esa búsqueda, por otra parte habitual en cualquier compositor joven — téngase en cuenta que Tomás Marco empieza a escribir **Escorial** con 30 años—, para una vez superada esa etapa crear una música íntegra, en la que el timbre forme parte del discurso global y no sea todo su contenido.

No es posible dejar de lado el hecho de que esta sinfonía enlaza directamente con la anterior —fueron escritas con un año de diferencia entre sí—, ya que utiliza algo que había sido expuesto en la **Cuarta sinfonía**, es decir, el tema de **Así habló Zarathustra** de Richard Strauss ya mencionado En este caso la situación va a ser distinta: por una parte cualquier compositor sinfonista —de entre los cuales Tomás

23   SCHÖNBERG, Arnold: *Armonía*. Madrid: Ed. Real Musical, 1974. Pág. 397.

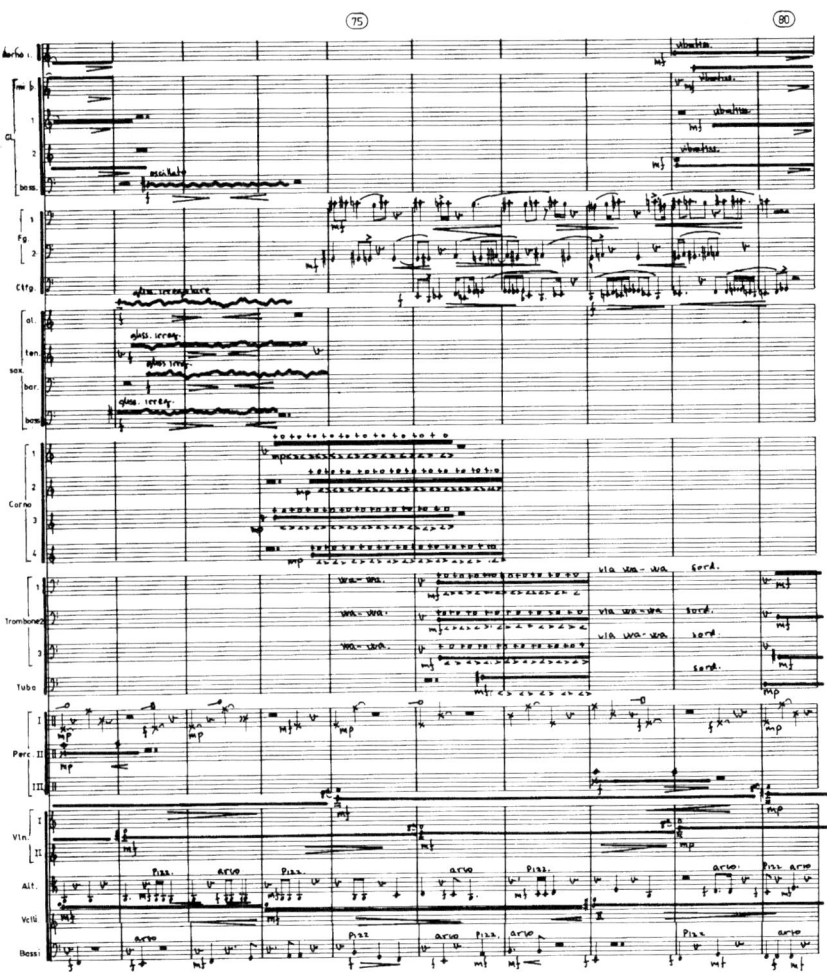

Tomás Marco: **Escorial.**[24]

Ejemplo 23

24   Partitura editada por Editorial Alpuerto.

Marco es uno destacado (6 sinfonías en su catálogo no son pocas)—, difícilmente podría olvidar las principales sinfonías románticas anteriores: Beethoven, Mahler, Bruckner, etc., algo que, por ejemplo, a Mahler también le ocurriría con respecto a Beethoven. Evidentemente, la influencia de Beethoven en el mundo de la sinfonía ha sido tal que, pocos compositores se han atrevido a superar el número beethoveniano —recuérdese al respecto las indecisiones de Mahler para evitar el nombre de *novena y décima sinfonía*. Tomás Marco aludirá al modelo beethoviano satirizando a la quinta de Beethoven. Para ello en cada uno de sus movimientos utiliza su motivo principal, aunque bajo un contorno y contexto absolutamente distintos.

Cabe aquí hablar también de la concepción que lleva a Tomás Marco a componer una obra con un formato orquestal de tal dimensión, especialmente en lo que concierne al nada usual número de partes o movimientos:

I	Achinech (Tenerife): Calmo e amplio
II	Ferro (Hierro): con tensione expresiva
III	Avaria (La Palma): con moto
IV	Maxorata (Fuerteventura): con molta intensita expresiva
V	Tyteroygatra (Lanzarote): deciso
VI	Amilgua (Gomera): giusto giocoso
VII	Tamarán (Gran Canaria): con moto

Esta división en siete movimientos es, tal y como se mencionaba con respecto a la **Cuarta sinfonía**, algo habitual en Tomás Marco, puesto que posee una especial predilección por dicho número. En este caso hay que añadir que la obra, además de pretender ser como su propio subtítulo indica, *«Modelos de universo»* , es un homenaje a las Islas Canarias, y lejos de describirlas —*«[...] no he querido cometer la indelicadeza de usar folklore canario. Por un lado, sería un recurso fácil y oportunista, por el otro porque sería una especie de profanación que no haría bien ni al folklore ni a la sinfonía»*[25]—, pretende ser la creación de un espacio imaginario, e incluso poético que las alude. El que el primer y último movimiento utilicen parte del tema de Strauss, y que ésto coincida con que son el homenaje a las dos islas mayores será el único rasgo que mantienen en común. El homenaje es propiamente una dedicación a las islas, dando su nombre a cada uno de los movimientos sin otras cuestiones extramusicales.

---

[25] Citado en el libreto de la grabación en CD. Munich: Col-legno, 1991. Pág. 12.

Primera parte: Achinech (Tenerife): Calmo e amplio

Esta primera parte, al igual que ocurriera en la cuarta sinfonía, es el lugar donde el contenido musical interno ofrece mayor diversificación, por lo que se convierte en el microcosmos de toda la obra. En este movimiento aparecen los dos elementos que van a ser tomados como idea *leitmotiv* de la sinfonía.

a/ El inicio (primeros 8 compases) y exposición de elementos principales, entre ellos el motivo beethoviano

b/ El uso de parte del tema de Zarathustra de R. Strauss.

En esta sinfonía se dan de nuevo las ideas aparecidas en la **Cuarta** —aunque en exposición y disposición distinta—, del mismo modo que también será utilizada una idea *leitmotiv* en casi todos los movimientos, repetida íntegramente. Al mismo tiempo el tema de Strauss será utilizado como inicio y final (con respecto a la **Cuarta sinfonía**), a modo de conclusión de la globalidad de ambas sinfonías. Si el lector ha tenido la oportunidad de conocer a fondo ambas obras y las ha oído en su continuidad, sin duda tendrá la sensación de que verdaderamente el ciclo empieza en la **Cuarta** y termina en la **Quinta**, de modo similar a lo que también Tomás Marco realizara entre las **Sinfonías 2** y **3**, escritas el mismo año.

El leitmotiv utiliza varios elementos que en su mayor determinarán su continuidad, aunque serán utilizados de uno u otro modo como ideas de desarrollo. Véase el ejemplo 24 y 25, así como su primera combinación.

Como puede observarse, en todos los elementos predomina el intervalo de tercera menor (3 semitonos), claramente relacionado a la **Quinta sinfonía** de Beethoven; incluso las notas iniciales son las mismas, al igual que su contorno tonal. Sin embargo, tanto la celesta como la cuerda utilizan una dualidad Mayor-menor que tendrá en el compás 21-22 su punto álgido, tras la idea straussiana. Estos elementos aparecen siempre con el leitmotiv inicial, aunque levemente transformados. Dicho leitmotiv se encuentra a menudo como parte final de cada movimiento, a excepción del último. Salvo el primero todos llevan consigo el uso de una melodía añadida, que será siempre distinta y servirá de idea conductora.

Metamorfosis Sinfónica

Ejemplo 24

Timbales:

a)

Motivo de glissando

b)

Motivo de la Quinta Sinfonía de Beethoven

Arpa:

c)

Pulsación

Celesta

d)

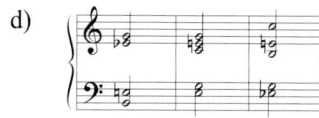

Acorde de connotación andaluza.

Cuerda

e)

Pedal de notas tenidas con acorde Mayor-menor.

Ejemplo 25

El uso del acorde de Strauss y su configuración es, en esta sinfonía, más fiel al original que en la anterior, ya que no sólo aparece el acorde como tal, sino que es mantenida también la disposición horizontal: los compases 9 a 20 (12 compases) de la sinfonía de Tomás Marco corresponden a los compases 2 a 12 (11 compases) de la obra del autor alemán, manteniéndose la disposición Do M-Do m y Do m-Do M (ejemplo 20). A partir de aquí los timbales van a ser utilizados como elemento conductor y unificador del discurso musical:

Ejemplo 26

En el compás 27 se encuentra una idea en eco de lo que anteriormente fuera la utilización de Do Mayor-Do menor simultáneamente, y lo hace en dos grupos distintos, el de las trompas, con el acorde de Fa# M, seguido de las trompetas con Do m y posteriormente los trombones con Re m. Todos aparecen sobre el pedal de Do m-Do M realizado por la cuerda. Esto será trascendental en el cuarto movimiento, *Maxorata*. A partir del compás 42 el discurso musical se desarrollará a partir de la progresión armónica anteriormente citada. También lo hará a modo de pedal, para paso a paso retomar la idea inicial en el compás 73, repetida de forma idéntica y con la retrogradación de determinadas secciones.

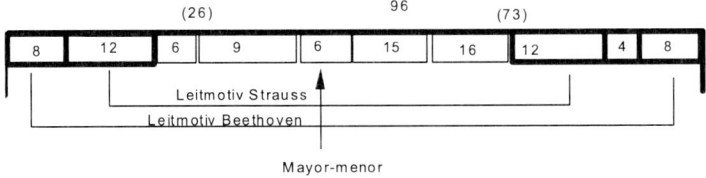

Ejemplo 27

En la repetición del motivo del comienzo, al final del movimiento, aparece una melodía en el corno inglés que será contestada por el clarinete bajo, utilizada de forma variada en las siguientes apariciones del leitmotiv:

Ejemplo 28

En esta melodía aparece también la dualidad mayor-menor (Do menor-Do Mayor) que resuelve sobre una nueva tónica (Fa), aunque mantiene la ambigüedad tonal de toda la pieza.

Segunda parte: Ferro (Hierro): con tensione expresiva

La segunda parte utiliza un elemento de la **Cuarta sinfonía**. Aquí procede de modo similar. Es el del comienzo en los contrabajos: el pedal sobre Sol con sonidos armónicos. Aquí Tomás Marco utiliza la oposición de dos grupos importantes:

a/ El desarrollo hacia una verticalidad en los instrumentos de cuerda.

b/ La combinación-complemento del resto de instrumentos de la cuerda mediante clusters diatónicos y cromáticos en los instrumentos de viento-metal.

En el primer caso los instrumentos de cuerda utilizan un giro melódico semejante al del primer movimiento de la **Cuarta sinfonía**, que consiste en añadir desde el sonido más grave (sol 4 en la escritura, aunque el sonido real es Sol 3) un tipo de escala pentatónica que, a partir del momento en que se completa en los instrumentos de cuerda (compás 138) va evolucionando hasta culminar en el compás 177, para seguidamente retomar el leitmotiv inicial con la doble tonalidad Do M-Do m.

Ejemplo 29

En el mismo lugar los instrumentos de viento realizan, como anteriormente se ha mencionado, una serie de clusters que son la imitación de la combinación Mayor-menor que establecían en el primer movimiento los instrumentos de viento-metal (compases 27 y siguientes), pero con la transformación siguiente: Mayor = distancia diatónica de segunda mayor; menor = distancia cromática de segunda menor; a excepción de los instrumentos de viento-madera, que realizan una combinación distinta. Véase cómo se articula el inicio del movimiento en las distintas familias instrumentales:

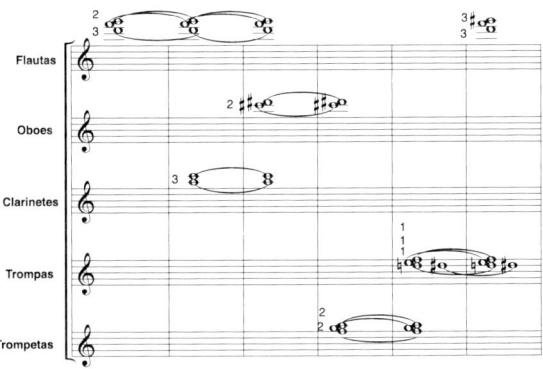

Ejemplo 30

Obsérvese que en los instrumentos de viento Tomás Marco utiliza única-mente intervalos verticales con la máxima distancia de tercera menor.

A ello hay que añadir el uso de las arpas con trémolo junto a los instrumentos de percusión. La coronación de todo este desarrollo se llevará a cabo al final de la pieza, desde el compás 188 hasta el compás 196, con la actuación de todos los instrumentos de viento en la extensión y articulación antedicha, a modo de gran pedal movible. En todo caso, la textura de este movimiento es colorística, lo cual va será utilizado como idea intermedia o de conducción hacia la tercera pieza, aunque no sin haber efectuado anteriormente el leitmotiv, en este caso con una variación mínima (aparece sólo una vez enumerada la célula de la **Quinta sinfonía** de Beethoven) y con el añadido de una melodía superpuesta realizada por los clarinetes, que se comportan como adorno tímbrico.

Ejemplo 31

Tercera parte: *Avaria (La Palma): con moto*

Ésta es la primera pieza en un tempo rápido de la obra, y de algún modo posee cierta vinculación a la idea de repetición modular que aparecía en el primer movimiento de la **Cuarta sinfonía**. De hecho, el modelo de articulación, así como su repetición en grupo, la hace próxima a aquella. Sin embargo, *Avaria* posee una constante melódica que la **Cuarta sinfonía** no poseía, es decir, siempre utiliza un grupo de notas que se alteran sobre sí mismas, de modo que continúan configurando la dualidad Mayor-menor que se establecía desde el comienzo. Para ello Tomás Marco se vale de agrupaciones melódicas repartidas en instrumentos de distinto timbre, en las que cada instrumento repite las mismas notas desde el inicio hasta el fin del movimiento, pero no de forma continuada, sino interrumpida, creando un crecimiento tímbrico progresivo que, unido al dinámico, va a producir una forma de elipse con retorno hacia el agudo. La combinación melódica gira siempre sobre notas que se alteran sobre sí mismas hasta aparecer el total cromático, a excepción de algunos instrumentos en los que falta una única nota para completar las 12, si bien creemos que se trata de casos circunstanciales. Sólo en determinados momentos dichos elementos son variados (entre el compás 210 y 211 en el primer fagot), aunque puede ser fortuito o debido a algún error de lectura del material musical « *las irregularidades apenas perceptibles son las que han infundido vida a la obra artística*»[26]. Obsérvese en el ejemplo 31 la combinación que se deriva de unir las distintas partes en los instrumentos de viento-madera.

La combinación de estos pequeños fragmentos se establece de modo que, poco a poco van llevando el discurso musical a un clímax por ampliación de las distintas células melódicas hasta el compás 244 (*ff*). A partir de ese momento será continuo el descenso hasta el final, donde antes de terminar el movimiento aparecerá de nuevo el leitmotiv inicial. En realidad se comporta como una forma simétrica. La pieza tiene un total de 88 compases, y su mitad absoluta se halla en el compás 248. Sin embargo, no todos los instrumentos utilizan módulos de uno y dos compases con sus respectivas repeticiones, sino que otros (contrabajos y arpa) utilizan elementos de hasta 4 compases.

La idea leitmotiv es, en este caso, prácticamente idéntica a la del comienzo, incluyendo dos elementos nuevos: el glissando de los trombones y una pequeña conclusión melódica realizada por el primer oboe.

Cuarta parte: Maxorata (Fuerteventura): con molta intensita expresiva.

Fuerteventura es para Marco su isla preferida, y es en esta pieza la única de la obra donde aparece una melodía realizada por la cuerda, junto a un continuo suceder de acordes mayores y menores en los instrumentos de viento distribuidos al igual que en el segundo movimiento, en familias de instrumentos.

La pieza contiene un total de 88 compases, como la anterior; y como aquella utiliza el leitmotiv en su final. En los instrumentos de cuerda no hay, sin embargo, una estructuración melódica que sirva de unión o relación formal. En este caso es el

---

[26]   TOCH, Ernst: *La Melodía*. Barcelona: Ed. Labor, 1985.

acompañamiento de los acordes Mayor-menor de los instrumentos de viento el que posee una verdadera estructuración. La melodía se comporta como un modelo canónico libre, en la que se mantiene la ambigüedad de la tonalidad Mayor-menor mediante el uso de las alteraciones propias de cada modalidad.

Ejemplo 32

A esto hay que añadirle un rasgo andalucista realizado por el arpa, que podríamos definirlo tal y como cita García del Busto en la biografía sobre el compositor: «*[...] arpegios que por momentos derivan en guitarregios, como escribió bellamente Gerardo Diego*»[27]. Esto es algo que se halla presente en otras obras de Tomás Marco (**Soleá**, **Sinfonía Aralar**, **Concierto Guadiana**, etc.).

Ejemplo 33

Lo que podríamos llamar acompañamiento mediante la sucesión de acordes Mayor-menor sigue un procedimiento parecido al de la pieza anterior, esto es: cada grupo de instrumentos utiliza una distribución distinta que se mantiene a lo largo de toda la pieza combinándose entre sí, de modo que el clímax se realiza igual, es decir, mediante la superposición de aquellos, algo que tiene lugar en el compás 337. Véase la combinación de acordes utilizada en cada uno de los grupos de instrumentos en el ejemplo 34.

A ello hay que añadir el elemento de glissando (ejemplo 25a), algo que se utiliza esporádicamente a lo largo de toda la pieza y que nos lleva, en el compás 375, a la repetición del leitmotiv con la superposición de una nueva melodía, de nuevo realizada por el corno inglés seguida del clarinete bajo. Aunque se articula de forma

---

[27]   GARCIA DEL BUSTO, José Luis: *Tomás Marco.* Pág 92.

parecida al primer movimiento, su configuración melódica resulta completamente distinta. Se halla junto a las trompas con sordina.

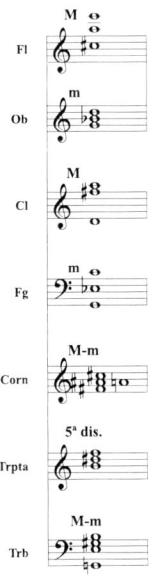

Ejemplo 34

Quinta parte: Tyteroygatra (Lanzarote): deciso

En buena parte de la música de Tomás Marco aparece el elemento de pulsación. En este movimiento también lo encontramos, y aunque mantiene una apariencia diversa posee igual significación. Esta pieza es, de hecho, el desarrollo del elemento que utiliza el arpa y que se halla en el leitmotiv inicial, algo que evolucionará aquí de forma notoria.

El movimiento posee un número total de 119 compases y en su final utiliza, como ya va siendo habitual, la célula leitmotiv, si bien su composición formal es considerablemente distinta.

Este movimiento gira, al igual que el anterior, sobre la superposición simultánea de instrumentos para llegar al clímax de dicha superposición hacia el compás 419 y con posterioridad al compás 433, con una deformación de la pulsación tal y como sucediera en la **Cuarta sinfonía**. Sin embargo, el lugar más significativo del movimiento es el compás 438, donde todos los instrumentos, a excepción de los de percusión, van a intercambiar y retrogradar durante un sólo compás el único ritmo sobre pulsación que aparece en todo el movimiento, lo que en su audición provoca una inesperada sorpresa.

Ejemplo 35

El resto del movimiento se mueve sobre el retorno y desintegración paulatina de la pulsación, que culmina en el compás 490 con un glissando del arpa sobre la escala diatónica de Do M, al cual sigue, como se ha citado ya, la aparición del leitmotiv principal, aunque con la superposición de la combinación del acorde menor-Mayor-menor realizado entre las trompetas, trompas y trombones.

Sexta parte: Amilgua (Gomera): giusto giocoso

Este movimiento es uno de los más largos de toda la obra (140 compases), y se articula sobre una escala diatónica de Do Mayor y la menor simultáneas, apareciendo otras alteraciones puntualmente. Estas últimas sirven, a su vez, de elemento distorsionador del discurso armónico —los sonidos La# y Re#—, alteraciones que por otra parte aparecen en contadas ocasiones. Sin embargo, son los instrumentos de percusión los que van a tener verdadera importancia, ya que será a partir de la idea de ampliación de pulsaciones o *batimentos* sobre un mismo tiempo la que va a regirlo (ejemplo 36).

Obsérvese cómo cada uno de los elementos se combina de un instrumento hacia otro. De hecho será esa idea la dominante: la combinación de elementos rítmicos entre instrumentos distintos y, por consiguiente, la combinación de distintos timbres. A ello se le unirá el uso del elemento de tres semicorcheas aparecido en el leitmotiv (ejemplo 25b). Aquí aparece en el compás 523 junto a la combinación en arpegiado de los instrumentos de cuerda (violines primeros y segundos). Toda esta distribución rítmica cambiará en el compás 543, donde a partir de ese momento un restringido elemento de pulsación lo gobernará, desapareciendo las agrupaciones de cinquillo y tresillo.

Ejemplo 36

Ejemplo 37

El elemento de tresillo aparece de nuevo en el compás 613 en el primer fagot, junto a los glissandos realizados por la cuerda y los tresillos de los violonchelos. Tras esta combinación aparece de nuevo el leitmotiv inicial en el compás 633, en este caso con la triple utilización de la combinación superpuesta: leitmotiv principal, combinación de acordes Mayor-menor y melodía cadencial. Que este fragmento se construya así no es casual, ya que ésta será la última vez en la que aparezca el leitmotiv con la claridad de combinación en 8 compases.

Séptima parte: Tamarán (Gran Canaria): con moto

Este último movimiento posee 145 compases, y en él hará irrupción la otra idea que adornaba la primera pieza, es decir, el tema de **Así Hablo Zarathustra** que, aunque antecedido por el leitmotiv inicial, en este caso reducido a 5-6 compases, va a cerrar la obra.

En este movimiento la cuerda mantiene una continuidad de semicorcheas, de modo parecido a la que Lutoslawski empleara en el segundo movimiento de su **Concierto para Orquesta**:

Lutoslawski: Concierto para orquesta. Segundo tiempo.
Ejemplo 38

Aquí la constante va a ser mantener estructuras melódicas de repetición, y al igual que en el tiempo anterior, de carácter diatónico. A esta disposición horizontal se le sumará de nuevo, en el compás 687, la aparición, con un claro objetivo de premonición cadencial, del acorde de Do m. También lo hará en los compases 697, 717, 737, 746, 749, 755 y 760, combinado con el acorde de Do Mayor que aparece en los compases 707, 727, 738, 748 y 758. Obsérvese cómo existe en estas apariciones una predilección sobre el número 7, citado anteriormente como el número preferido del compositor. Sin duda aquí es más importante, ya que de hecho va a suponer la preparación del verdadero final, que empezará a partir del compás 763 mediante el uso del leitmotiv principal, surgiendo con posterioridad y, quizá casualmente, el acorde de Strauss en el compás **777**, finalizando la obra en el compás 787 con una entrada de la percusión y un *glissando fluido* del arpa.

A MODO DE EPÍLOGO

A través de la visión analítica de la obra de Tomás Marco, se pueden observar una serie de rasgos que hacen que su creatividad sea singular.

En su música —concretamente en las sinfonías que aquí hemos tratado— hay una necesidad hacia lo estructural evidente: «*[...] uno de los principales problemas de la música contemporánea: el dilema de su construcción estructural. Este dilema con el cual debe enfrentarse cada compositor, tanto si utiliza la técnica serial como el estilo libre»* [28], necesidad que se plasma en un lenguaje que en algunos momentos podemos definir, sin temor a equivocarnos, de extrema sencillez, y en la que la frase de Enrique Franco: *nueva simplicidad*, queda plenamente justificada. No hay que olvidar, sin embargo, que esta simplicidad posee suficiente significación como para alejarse del propio vocablo, acercándose más a una definición de un mundo de nueva formulación vivencial de la creación, en el que las necesidades de expresión pasan por el uso de otra terminología, quizá todavía no inventada. Una muestra de ello es el continuo empleo del parámetro de la repetición, algo que gran parte de la música contemporánea dejó de utilizar entre los años 50 y 70, siguiendo las premisas de lo que Schoenberg citara: *«repetir sí, pero nunca jamás exactamente, el copiar íntegramente es trabajo de copista»*, y en la que la simple repetición era algo prohibido por presuntamente *«poco pensado»*, olvidando que toda la historia de la música ha utilizado la repetición como algo habitual. Evidentemente, el minimalismo es la otra cara de la moneda, si bien no se puede decir que la obra Marco lo utilice como tal.

Otro aspecto que demuestra aún más el uso de la repetición, y que sin duda debe ser mencionado aquí, es la necesidad de Tomás Marco de reutilizar los motivos como elemento unificador del discurso musical, algo también considerado retrógrado por buena parte de la creación contemporánea.

No hay que olvidar tampoco otras dos fuentes de inspiración que Tomás Marco usa en buena parte de sus obras: la pulsación y lo *popular* —a menudo entendido como *pop*—. El primero, la pulsación, es en el autor algo casi obsesivo, y se refleja en su obra como una necesidad de continuidad que tiene que ver con lo interior o, mejor dicho, con lo profundamente interior; como el corazón que nunca se detiene mientras existe la vida. El segundo, el uso de lo *popular*, demuestra en Tomás Marco una absoluta transparencia y opacidad a la hora de utilizar cualquier medio en la composición, ya que para él no existe límite en la creación musical, y el *no uso* no es un límite físico, sino estético, algo que de todos modos cada época comporta.

Tomás Marco es un compositor joven y muy probablemente todavía tiene mucha obra por delante, además de la muy extensa que ya posee. Posiblemente alguna de las afirmaciones que se han hecho a lo largo de este trabajo, incluso las relativas a su manera de componer, queden obsoletas con el tiempo, si bien es en la madurez compositiva cuando menores cambios se producen en el lenguaje de la mayor parte de los creadores.

---

[28] RETI, Rudolph: Tonalidad, atonalidad, pantonalidad. Madrid: Ed. Rialp,1965. Pág. 168.

Cabría decir aquí, aunque sea a modo de epílogo, lo que Enrique Franco escribiera en 1969 sobre nuestro compositor y que todavía posee plena vigencia: «*La música de Tomás Marco, con todo el futuro que tiene por delante, no sabemos en qué llegará a convertirse, pero ya es algo bien diferenciado en nuestro panorama. Sería difícil confundirla con la de otro autor*»[29].

---

[29] Diario Arriba, 28 de Noviembre de 1969.

Capítulo IV. Cristóbal Halffter

La universalidad de un lenguaje

Análisis de Debla, Candencia y Preludio para Madrid 92

INTRODUCCIÓN

Cristóbal Halffter es uno de los compositores españoles de más reconocido prestigio dentro y fuera de nuestras fronteras, y probablemente sea uno de los compositores de la Generación del 51 que ha dado más y mejor música. De familia ilustre, especialmente en lo que se refiere a lo musical[1], Cristóbal Halffter daba nombre —quizá sin querer— a la generación de la ruptura «*Considero el año 1951 importante, por lo menos para mí lo es, porque es el año que terminé la carrera, también porque este año la terminaron otros muchos... Lo primero que intentamos es ese querer correr el camino que había apartado y que había aislado a la música española, y recorrerlo nosotros por nuestro propio paso*»[2]. Esa frase serviría de punto de partida para una generación que se sentía agobiada por el peso de la tradición de la música española y buscaba, de uno u otro modo, una salida que le devolviera el prestigio que antaño había tenido. Con ello Cristóbal Halffter no cerraba de un portazo la puerta que le unía al pasado, tomando de este lo que a su juicio valía la pena salvaguardar: «*Creo que el compositor pertenece al entorno de su propia generación; existen en él dos vínculos, el que le une a sus maestros y el que le une a sus continuadores*»[3].

Que actualmente Halffter sea uno de los representantes más significativos de la música española del siglo XX no es coincidencia, especialmente en lo que se refiere al carácter latino, ya que tras esa denominación existe un entroncamiento real con la música nacionalista —entendiendo aquélla como la música de honda raíz—, heredada de sus tíos y primeros maestros. Halffter ha sabido tratarla de tal modo que la ha llevado a un mayor nivel artístico, y quizá a la cota más difícil de conseguir: contemporizar la tradición nacionalista que tan compleja es en su tratamiento, evitando caer en la falta de imaginación, llevándola a un grado de intelectualización que sea difícil de rebatir. Todo esto a pesar de las conocer palabras de un Schoenberg, quien decía que: «*La escritura sobre temas nacionalistas es un reflejo*

---

[1] Recordemos que sus dos tíos eran Rodolfo y Ernesto Halffter, ambos grandes amigos de Falla, del cual el último orquestó sus danzas españolas.

[2] SAMUEL, Claude: *Panorama de la Música Contemporánea*. Madrid, 1965.

[3] CASARES, Emilio: *Cristóbal Halffter*. Oviedo:Ed. Universidad de Oviedo, Colección Ethos música, número 3, 1980

de la falta de imaginación»[4]. Desde este punto de partida nos lleva a un ennoblecimiento de la realización musical sobre ideas de carácter nacionalista, recordando así las palabras del padre Antonio Exímeno: «*sobre la base del canto popular debe construir cada pueblo su sistema artístico-musical*»[5].

Halffter iniciaba su contemporaneidad en aquel singular grupo que se autodenominaba «*Nueva Música*» integrado por Ramón Barce, Moreno Buendía, Fernando Ember, Enrique Franco, Manuel Carra, Anton García Abril, Luis de Pablo, Alberto Blancafort y él mismo, algunos de los cuales son prácticamente desconocidos en la actualidad. Serían Barce, Luis de Pablo y el mismo Cristóbal Halffter los que mantendrían un mayor compromiso con la actualización de la música Española. Aún así Halffter ha sabido mantener una posición individual, y pese a las críticas que el nacionalismo suscitaba en aquel momento no se recataba de decir lo que pensaba al respecto: «*Así creo que el músico español debe conocer la música más nueva que se haga, las últimas innovaciones y adaptar a la música puramente española lo que más le atraiga, para conseguir lo que todos los jóvenes anhelamos para nuestro arte*»[6]. A pesar del tiempo dicho aspecto no ha dejado de permanecer en su ideario estético como un modelo musical que puede ser llevado a cotas de gran relevancia.

Ahora bien, no podemos decir que la música de Halffter sea nacionalista, sino más bien que no huye de sus rasgos, los cuales en ocasiones incluye de forma fortuita e incluso con gran devoción —tal y como alguna de las que aquí vamos a tratar—, sin prejuicios de ningún tipo a la hora de emplear cualquier elemento compositivo. Quien subscribe este trabajo recuerda una pregunta que un joven compositor realizara a Halffter en una de sus conferencias. Se le pedía la opinión sobre los «*retornos*» a la tonalidad de principios del siglo XX que parecían utilizar algunos compositores, respondiendo a ello que: «*Eso es bueno si uno desea en realidad volver, lo que ocurre, es que algunos ni siquiera han ido*»[7]. Esa frase, además de todo lo que estéticamente conlleva, nos acerca claramente a una visión del hombre compositor, fundamental para comprender la música que actualmente realiza.

Impregnar la obra de una personalidad determinada es en Halffter algo primordial, y de ello habla en muchas de sus entrevistas y textos: «*digo con Picasso,*

4   SCHÖNBERG, Arnold: *Cartas.* Madrid: Turner, 1987
5   SOPEÑA, Federico: *Manuel de Falla, escritos sobre música y músicos.* Madrid: Ed. Espasa Calpe, colección Austral, 1988. Pág. 86.
6   CASARES, E.: *C. Halffter.* Pág 56
7   Conferencia realizada en la Semana de Música Contemporánea de Barcelona, el día 20 de Febrero de 1989. (Barcelona)

con ser personal en un diez por ciento de la obra, ya se posee una personalidad arrolladora»[8], y tal como indica Tomás Marco: «*como en el caso de la mayor parte de los grandes compositores históricos... Cristóbal Halffter es capaz de sintetizar y deglutir toda clase de aprendizajes e influencias y convertirlas en sustancia musical propia. Todo lo que escribe lleva su sello, su personalidad, suena a él*»[9]. Todo esto no se halla reñido con un fuerte carácter romántico que se puede observar en buena parte de su obra, tal y como indica de nuevo Tomás Marco: «*Cristóbal Halffter es un compositor en lo que lo expresivo tiene prioridad sobre lo formal... Ocurre que la forma no es para Halffter sino un vehículo de sus necesidades expresivas*»[10]. Este romanticismo conlleva una cierta dosificación de libertad compositiva, sobre todo tratándose de un compositor en el que prima, por encima de todo, la expresividad y la emotividad, algo que incluso se observa en los títulos de sus obras : «*Elegías a la muerte de tres poetas españoles*». «*Noche pasiva del sentido*». «*Planto por las víctimas de la violencia*», «*Réquiem por la libertad imaginada*». «*Noche activa del espíritu*». etc. No sólo resulta evidente en sus títulos, sino en la propia música, de lo cual es, a nuestro juicio, el **Concierto para Violonchelo y Orquesta número 2** es una de las más representativas, subtitulado «*No queda más que el silencio*»[11], y en el que es una única nota —un Sib 3— el que se encuentra bajo varios fragmentos de textos del insigne poeta español Federico García Lorca:

I.-   *El grito deja en el viento una sombra de ciprés.*
II.-   *Vine a este mundo con ojos y me voy sin ellos.*
III.-   *Si muero dejad el balcón abierto.*

Esa expresividad, reconocida por sus propios coetáneos, junto al carácter nacionalista que anteriormente mencionábamos hacen de Halffter un compositor singular, y esa es una de las razones por las que resulta altamente interesante analizar sus obras, no sólo en el plano estético, sino en el intelectual. Más especial es aún tratándose de uno de los compositores españoles de los que más se ha hablado en los últimos tiempos, aunque precisamente éste trabajo sea uno de los pocos estudios técnicos publicados sobre su música.

La estética compositiva de Halffter, a pesar de las afirmaciones menciona-das anteriormente, no mantiene en su elaboración una modelo visceral y poco riguroso de realización, sino todo lo contrario. A partir de elementos que parecen

---

8   CASARES. E.: *C. Halffter*. pág. 27
9   *Ibídem*, pág. 31
10 MARCO, Tomás: *Cristóbal Halffter*. Madrid 1972.
11 Esta obra, como toda la música de Cristóbal Halffter está editada por Universal Edition, Viena.

poco concretos Halffter construye una obra de gran magnitud, llevando una obra de reconocido prestigio a un nivel artístico superior.

Halffter ha sido siempre una personalidad polémica que se ha nutrido de la discusión y la provocación en su propia obra. Así estrenaba sus **Cinco Microformas** en 1959 con el consiguiente escándalo. La pieza era elaborada sobre una serie de doce notas, y en aquella ocasión manifestaba que «*Mi ilusión sería latinizar el serialismo*»[12]. Con ello afirmaba implícitamente una necesidad de coherencia y control musical interno. En una conferencia que realizaba en 1960 añadía que «*tanto la forma como el ritmo creo que serán siempre la base de la estructuración de mis obras*»[13]. La necesidad de coherencia se ha mantenido como un elemento de gran importancia en la realización musical de Halffter, y es este concepto —que por otra parte no es ajeno a la idea clásica del desarrollo— una de las principales bazas de su composición musical. Mucho tiempo ha pasado desde el estreno de las **Cinco Microformas,** y la sociedad española ha pasado de un inconformismo —en lo que a cultura musical se refiere— a una pasividad que hoy por hoy parece llevar a algunos jóvenes compositores a un regreso a las ideas tonales de antaño, a costa de redescubrir el Mediterráneo. Esta circunstancia ha originado que buena parte de los compositores que en su juventud se encontraban luchando con una barrera de ideales «*demodé*», se encuentren hoy recapitulando hacia una música que mantiene un mayor acercamiento al oyente mediante conceptos estéticos que se acercan a ideales contra los que antaño lucharon. Aunque el caso de Halffter no es ni remotamente el antedicho, sí que existe, sobre todo en el **Preludio para Madrid 92**, una idea de «*recomposición*» historicicista que actúa a modo de retorno. Ahora bien, en el **Preludio** que aquí nos ocupa, así como en otras obras en las que ha utilizado ideas semejantes —un ejemplo de ello es **Paráfrasis**, **Tiento**, etc.—, ese retorno no se ha producido de forma que pudiéramos considerar errónea, es decir, el retorno ha sido con un aprendizaje de lo anterior, una re-incorporación de elementos momentáneamente dejados de lado. Desde este punto de vista —o así lo entendemos nosotros— , un compositor que haya visto y conocido realmente la música que se ha escrito en este siglo difícilmente podrá escribir una obra con clara referencia a la música tonal anterior —a menos de que pretenda plagiar—, ya que para ello sería necesario el retorno a un contexto histórico al cual es imposible volver. Por esa razón el mencionado retorno se producirá de modo que esa posible tonalidad no sea tal, sino que probablemente se trate de una ampliación del espectro no tonal, de una ampliación de la «*atonalidad*», de manera que ambas —tonalidad y atonalidad— se complementen, ofreciendo un nuevo modelo expresivo.

---

[12] CASARES, E.: *C. Halffter.* Pág 84.
[13] *Ibídem*, pág. 42.

Dos de las obras que aquí vamos a tratar mantienen una idea común, la utilización de los elementos derivados de la música y escalas españolas, sobre todo del «*cante jondo*», a la vez que dos puntos de partida opuestos: por una parte **Debla** para flauta sola, y **Cadencia** para piano, que formaría más tarde parte de su **Concierto para piano**; y por otra parte **Preludio para Madrid 92** para orquesta y coro. En la dos primeras Halffter sintetiza de modo muy preciso su modelo creativo, y en la tercera realiza, basándose en una importante obra de un compositor español del Barroco —el **Fandango** de Soler—, una gran orquestación y ampliación tímbrica. Sobra decir que Halffter mantiene en la pieza una realización orquestal realmente sorprendente, convirtiendo una obra basada en el **Fandango**[14], en una obra suya, que suena a él.

El lenguaje como medio expresivo individual

En el caso de Halffter hablar del lenguaje es casi imprescindible antes de abordar el análisis de su obra, ya que la gran personalidad del compositor se revela de forma ineludible en la propia música, siendo ésta un claro reflejo de la visión del mundo que le rodea.

La mayor parte de su obra se halla preferentemente destinada a agrupaciones orquestales, quedando la música para instrumento sólo y la de cámara relegadas a un segundo plano: «*mi pensamiento musical ha encontrado siempre mejor plasmación en la música orquestal que en la de cámara*»[15]. Este pensamiento orquestal tiene mucho que ver con su manera de componer, puesto que refleja claramente lo que Cristóbal define como «*micropolifonía*», término al que atribuye la compleja sonoridad derivada de la superposición de muchas líneas melódicas que en su unión conforman una macroestructura de gran riqueza sonora y tímbrica. Ésta es una de las características más importantes de la música de Cristóbal Halffter, es decir su «*riqueza sonora*», la cual a partir de parámetros, incluso dispares, consigue una realización final realmente sorprendente. Para el autor esta idea supone la ampliación del concepto Schoenbergiano de construcción a partir del elemento contrapuntístico horizontal, quedando relegado el elemento vertical (armonía) a su consecuencia. La superposición de líneas melódicas llegó a generar en la posterior evolución a la escuela vienesa, especialmente a partir del serialismo integral y otras

---

[14] Hemos elegido para realizar este trabajo la revisión y transcripción del Fandango de Soler realizada por Samuel Rubio y editada por Unión Musical Española.
[15] Citado en la contraportada del disco «*El Grupo Círculo interpreta a Cristóbal Halffter*». Editado por Grabaciones Accidentales, nº 6 A-240.

opciones compositivas, una nueva forma compositiva basada en la idea monolítica de construcción sonora, en la que el elemento principal que le representa es el «*cluster*». Esto es, una sonoridad derivada de la multiplicidad superpuesta de sonidos, de tal modo que su suma produce un nuevo y único sonido, al cual por otra parte podríamos asociar a la idea de *sonido grueso*. Esa sonoridad (cluster) es empleada muy a menudo por Cristóbal Halffter, especialmente en sus obras orquestales, pero no a modo de encadenamiento vertical, sino como resultado de superponer varias melodías independientes entre sí (ejemplo 1).

Ahora bien, no es únicamente en la «*micropolifonía*» en lo que se funda-menta la música de Cristóbal Halffter, sino que además de ésta subsisten otras ideas también significativas, de las cuales destaca el concepto contrario. Es decir, si antes hablábamos de la idea de composición por multiplicidad de melodías, ésta es justamente la contraria: una única línea como medio de expresión, ejerciendo una función única, a modo de la visión humana del individuo único. Estos dos conceptos afirman lo que Cristóbal Halffter a menudo manifiesta en sus entrevistas: el aspecto del hombre solo frente al universo y al resto de la humanidad, a la vez que su soledad frente a un mundo rico en formas y modelos de existencia. Esa idea de *linealidad* individual, que parte de la idea de mantener un mismo sonido durante un largo período de tiempo —, parecida a la idea del hombre solo frente al universo—, se refleja claramente en el concepto de sonido lineal frente a micropolifonía. Todo ello encaja perfectamente en el romanticismo conceptual de Halffter: «*El aspecto expresivo tiene prioridad sobre el formal*»[16], y que él mismo corrobora: «*Cuando estoy trabajando suelo sentir atracción por ciertos pasajes, acordes, compases enteros, que no tienen una razón de ser concreta, pero que sin embargo responden al carácter mismo de la obra que estoy haciendo y que son introducidos en el discurso musical sin que al cabo del tiempo pueda explicar yo mismo el porqué de su existencia*»[17]. (Ejemplo 2)

El modelo creativo mencionado se refleja en buena parte de sus obras, sobre todo en una de gran belleza: el **Concierto número 2 para Violonchelo y orquesta** al cual hacíamos referencia anteriormente. Se divide en tres secciones, y en su comienzo cada una posee un texto, a modo de rúbrica, que es el fragmento correspondiente a los textos de Federico García Lorca ya citados. El culto a la muerte que mantienen esos textos son el reflejo de la preocupación de un hombre frente al mundo que le rodea. Esta idea se plasma en el **Concierto** de forma realmente sorprendente, a la vez que de extrema belleza: el hombre es representado por la voz

---

[16] MARCO, Tomás: *Cristóbal Halffter.* Pág. 26
[17] CASARES, E.: *C. Halffter.* Pág. 70.

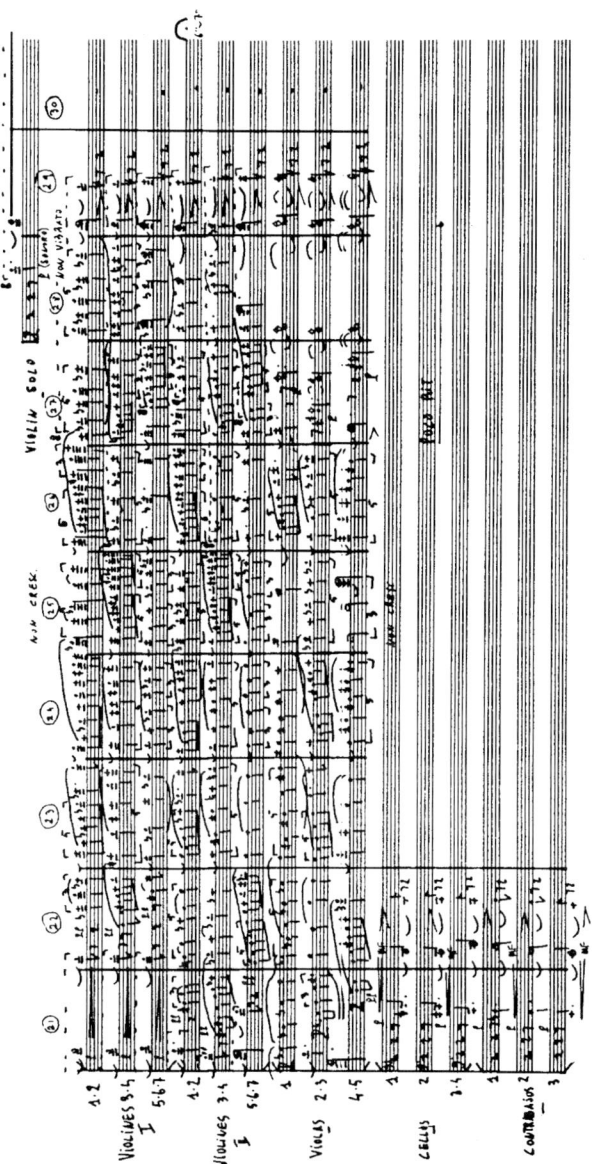

Concierto para violín, compases 21 a 29 (cuerdas solamente).
Ejemplo 1

Concierto para Violín y Orquesta, inicio.
Ejemplo 2

Concierto para Violonchelo número 2, inicio.
Ejemplo 3

del violonchelo y por una única nota que va a ser mantenida durante un período relativamente largo (Ejemplo 3), mientras que la humanidad y el universo se irán dando a conocer paulatinamente, con el uso del resto de la orquesta.

Debla. Planteamiento de desarrollo a partir de una concepción del cante jondo.

En el prefacio que antecede a la obra[18] Cristóbal Halffter comenta su carácter andalucista, que si bien no imita ni reproduce la propia palabra **Debla**[19] y lo que ella significa, sí contiene su esencia, es decir, la idea de canto melancólico. Como medio de expresión utiliza los gestos típicos del cante jondo, de los que hace un uso abierto a las posibilidades que le brinda un instrumento de gran amplitud sonora y de importante registro, tal y como es la flauta. Sin embargo, no deja de ser curioso que esta obra no se aleje en exceso de la expresión monódica del cante jondo —en cuanto a música se refiere—, quedando en tela de juicio el carácter, en muchas ocasiones atribuído a la música contemporánea, de terriblemente innovador e incomprensible. En nuestra opinión, esta obra tendrá un impacto sobre el oyente parecido a cualquier cante jondo que reúna unos mínimos cualitativos. Ahora bien, Halffter utiliza en el instrumento no sólo la idea del melisma de la voz, sino también el *«palmeo»* que el cantante realiza de forma improvisada y que contribuye a enfatizar determinadas cadencias vocales y melismáticas. Todo lo mencionado, además de una enorme dosis de expresividad, que como hemos observado anteriormente es habitual en Halffter, hacen de ella una obra singular.

Ahora bien, el compositor tiene aquí un reto importante con respecto a su propio ideario creativo, es decir: ¿cómo plasmar la idea de micropolifonía en un instrumento monódico como la flauta, puesto que sólo puede ejecutar un único sonido salvo en el caso de los sonidos multifónicos[20]? No obstante, esto le brinda una gran oportunidad para desarrollar otro de sus medios creativos: la linealidad;

---

[18] Explicación en la propia partitura.
[19] El nombre de *Debla* es empleado para denominar a un tipo de canto andaluz con coplas de cuatro versos, y de tono melancólico.
[20] Producción de varios sonidos, a través de los armónicos naturales del instrumento.

sustituyendo la idea de micropolifonía por la de gran melisma (extensión horizontal de la micropolifonía). El concepto de linealidad ya era comentado anteriormente. Se trata pues de mantener un sonido durante un largo período de tiempo, a semejanza de la idea del hombre solo frente al universo, algo que se refleja en esta obra con el sonido lineal frente a la micropolifonía, en este caso a modo de gran melisma.

Otros elementos van a ser los desarrollados por Halffter en esta pieza y que a su vez son reflejo de otras obras. De hecho, varios de los modelos musicales que participan en esta pieza lo hacen también, aunque de distinto modo, en la obra **Preludio para Madrid 92**, por lo que pueden servirnos de punto de partida no sólo para el análisis de ambas, sino para el análisis de buena parte de la obra de Halffter. Estas ideas podrían resumirse del siguiente modo:

1.- Linealidad.
2.- Desarrollo melismático.
3.- Utilización del cromatismo y las distancias interválicas de la escala andaluza.

La linealidad

Un dato importante nos va a sorprender en el inicio de la pieza. Las dos primeras letras del título de la obra, D y E —utilizando la nomenclatura alemana—, se hallan reflejadas en las notas producidas inicialmente y, de hecho, la primera de ellas va a ser la altura fundamental de toda la pieza (línea principal), es decir:

$$D= Re\# \qquad E= E$$

Alban Berg: Inicio del Concierto de Cámara.
Ejemplo 4

Una idea semejante utilizaría *Alban Berg* en su **Concierto de Cámara** como dedicatoria a su maestro *Schoenberg* y su compañero de escuela *Anton Webern* (ejemplo 4), y es sobradamente conocido el uso que hacía de ella J. S. Bach.

Posteriormente a Alban Berg la han utilizado buena parte de los compositores más significativos del siglo XX. Tenemos en Falla, y en concreto a sus **Homenajes**, otro ejemplo histórico[21] —el *Homenaje a A.F. Arbós*— . Esta forma de utilizar el material musical es en realidad un pretexto para desarrollar un discurso expresivo. En el caso que aquí nos ocupa servirá para a utilizar como punto referencial la nota Re# (D), que además será con la que dará comienzo la obra, finalizando también con la misma. Que Halffter utilice esta altura, que en la flauta es de tesitura grave, y por lo tanto débil, sumado al hecho de que la dinámica es *ffff* , difícil de lograr en ese registro, se ajusta perfectamente a la idea de expresión intensa y melancólica de su propio título:

Ejemplo 5

La línea melódica sobre Re# será rota posteriormente por la introducción melismática que conduce a dos nuevas regiones que resuelven de nuevo sobre el Re#, como si de un tema tradicional se tratara[22]. Las dos alturas que van a servir de intermediarias van a ser el Re bemol y el La natural, siendo el último el clímax agudo de la mencionada linealidad:

Ejemplo 6

Obsérvese cómo la culminación aguda mantiene una distancia de tritono con respecto a la nota principal. Posteriormente, desde el sistema 5[23] al 7, el clímax

---

[21] Demarquez, Susanne: *Manuel de Falla.* Barcelona: Ed. Labor, 1968. Pág 204.
[22] La idea temática en la forma sonata, por ejemplo, conserva siempre una construcción interna de principio y fin, siendo en la mayoría de las sonatas una célula que actúa casi de modo independiente.
[23] Se ha tomado como numeración el número de sistema según la partitura original.

nos va a llevar hacia el Re agudo, conformando una distancia de semitono con respecto a su fundamental. La configuración lineal queda pues del siguiente modo:

Ejemplo 7

A partir del número 8 la línea se desarrolla con la idea de micropolifonía, transformada aquí en gran melisma. La evolución posterior se configura a partir de una nota (Re#) como eje tonal, del cual derivan los siguientes. Éstos aparecen simultáneamente y del siguiente modo:

Ejemplo 8

Véase que si al Mi cuarto de tono le atribuimos la nota Mi natural, y al Sol tres cuartos de tono le atribuimos la nota Sol#, tenemos aquí toda la serie cromática completa. Ésta aparece de forma continuada y termina en el número 11 (final) empezando, a partir de ese momento, un macromelisma de gran duración que va a culminar con un cromatismo ampliado desde Fa a Re#. Este Mi-Fa, o viceversa, va a tener gran importancia en lo que continúa inmediatamente, siendo ambas notas el centro melódico sobre el cual gira todo el discurso, partiendo desde el número 19 hasta el número 26, donde regresa de nuevo hacia Re#.

Ejemplo 9

Ahora bien, no deja de ser curioso que dentro de esta sección exista una culminación también relacionada entre dos notas, las alturas Si-Do (número 20),

146

Ejemplo 10

Esto produce la relación siguiente:

Mi - Fa _____ Si - Do
1   6   1

O sea, la misma relación que encontrábamos en el inicio con respecto a las alturas Re#-La. Todo esto nos va confirmando poco a poco la idea de que la distancia de segunda menor (1 semitono) y la de tercera menor (3 semitonos) es la que rige toda la obra, algo normal teniendo en cuenta que los intervalos característicos de la escala andaluza son precisamente los mencionados:

Ejemplo 11

A partir del número 26 va a aparecer un nuevo elemento derivado de la misma idea, pero que va a tomar la forma de una pulsación. Su nota fundamental es el mismo Re# que rige toda la obra. Esta pulsación es, en cierto modo, la plasmación del repiqueteo de palmas tan característico del cante jondo.

Curiosamente, esta linealidad sobre la nota Re#, tiene lugar de modo semejante a la relación Fa-Mi utilizada anteriormente, si bien en el número 8 mantiene alguna pequeña variación (el Mi está un cuarto de tono elevado). Estas son las primeras notas del desarrollo:

Ejemplo 12

Esta relación va a cambiar en el número 31, donde el encadenamiento existente al comienzo de la obra (Mi-Re#), va a ser invertido, quedando en Re#-Mi.

Éste último pasará a tener mayor importancia, sustituyendo al Re#. Dicho juego interválico se va a ir poco a poco multiplicando, apareciendo claramente en el número 35 (final) una ampliación de tipo arpegiado, tomando como altura culminante a Si:

Ejemplo 13

Se da la circunstancia que la relación entre Si y Re# es la de la suma de 3+1, es decir, la suma de la relación de tercera menor y segunda menor típica de la escala andaluza, o sea, la tercera mayor. La culminación final de la pieza se halla justo en la nota Re#, prolongándose hasta perderse.

Desarrollo melismático

El desarrollo melismático utilizado en esta pieza se comporta como elemento que sirve de nexo de unión entre las alturas importantes. Sin embargo, existe una gran diferencia entre el melisma utilizado en el cante jondo y el usado aquí. Por una parte, y aún partiendo de una idea similar, lo utiliza como un gran desarrollo que le debe conducir a determinados clímax, al tiempo que le sirve de gorjeo sobre una misma nota, si bien a lo largo de la obra se utiliza puntualmente.

El primer melisma aparece en el número 2, y se usa a modo de insinuación corta de los principales clímax que serán utilizados posteriormente en la pieza, es decir, una conducción hacia el Si-Do, del cual Si es la culminación lineal más aguda, apareciendo justo al final, en el número 35 (ejemplo 13) —aunque ya la haya utilizado anteriormente con otro significado. Observemos, sin embargo, que la relación interválica utilizada en el primer melisma se remite práctica y exclusivamente a la escala andaluza:

Ejemplo 14

El melisma a modo de desarrollo sobre una nota única aparece en el número 5:

Ejemplo 15

Podemos comprobar que existe una continua referencia al intervalo de semitono con el que comienza la obra, utilizado más tarde y de forma concluyente. Los melismas que siguen se desarrollan prácticamente del mismo modo que el primero (ejemplo 14), con una continuidad de alturas distinta —al contrario de sus distancias interválicas—, concluyendo sobre la nota Re natural (número 6, final), que será la altura que mantiene una distancia de semitono con respecto a la principal (Re#).

Ejemplo 16

Un melisma, esta vez mucho más extenso, va a aparecer en el número 13, motivado por la ampliación de la célula principal (ejemplo 12) y que se desarrolla hasta el número 16. En esta ocasión también se mantiene la idea interválica citada anteriormente. Esto es, la relación de semitono. En este caso se articula del siguiente modo:

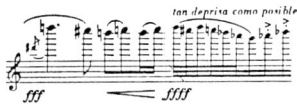

Ejemplo 17

La repetida relación de semitono que aparece en el comienzo será utilizada exhaustivamente en el fragmento que termina en el número 16, y lo hace con la relación interválica de Fa#-Fa-Mi, quedando Fa y Mi como elementos a modo de trino y retardando.

Los siguientes melismas aparecen junto a la idea de pulsación en el número 26 (final), si bien mantienen siempre la relación de semitono con respecto a la nota pedal, aunque se relacionen con ella mediante intervalos de otro orden. Aún así, prima el intervalo de segunda menor, algo que se va a mantener hasta el final de la pieza.

No debemos olvidar que la relación de mordente se halla íntimamente ligada a la de melisma, y en este caso no sólo se mantiene la relación lógica de aquél, sino que también su relación interválica, que será siempre de semitono —a modo de *desafinación de la nota hacia arriba o hacia abajo*— se acerca al concepto del «*deje*» gitano utilizado en el cante jondo.

La utilización del cromatismo y las distancias interválicas de la escala andaluza

Como hemos podido observar hasta aquí, la utilización del cromatismo es constante, aunque regido sobre la idea de escala andaluza que se construye, como anteriormente se ha mencionado (ejemplo 11), sobre la base de la suma de los intervalos de segunda y tercera menor, siendo en estos sobre los que recae el peso de toda la horizontalidad de la pieza.

Ahora bien, esta horizontalidad no se presenta de modo simple, tal y como podríamos encontrar en determinados cantos andaluces, sino que Halffter aprovecha las posibilidades técnicas del instrumento para multiplicar unas distancias interválicas que serían impracticables para la voz humana. Nos referimos aquí a las distancias de séptima mayor o novena menor o, lo que es lo mismo, la de segunda menor con ampliación de octava. Esto ya ocurría en el comienzo, puesto que la pieza se inicia de ese modo. Estas distancias se utilizan a lo largo de toda la obra y se comportan como un núcleo de movimiento-acción muy importante. Lo podemos observar en el número 3 y en los repetidos saltos de séptima y novena.

Ejemplo 18

Esta relación de semitono se halla relacionada siempre con la escala andaluza, siendo utilizada posteriormente de forma mucho más clara, aunque manteniendo el pedal sobre la línea principal. Así aparece en el número 19:

Ejemplo 19

Se articula sobre la escala siguiente:

Ejemplo 20

Esto no viene más que a confirmar lo dicho hasta aquí, es decir, el uso de los intervalos característicos de segunda y tercera menor. Así se halla reflejado, a modo de conclusión, en el final de la pieza, con la única salvedad de la relación interválica aumentada de cuarto de tono:

Ejemplo 21

Aquí tenemos de nuevo la relación 1-1-3-1, intercambiando al Mi cuarto de tono por el Mi natural, puesto que éste solo representa la desafinación de la nota.

CADENCIA PARA PIANO, COMPLEMENTARIEDAD ENTRE LINEALIDAD Y MICROPOLIFONÍA

Como anteriormente se ha mencionado, en la obra orquestal de Cristóbal Halffter la sonoridad del *cluster* es empleada muy a menudo, si bien en su caso difiere de la definición tradicional de encadenamiento vertical. Halffter lo utiliza como resultado de superponer varias melodías independientes entre sí. Sin embargo, en **Cadencia** para piano éste modo de actuar se convierte en una tarea más compleja de lo que aparentemente pueda parecer, puesto que un piano ejecutado por un sólo intérprete posee la lógica limitación de la superposición de las voces que le permite su técnica y cualidades físicas. De este modo, y al igual de lo que sucediera en **Debla**, Halffter mantiene en **Cadencia** las dos ideas principales que rigen su proceder creativo: linealidad y micropolifonía.

Esta pieza sería posteriormente utilizada como **Cadencia** de su **Concierto para piano**, si bien en éste último se halla fragmentada, añadiendo pequeños cambios. La obra fue escrita en 1983 por encargo del *Concurso Internacional de Piano de Santander*, en el cual figuró como obra obligada.

Modelo lineal y micropolifónico

La idea de linealidad se encuentra en Halffter íntimamente ligada a la de micropolifonía. Será esta con la que se inicie la obra, con un desarrollo posterior hacia la multiplicidad de líneas. Aún así, Halffter utilizará distintos modos de aplicación lineal, los cuales citamos según su orden de aparición:

a/ Línea de pulsación libre con resonancia aplicada.
b/ Pulsación determinada con desarrollo posterior.
c/ Trémolo mantenido a modo de cluster sonoro.
e/ Sonido con desarrollo melódico-contrapuntístico.
f/ Pulsación determinada con resonancia aplicada.
g/ Ampliación armónica de la linealidad.

a/ Línea de pulsación libre con resonancia aplicada.

Será esta idea con la que comience la obra, aplicando una resonancia de sonidos armónicos que utilizan una pulsación sobre la nota Si, produciendo una resonancia que crea una nueva línea melódica a partir de aquella. En el ejemplo 22 se muestra la continuidad de sonidos armónicos sobre la pulsación.

Ejemplo 22

En el anterior ejemplo podíamos observar que los armónicos producidos eran siempre Si, Mi y Fa#, a excepción del cluster que parte de Si2 hasta el La#3. La nota Si es, con respecto a los armónicos —notas que deben *pisarse* sin producción de sonido alguno— su octava, quinta y cuarta respectivamente.

Aunque Mi no pertenece a la escala de armónicos de Si, se establece aquí como fundamental, siendo el Si su segundo armónico. La utilización del cluster de séptima Mayor —señalado con una flecha en el ejemplo—, será una interválica determinante para el resto de la obra, lo que implica que las notas en armónicos que se crean a partir de la célula sobre Si como fundamental sean las sobresalientes. De hecho, la construcción melódica parte de los sonidos de capacidad de producción armónica mayor (sonidos graves) hacia los sonidos de producción armónica menor (sonidos agudos), a excepción del cluster. La misma idea se encuentra en el final de la obra, pero articulada de forma diferente: en este caso serán siete los sonidos mantenidos del cluster, que aquí será muy amplio (ejemplo 23).

También podemos observar cómo los clusters se realizan sobre dos grupos de notas a distancia de séptima mayor, al igual que el que encontramos en el inicio de la obra. Véase las notas resultantes en el ejemplo 24.

En ambos acordes se encuentra la distancia de semitono, que será equivalente a la de séptima mayor de los clusters utilizados (11=1 semitonos). En el primer

La universalidad de un lenguaje

fragmento realiza un crecimiento progresivo que parte del *ppp* hasta el *fff*, en el que no existe el *mp* ni el *mf*. Este aumento progresivo se realiza en dos grupos, el primero, que parte del *ppp* hasta el *fff*, y el segundo, que utiliza el orden siguiente: *p-ff-p-fff-p-ppp*, consiguiendo así un fuerte contraste entre las distintas pulsaciones.

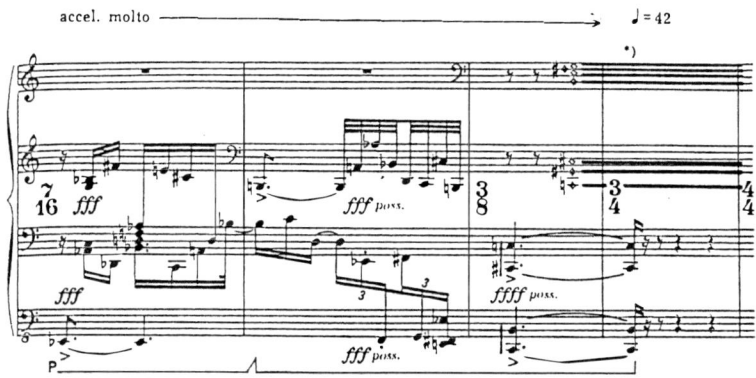

Ejemplo 23

Ejemplo 24

b/ Pulsación determinada con desarrollo posterior.

En el compás 17 encontramos por primera vez una pulsación precisa y continua. Utiliza siempre un modelo de desarrollo que parte de una célula de sonido único hacia una ampliación interválica de los sonidos. Se ordena del siguiente modo:

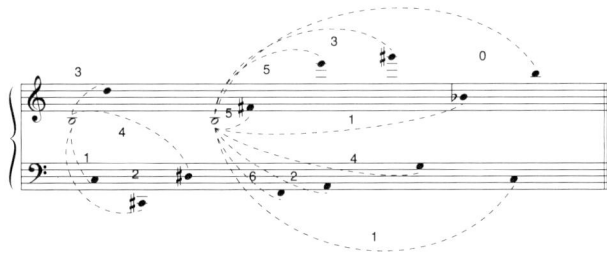

Ejemplo 25

En el anterior ejemplo se puede observar que a partir de Si se establecen una serie de intervalos que mantienen una distancia progresivamente mayor, partiendo del semitono hacia la octava y continuando con una nueva resolución a partir de la misma nota (Si). Se amplia a un acorde en la mano derecha y a la distancia de séptima mayor en la mano izquierda, utilizando también una interválica relacionada con el tritono y la tercera menor:

Ejemplo 26

Esta interválica nos muestra cómo a partir de Si se establecen una serie de intervalos privilegiados mediante la idea de linealidad-micropolifonía, encontrando así una relación de cluster desplegado en un ámbito abierto —en cuanto a la relación nota a nota. Ahora bien, no sólo la distancia de semitono tendrá aquí importancia, sino que a ésta se va a sumar la de tercera menor (3) y la de tritono (6). Es interesante observar que la única nota que va a aparecer en el resto de la obra con la misma idea de linealidad (compás 41) será Lab, es decir la tercera menor (segunda aumentada) con respecto a la nota principal (Si).

Posteriormente, en el compás 57 vuelve a aparecer una ampliación a partir de la misma línea Si. En este caso mantiene una estructura basada en el desarrollo semitonal a partir de la que podríamos llamar *tónica* (Si):

Ejemplo 27

A partir de este compás se mantiene la ampliación semitonal hasta la aparición del cluster en *crescendo* a partir de la nota La del compás 74.

c/ Trémolo mantenido a modo de cluster sonoro.

Como ya hemos mencionado, en el compás 74 aparece una resolución de cluster progresivo que va a ser el preludio a la posterior aparición, en el compás 84, del cluster de ambas manos:

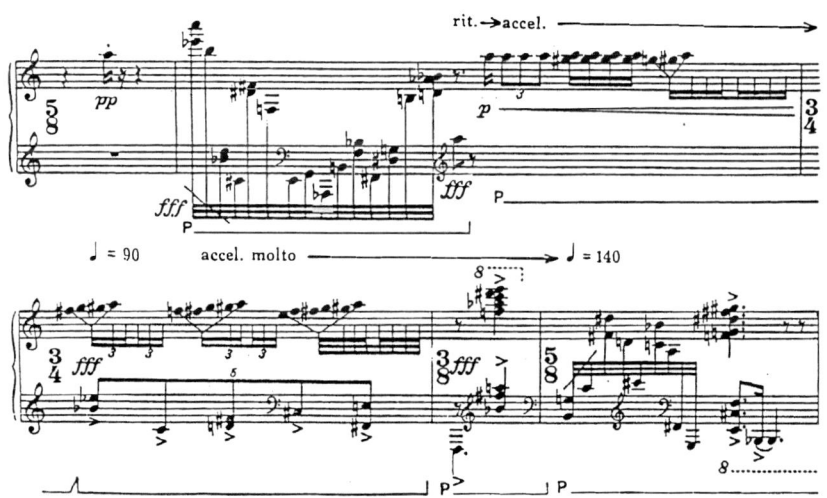

Ejemplo 28

A partir del compás 84 aparece un cluster de 11 notas que omite únicamente la nota Fa —por otra parte la nota tritono con respecto a Si—. Poco a poco irá eliminando dos notas hasta el compás 87, y una en el compás 88, manteniéndose así hasta el final en el que queda únicamente la nota Si. En esta parte se utiliza un ritmo con una acentuación muy específica:

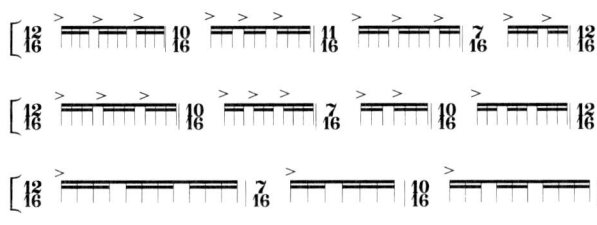

Ejemplo 29

En el ejemplo anterior se observa que los ritmos señalados con una flecha coinciden en cuanto a las pulsaciones, aunque en el caso del compás 7/16 se invierten. Se ve también cómo en los cuatro últimos compases disminuye la acentuación, reduciéndose progresivamente para dar paso, en el compás 88, a un *simile ad libitum* que será mantenido hasta el final del compás siguiente.

e/ Sonido con desarrollo melódico-contrapuntístico.

La conclusión rítmica alcanzada en el compás 89 origina un procedimiento de desarrollo que hasta este momento no había sido utilizado: la imitación contrapuntística. En el compás 91, y a partir de la nota Si, se realiza una evolución que tiene mucho que ver con la idea anteriormente mencionada de línea seguida de micropolifonía, adecuada en este caso a las posibilidades de realización del piano:

Ejemplo 30

En este desarrollo se observa la siguiente interválica :

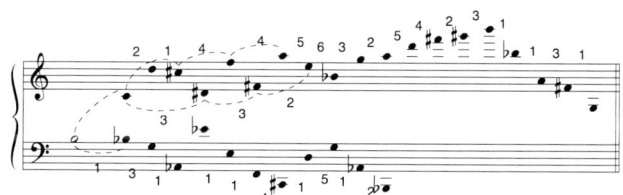

Ejemplo 31

Se puede ver una clara tendencia hacia el uso del intervalo de semitono (1) y tercera menor (3). Ambos poseen una preponderancia sobre los demás. Pero esto no es únicamente lo importante de esta exposición, sino su relación inicial, donde aparecen los 12 sonidos cromáticos:

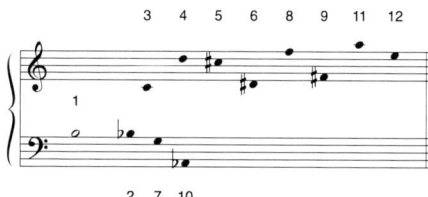

Ejemplo 32

Esta primera exposición posee los 12 sonidos cromáticos, mientras que la del compás número 96 tiene nueve, la del compás 99, siete, y la del 102, diez, con lo que podemos comprobar que utiliza una progresiva eliminación de sonidos seguida de una evolución progresiva que nos lleva al compás 107, donde aparecen los doce sonidos cromáticos con la suma del cluster de once notas y la pulsación sobre Si.

f/ Pulsación determinada con resonancia aplicada.

Al igual que ocurría al inicio de la obra, aparece aquí una pulsación, en este caso muy específica, en la que se mantienen las notas de resonancia mediante la producción de armónicos. Las notas serán las mismas que en el inicio de la obra, pero con el añadido del Sol3 que encontraremos en el primer *fff* (compás 113). En la aplicación de la nota Sol sobre la pulsación en la nota Si se origina el quinto armónico, procedente de la escala de armónicos naturales a partir de la fundamental Sol. También se mantiene la idea de cluster de séptima mayor, que en este caso aparece en el compás 124. Existe aquí una significativa diferencia, como es el hecho de que se encuentre por primera vez en el compás 127 un cluster de 4 notas a partir de Si que enlazará con la idea posterior.

g/ Ampliación armónica de la linealidad.

A partir del compás 130 irrumpe una ampliación interválica que toma como punto de partida el cluster, aunque lo amplía a un modelo armónico nuevo. En este caso se mantendrá siempre una pulsación parecida a la de los compases 107 a 129, si bien aquí se mezcla con un cierto virtuosismo pianístico que mantiene la misma idea original del cluster y el semitono como elemento principal de desarrollo. La pulsación se realizará sobre el acorde siguiente:

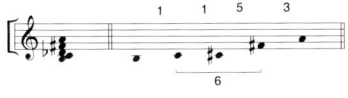

Ejemplo 33

Observando el comienzo de la pieza tenemos la formación de una serie de 11 sonidos que poseen la apariencia de 12, seguidos de un pedal sobre un acorde. Cabe pensar, sin embargo, que se trate de un error de impresión, ya que el sonido que falta es la nota Sol, sonido que debería sustituir al sonido 11 (la), encontrándose por tanto a una distancia de semitono:

Ejemplo 34

Este acorde evolucionará hasta convertirse en el que ya había aparecido en el compás 28 (ejemplo 9), y que aquí lo hará en el compás 130 (d). Así mantiene la relación semitonal que anteriormente anunciábamos junto a la de tercera menor y el tritono, con lo que la armonía y contrapunto generado a partir del acorde-pedal son una derivación de la idea motriz que rige toda la obra.

Persistencia sobre la construcción tradicional

Si bien **Cadencia** utiliza medios compositivos de indudable contemporaneidad, tales como la idea conductora de línea y la micropolifonía, persiste la concepción tradicional de la afinidad a un polo tonal y la repetición de elementos a modo de imitación. En esta pieza dichos elementos aparecen como necesidad de ordenación relacionada con la música de nuestro pasado. Así se encuentra la idea de linealidad, que toma como nota fundamental a Si —tónica—, mantenida a modo de polo de afinidad tonal y a la que todos los procesos de desarrollo retornan tarde o temprano. Aunque difiere de la hegemonía de la tónica tonal, mantiene la misma idea de jerarquización.

Otro concepto significativo es la repetición gestual, que si bien varía de forma importante entre las distintas secciones de la pieza, mantiene lo esencial de aquella. La repetición de una nota como elemento principal es ya una idea conductora en sí misma, lo cual ayudará a su audición. Si además añadimos la repetición de determinados gestos musicales, como el de la nota pedal con aplicación de armonía resultante —que aparece en tres bloques durante toda la obra: inicio, centro (compás 107), y fin—, todo ello nos arroja un proceso formal relacionado con el modelo tradicional A-B-A. A esto podemos añadir el hecho de que en el compás número 134 se encuentra una repetición casi literal del comienzo —aunque concentrada en menos compases—, lo cual nos confirma lo mencionado sobre la relación de los procesos formales tradicionales.

Aunque el **Preludio para Madrid 92** se mantiene en otro nivel de actuación creativa, tiene en común con las obras hasta aquí analizadas el hecho de haber escogido una idea musical parecida: un modelo de concepción tradicional, en este caso el uso de una escala de connotaciones arábico-andaluzas. La diferencia con las obras anteriores es que por un lado en **Debla** no hace uso de claras citas a obras o a determinada música andaluza, y en **Cadencia** únicamente el proceso musical era de connotaciones tradicionales. Por contra, en el **Preludio** realiza, mediante un lenguaje similar al de **Debla**, una clara cita a una de las obras más importantes de nuestra literatura musical: el **Fandango** de Soler.

Preludio para Madrid 92

El tema escogido

Halffter toma como punto de partida el **Fandango**, una de las obras más populares de uno de los grandes compositores españoles del Barroco, el Padre Antonio Soler. De carácter netamente nacionalista, el **Fandango** recoge una serie de gestos de la música popular de su tiempo que el compositor transforma en nuevo arte:

«*que el carácter de una música verdaderamente nacional no se encuentra solamente en la canción popular y en el instinto de las épocas primitivas, sino en el genio y las obras maestras de los grandes siglos de arte*»[24]. Cristóbal Halffter realza su carácter y su vigor nacionalista y, sobre todo, añade una magnífica instrumentación de la que sustrae un notorio partido, haciendo suyas las palabras de un compositor como Stravinsky: «*está en la naturaleza de las cosas - y esto es lo que determina la marcha ininterrumpida en el arte como en las otras ramas de la actividad humana - que las épocas que de inmediato nos preceden se alejan temporalmente de nosotros, mientras que otras épocas, mucho más remotas, nos resultan familiares*»[25].

El planteamiento orquestal

Así como en **Paráfrasis** Halffter utilizaba un tema de Haendel como elemento a variar, si bien éste únicamente aparecía en determinadas partes de la obra mientras que el resto mantenía una sonoridad basada en la anteriormente mencionada *micropolifonía;* en el caso que aquí nos ocupa la nueva obra mantendrá fielmente la estructura de la pieza de Soler —excepto en el comienzo—, aunque con algunas variaciones en su disposición formal: en este caso las secciones son mezcladas de distinto modo. Aunque la obra mantenga un parecido sorprendente con el original, no deja de ser curioso que no suene a Soler, sino a Halffter. Esa idea era utilizada mucho antes, en 1956, por el propio Stravinsky en sus **Variaciones sobre un Coral de J.S. Bach** (*«Von Himmel hoch da Komm' ich her»*), a partir de una exacta reproducción de las variaciones para órgano del mencionado coral, en las que establece como única diferencia la de determinados cambios de tono con respecto a la versión de Bach. En este caso utilizaba una orquestación singular con coro y un grupo orquestal reducido. Asombrosamente la obra *suena* totalmente a Stravinsky.

El caso de Stravinsky es, sin duda, uno de los más significativos de entre los autores de la literatura musical del siglo XX, además de ser uno de los grandes innovadores de la orquesta moderna. De este modo decía que «*Se comete el error fundamental de considerar la instrumentación como cosa aparte de la música, que constituye su objeto*[26]», añadiendo en su *Poética musical*: «*tenemos un deber para con la música, y es el de inventar*»[27]. Estos conceptos son de gran importancia en la construcción musical de Halffter, sea o no la música a tratar la del propio compositor.

24 SOPEÑA, Federico: *Manuel de Falla, escritos sobre música y músicos.* Pág. 86.
25 SOPEÑA, Federico : *Stravinsky, vida, obra y estilo.* Madrid: Ed. Sociedad de estudios y publicaciones, 1956.
26 SOPEÑA, Federico : *Stravinsky....* Pág. 51
27 STRAVINSKY, Igor: *Poética musical.* Madrid: Ed. Taurus, 1977.

I. Stravinsky: «Variaciones sobre un Coral de J.S. Bach», Variación II.
Ejemplo 35

Ejemplo 35 (continuación)

La idea de *inventar*, aún partiendo de la música original de otro compositor, parece ser para Halffter un paradigma de la *recomposición* musical. Mientras que en

Debla realizaba una composición basada únicamente en las características de la escala española, en **Preludio** buena parte del trabajo compositivo estaba ya hecho. Pero para crear algo nuevo de una obra escrita y muy reconocida también hace falta lo que mencionaba Stravinsky: *inventar*. En una conversación mantenida con el compositor hacia el año 1988 por parte de quien subscribe este trabajo, con objeto de preguntarle sobre lo que pensaba sobre una determinada pieza y avisándole de que su música me había impresionado fuertemente, Halffter respondía lo siguiente: «*Son cosas que yo pienso, pero que han sido las mismas cosas las que con tu partitura han tomado otro cariz diferente*». Esta frase se puede aplicar a su propia música y, de hecho, es lo que el autor realiza en todo momento. Esto es, la idea de una música que puede partir de ideas ya plasmadas anteriormente pero que en su pluma se convierten en nuevas.

La utilización de la voz

Si el planteamiento orquestal es el de una orquestación monumental sobre un tema relativamente simple, la utilización de la voz va a seguir distintos derroteros, en los que va a tener lugar un uso de la *solmización* en una música que no quiere expresar una idea larga que resulte a su vez vaga, sino la de un escueto mensaje. Es el siguiente:

PACEM, JUSTITIAM, LIBERTATEM

Parece que Halffter no quiere ser perturbado en ningún momento por un texto que pueda significar un modelo expresivo demasiado sobresaliente, escogiendo como texto real y único las palabras anteriores, con especial hincapié sobre la palabra *pacem*.

La utilización de la solmización no es nueva. Este modo de utilizar la voz lo encontramos en compositores como Luciano Berio —quizás sea uno de los compositores actuales que ha escrito más y mejor para la voz— en su **Sinfonía**, escrita en 1968. En su tercer movimiento, titulado «*In Ruhig Fliessender Bewegung*», utilizaba un *collage* de varias obras clásicas, en las que empleaba la solmización como una alternativa posible para la voz. Ambos casos son parecidos, ya que tanto Berio como Halffter utilizan una idea común: el tema de un compositor clásico. En el caso de Halffter un tema del Barroco, el **Fandango** de Soler, y en el caso de Berio un fragmento de la **Sinfonía número 2** de Mahler[28], entre otros:

---

[28]   Esta obra de Luciano Berio está editada por Universal Edition, Viena.

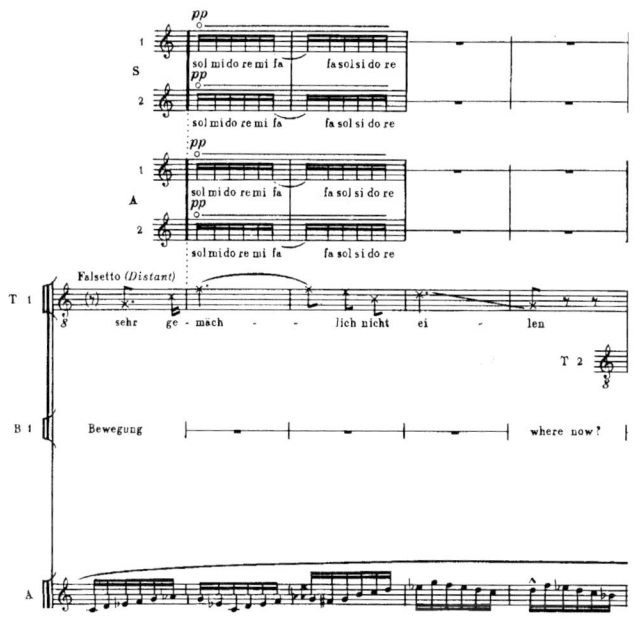

L. Berio: Sinfonía, segundo tiempo.
Ejemplo 36

Centrándonos ya en el **Preludio**, creemos oportuno mencionar que el tratamiento orquestal utilizado por Halffter es de considerable envergadura, no sólo en cuanto a la orquesta, la cual requiere el orgánico siguiente: 2 flautas, 2 flautas piccolo, 3 oboes, 4 clarinetes, 4 fagotes, 6 trompas, 4 trombones, tuba, clavecín con 16 pies, timbales, 4 percusionistas, y cuerdas con una disposición orquestal de 16,14,12,10,8 instrumentistas, además de un coro mixto *lo más numeroso posible*; sino en lo que se refiere a su propio tratamiento formal. La estructura se organiza de tal modo que la propia orquesta y las diferentes entradas de los grupos tímbricos van a ser las delimitadoras del discurso musical. En esa gran estructura será elemento fundamental algo que a estas alturas ya nos resulta familiar: la *micropolifonía*, en este caso también en su realización vertical. La orquesta no utilizará en ningún momento una disposición simple de sus diferentes grupos, excepto en la cuerda y el coro de voces, agrupaciones en las que el divisi es menor. Suponemos que se debe a la previsión de los posibles problemas de ensayo. Esta continua subdivisión va a provocar una multiplicidad sonora que será concluyente para su resultado final y, sobre todo, para el *timbre* instrumental logrado, que por otra parte es lo que más evidenciará la pluma de Halffter.

El contexto macroformal

Un concepto va a regir toda la organización interna del **Preludio**, al igual que el **Fandango** de Soler: el acompañamiento arpegiado principal:

Ejemplo 37

Este arpegiado se comporta como un elemento pedal sobre el que giran todos los motivos melódicos de la obra, y al igual que en el caso de Soler, servirá como idea motriz de referencia.

Sin embargo, la construcción de la obra va a partir de una organización formal dividida en tres secciones principales, que a su vez serán divididas en otras agrupaciones individuales, también fraccionadas en otras pequeñas células temáticas. La subdivisión interna se rige por lo que reflejamos en el ejemplo siguiente:

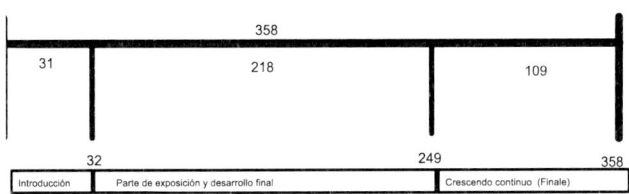

Ejemplo 38

Esta división, que se hace plausible incluso en una observación poco minuciosa de la obra, se organiza de forma muy precisa, y tiene como punto de apoyo formal la numeración de la serie áurea[29]. En este caso servirá para controlar las duraciones de las diferentes secciones. Aunque no coincide en cuanto al número exacto de compases $(358 \times 0,618 = 221,244)$, podemos observar que la parte intermedia mantiene una estructura cercana a la del número áureo, por lo que

---

[29] También llamada serie de Fibonacci , que es el resultado de la multiplicación de cualquier número por 0,618, o bien la serie ascendente 1,2,3,5,8,13, etc.

[30] TOCH, Ernst: *La Melodía.* Barcelona: Ed. Labor, 1985.

deberíamos decir aquí aquello de que «*Las irregularidades apenas perceptibles son las que han infundido vida a la obra artística*»[30] .

Obsérvese además que la estructura se compone de una parte introductória relativamente corta (31 compases), y otra de mayor envergadura que sirve de final (109 compases), con lo que esta última posee la mitad de compases que la agrupación intermedia (218).

El proceso de encadenamiento formal. El material utilizado y su relación con la configuración formal y tonal del *Fandango* de Soler.

Como ya hemos mencionado, el parecido formal del **Preludio** con el **Fandango** de Soler es sorprendente, puesto que si bien la ordenación melódica será siempre variable, mantendrá siempre una significativa afinidad con el original. En algunos casos esta fidelidad se verá perturbada por la repetición de determinados elementos o por un breve desarrollo de los mismos.

Primera sección. Introducción

Únicamente en la parte introductória se puede decir con cierta claridad que tenemos un elemento que se diferencia de la obra de Soler, sirviendo su comienzo como introducción y puesta a punto de la idea que tomará relevancia a partir de aquel (ejemplo 37). La introducción se organiza del siguiente modo:

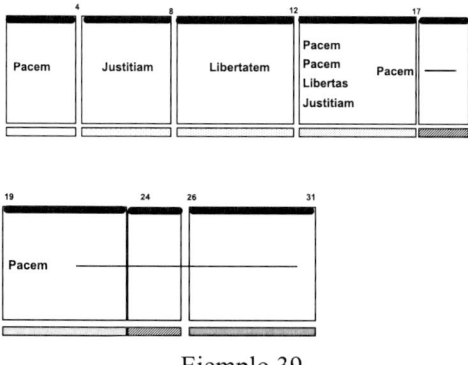

Ejemplo 39

Aquí podemos observar que las tres palabras principales que anunciábamos anteriormente van a utilizarse de forma curiosa. Por una parte, *Pacem* será la palabra repetida mayor número de veces y de forma más significativa, mientras que *Justitiam* y *Libertatem*, pasan a un segundo plano de importancia, como si Halffter quisiera decirnos que no puede haber justicia ni libertad si antes no hay verdadera paz. Pero orgánicamente podemos observar que cada palabra va a añadir un nuevo compás a la organización interna: la primera se compone sobre 3 compases, la segunda sobre 4, la tercera sobre 5, y a partir de ese momento van a mantener una distribución de 7 compases combinando 5+2, excepto al final del fragmento en el que sólo utiliza 5. Además se observa que estas divisiones formales van a ser reforzadas por la aparición, paso a paso, de una mayor envergadura instrumental (reflejada en el gráfico del ejemplo 39 con un tramado cada vez más denso), separando a cada una de ellas un pequeño y rápido arpegio efectuado por las flautas y los clarinetes. Además de lo dicho, el compás utilizado va a ser 3/8, compás que servirá para realzar con mayor claridad a cada una de las sílabas de la palabra indicada, a modo de pulsación continuada.

Ejemplo 40

Todo esto nos va a llevar desde la polarización sobre la nota Re hacia un despliegue vertical sobre La, en el que se va a aplicar la fórmula rítmica de acompañamiento citada en el ejemplo número 37.

Aparece aquí uno de los elementos de construcción principales en la música de Cristóbal Halffter: la linealidad. Esta idea se encuentra a menudo ligada a la de micropolifonía y es, de hecho, el concepto de linealidad el que origina la micropolifonía, a modo de necesaria ampliación del aspecto lineal. Es con esa idea con la que da comienzo la obra: la línea parte aquí de una nota fija —Re 4— y se desarrolla posteriormente mediante multiplicidad de líneas considerable hasta llegar a una resolución a modo de pedal sobre una bordadura con las notas La-Sol#-La.

Así, será a partir de una idea horizontal en arpegiado (Ejemplo 37) cuando tome relevancia de gran masa sonora a la que se le aplica una multiplicidad de líneas a modo de gran reverberación instrumental: «*La unificación de la escucha espacial y musical es el resultado de la utilización unidireccional, unidimensional de la geometría, aumentada particularmente por las posibilidades de la reverberación*»[31], utilizándola de tal forma que la percepción total no sea transparente, sino que parezca el resultado de una suma de circunstancias adyacentes, a modo de la resonancia de una gran catedral.

Esa linealidad de pedal mantenido, utilizada por Soler sobre el *zapateado* de la idea principal se convierte en una especie de obstinado, lo que le permite superponer a aquella una gran cantidad de diferentes fórmulas melódicas. Éstas tendrán una importancia relevante, aunque todas ellas derivan de un mismo concepto: la escala arábico-andaluza.

Ejemplo 41

Esta escala será utilizada en toda la obra, en realidad no existe otra, puesto que como máximo se utilizan determinados cambios de registro que implican a su vez un cambio de altura, si bien no un cambio de funcionalidad tonal. Además podemos observar que se trata de una escala totalmente simétrica —igual a la de **Debla**—, en la que en ambos extremos se encuentra una distancia de semitono ligada a la de 3 semitonos (o segunda aumentada). Hay que decir, sin embargo, que Halffter utiliza dicha escala de modo que la sensible de la tonalidad aparente (Sol#) sólo aparece como sensible de La, y raramente como encadenamiento por pasos melódicos de segunda (escala ascendente completa), mientras que en el primer tetracordo se mantiene una estructura en la que se enlazan las cuatro notas que lo componen de forma bastante clara.

Esta escala, ya apuntada en la introducción, va a tener mayor envergadura —en cuanto a desarrollo se refiere— en la siguiente sección. Se configura como la parte principal de desarrollo de toda la obra, aunque en realidad ya se ha utilizado en las escalas ascendentes de los instrumentos de cuerda y madera desde el compás 14 al compás 31 —conclusión de la introducción—, además de la entrada de la segunda sección.

---

[31] Festival d'Automne de París 1987, revista Contrechamps, número especial Luigi Nono, Pág. 133.

Segunda sección. Aparición y desarrollo de los elementos principales

Si en la anterior sección podíamos observar que toda la distribución formal se hallaba vinculada al crecimiento orquestal y a la aparición de elementos nuevos de la orquesta, y que servían a su vez de división de las secciones, también aquí vamos a encontrar elementos parecidos a la anterior. De este modo para la división interna se van a utilizar masas orquestales diversificadas en diferentes grupos sonoros y tímbricos. Lo que harán en realidad es dar una nueva y mayor dimensión tímbrica a un elemento relativamente simple.

La agrupación formal que va a mantener esta segunda sección será más compleja, entrando a formar parte del texto un elemento hasta ahora no utilizado — en este caso va a tener como única palabra importante *pacem* -: la *solmización*, de la cual hemos hablado anteriormente. Sin embargo, Halffter parece agrupar las diferentes partes internas en grupos bastante homogéneos, la mayoría de ellos con el mismo número de compases[32]. Esta segunda sección se va a dividir en cuatro partes importantes que vamos a llamar A-B-C-D, siendo construidas de modo creciente en lo que se refiere al número de compases utilizados. Algo nos va sorprender, y es el hecho de que en el compás 43 aparece un texto superpuesto en las cuatro voces. Es el siguiente: Pa-Jiu-Te-Pa, del cual no acertábamos a comprender su verdadero significado hasta consultar al autor, quien nos hizo saber que se trataba de un error, y que el texto que debía figurar era el siguiente: Pa-Jiu-cem-Pa, es decir, el texto que hace referencia a las palabras *Pacem* y *Justitiam*.

Cada sección se halla claramente dividida según su contenido instrumental y la aparición de diferentes elementos. Para la construcción del gráfico del ejemplo 42 hemos utilizado una división interna por grupos que, a su vez, observan una división más precisa. Para ello utilizamos dos numeraciones de compás, la superior, que se refiere a los números de compás del **Preludio** de Halffter, y la inferior, que se refiere a los números de compás utilizados en el **Fandango** de Soler. Véase en el ejemplo 42 la estructura global de toda la sección, algo que nos permitirá concretar más adecuadamente su construcción.

---

[32] El hecho de que el **Fandango** utilice siempre una estructura de ideas musicales sobre 2 compases hace que la realización orquestal deba ajustarse a dicha estructura, manteniendo agrupaciones de 6 u 8 compases.

171

LA UNIVERSALIDAD DE UN LENGUAJE

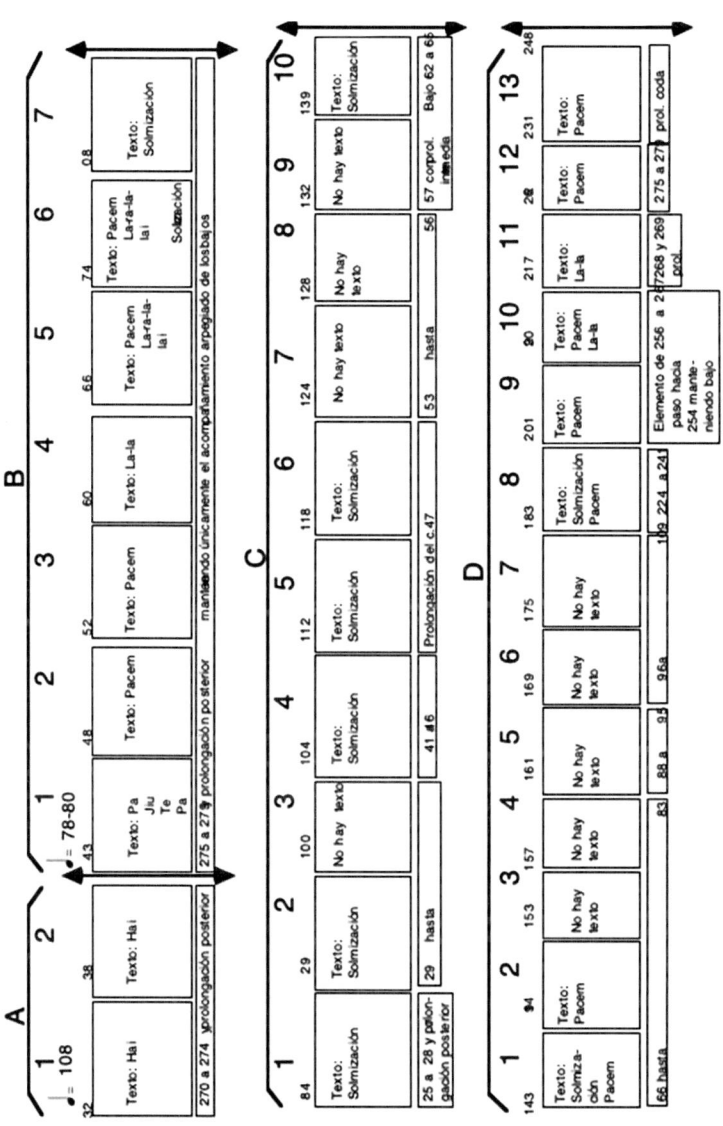

Ejemplo 42

Se observa cómo se mantiene una agrupación de divisiones internas en sentido creciente —en lo que se refiere al número de pequeñas partes utilizadas—, pasando de una sección introductória «A» dividida en 2 pequeñas partes, a una posterior «B» de 7, una «C» de 10 y otra «D» de 13, manteniendo al igual que en la introducción, una continua ampliación del material sonoro que, en este caso y a partir de B, mantiene una ampliación de grupos de tres.

La sección «A» se configura como mucho más independiente con respecto a las posteriores, sobre todo en lo que se refiere al material compositivo. En esta sección Halffter utiliza el inicio de los compases 270 a 274 del **Fandango** de Soler:

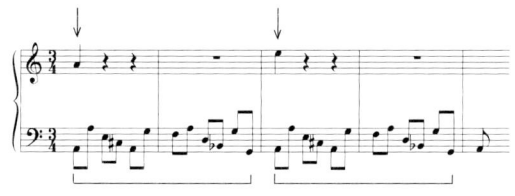

Ejemplo 43

Este fragmento es empleado de forma exacta al de Soler, colocando en las partes señaladas el grito gitano, que en este caso se realiza con la palabra «Hai». La única diferencia con respecto a la segunda parte de esta misma sección es que realiza una repetición de notas mantenidas con el mismo grito, utilizando una pequeña prolongación que le lleva al inicio de la segunda sección «B». En consecuencia aparece la totalidad del fragmento que va del compás 270 al 279 del **Fandango** de Soler, y en él se usa, a modo de reseña, la escala completa que utilizará en toda la obra (ejemplo 42). Únicamente en su segunda parte se produce una variación, en la que se prolonga el grupo principal, con clara tendencia a la resolución de las voces —en este caso efectuadas por el coro—, para dar entrada por primera vez al clavecín en el compás 52, instrumento que en cierto modo es el alma sonoro-tímbrica de la obra de Soler. La entrada del compás 43 mantiene, sin embargo, la misma estructura del **Fandango**:

A partir de ese momento Halffter dice que «*a partir del compás 43 no se indican cambios de tempi. Deberá mantenerse el negra igual a 78-80 como constante, si bien se recomiendan accel. y rit., quedando estos a gusto del director*»[33]. Esa libertad se adecua perfectamente al criterio compositivo de obstinado continuo, y se podría decir que la fórmula arpegiada del bajo va a mantenerse durante todo el resto de esta sección. También aparecen las diferentes partes

---

[33]   Indicado en el inicio de la partitura, junto a las explicaciones convencionales.

melódicas del **Fandango**, pero de modo que no difieren de la idea principal, puesto que se encuentran implícitas. Es decir, el arpegiado del zapateado es tan reconocible que toda la obra podría mantenerse con esa misma idea junto a sus fórmulas melódicas y motívicas. De hecho eso es lo que va a suceder —de modo parecido a como Ravel lo utilizara en su **Bolero**—, y aunque siempre son las mismas no son perceptibles como tales. Halffter, sin embargo, va a mantener la misma secuenciación del **Fandango**, e incluso sus pequeñas melodías (ejemplo 45).

Ejemplo 44

Ejemplo 45

En el ejemplo 45 hemos superpuesto a la idea principal las melodías más importantes de Soler utilizadas por Halffter, empleando la numeración de compases de ambas obras. En primer lugar se puede observar que Halffter no sigue un orden de continuidad fiel al de Soler (no se pretende plagiar, sino inventar). En segundo lugar, las voces del coro van a empezar siempre a modo de crescendo vocal, añadiendo una voz paulatinamente y de modo similar a la orquesta. Esta nueva idea será utilizada durante el resto de la obra. La tercera sección «C» dará comienzo con otra de las partes importantes y características. Es el contratiempo que tiene lugar en el inicio del compás, utilizado en los compases 84, 143 y 340:

Ejemplo 46

El compás 84 de Halffter es utilizado al igual que el compás 25 de Soler, y el 143 y 340 de Halffter como el 66 de Soler, ya que ambos son prácticamente idénticos, con la única salvedad de que se añade en el bajo un arpegiado descendente. Sin embargo, esta parte (C) es la única que no utiliza la palabra *«Pacem»* , preponderando la solmización y los fragmentos sin texto. Esto es aprovechado por Halffter para realizar con los elementos temáticos grandes conglomerados instrumentales que le arrojarán un contenido tímbrico que el **Fandango** no tiene.

En el compás 143 da comienzo la sección «D». Aparece, al igual que la anterior, con una entrada en contratiempo que será utilizada como el clímax tímbrico de lo precedente, realizando en su comienzo una combinación melódica de los compases 66 y siguientes del **Fandango**. Éste interviene en el contratiempo inicial con toda la orquesta, incluido el coro. Mientras la cuerda mantiene el obstinado rítmico la melodía se combina con voces e instrumentos de madera agudos, seguidos de los fagotes y trompas, y posteriormente por una combinación de todos los instrumentos de madera y percusión, arrojando un resultado tímbrico realmente distinto al de Soler. Esta combinación se mantiene hasta el tutti orquestal del compás 167 y 168 en los que, con la nueva aparición del clave, vuelve a empezar una distribución contrapuntística entre las diferentes secciones de la orquesta, con la salvedad de que no se hallan organizadas por medio de grupos de sonoridad precisa. Todo ello va a conducir a un gran tutti orquestal que se prolongará desde el compás 105 hasta el compás 223, donde se va a realizar un decrecimiento instrumental (cada vez va a haber menos instrumentos que participan en el entramado melódico), para llegar en el compás 248 al silencio más importante de toda la obra: el compás es aquí 5/4, y los silencios se ordenan del siguiente modo:

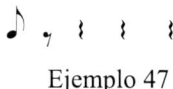

Ejemplo 47

Tercera sección. Continuación y conclusión del desarrollo anterior

Esta tercera sección poco de nuevo va a traer con respecto a las anteriores, ya que a pesar de su longitud se va a organizar como un continuo crescendo hacia un final conclusivo de gran envergadura. Lo que sigue es la distribución formal que va a utilizar Halffter:

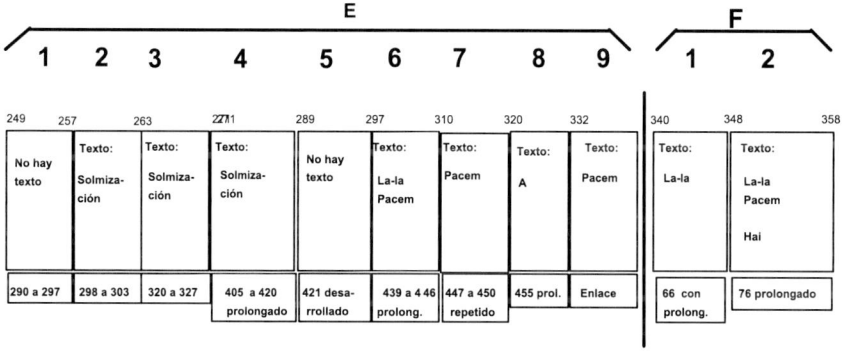

Ejemplo 48

En la sección anterior (B), al igual que en el **Fandango** de Soler, ya han aparecido los elementos más significativos de la obra, por lo que a partir del compás 249 (compás 290 del **Fandango**), se van a utilizar los elementos en arpegiado del mismo modo en que aparecen en el **Fandango**, con la única excepción de los fragmentos en prolongación, que utilizan siempre el elemento arpegiado principal como base conductora. Hay que destacar, sin embargo, que esta sección es la más fidedigna de la obra de Soler, sobre todo en lo que se refiere a la distribución de compases.

Aquí se mantiene una distribución parecida a la primera, pero de forma contraria a la de la segunda sección (ejemplo 42), en la que se iniciaba la sección con un grupo A de 2 partes, al que seguía otro B de 7. De hecho, esta tercera sección parece utilizar una retrogradación formal con respecto a la segunda, aunque en su tamaño las distintas partes sean mayores. Por otro lado es lógico, teniendo en cuenta que se hallan al final de la obra y sirven para su conclusión.

La primera parte de esta sección E va a traer consigo un nuevo elemento que tiene su primera aparición en el compás 320, es decir, casi al final de la sección. Nos referimos a la aleatoriedad controlada que van a utilizar las voces:

Ejemplo 49

En esta parte indica Halffter que «*cada cantante individualmente. Oscilación de la voz en ritmo vivo e irregular*»[34], y en ella todas las voces van a utilizar la vocal «A». Esta aleatoriedad, ya utilizada por Halffter en otras obras, es empleada únicamente desde el compás 320 hasta el compás 332, culminando en una nota *lo más aguda posible*. También el grupo de instrumentos de viento-metal van a realizar un encadenamiento aleatorio parecido, pero sólo va a tener una duración de 3 compases: desde el 329 al 331 (ejemplo 50).

---

[34] Indicado en el inicio de la partitura, junto a las explicaciones convencionales.

Esto será, de hecho, la indicación de que la obra llega a su fin, algo que sobrevendrá en el compás 340 y se prolongará hasta el 358. Da comienzo con la idea de contratiempo utilizada según el compás 66 del **Fandango** de Soler, añadiendo para finalizar parte de la misma idea que había aparecido en el comienzo, es decir, las escalas ascendentes y la bordadura sobre La (Sol#-La), de igual modo que al final de la introducción, compases 26 a 31. En realidad se trata de una repetición con conclusión de ese mismo final.

En cuanto al texto, en esta sección se mantiene de nuevo la solmización introduciendo, a modo de conclusión, la palabra *pacem* y en el último compás el grito gitano de *«Hai»*. Se puede decir que a partir del compás 320 empieza la resolución final con la aparición del elemento aleatorio mencionado anteriormente.

Ejemplo 50

Una breve reflexión sobre el resto de la música de Cristóbal Halffter.

A través del análisis hemos podido observar que tres obras tan distintas como **Debla**, **Cadencia** y **Preludio**, mantienen una constante de gran significación en la creación musical del Halffter: la utilización de un lenguaje de carácter nacionalista. Este lenguaje aparece con mayor claridad en el **Preludio**, sobre todo porque en este caso no hay pretensión de esconder esos términos —*«mi técnica creacional está en continua transformación, según los impulsos que recibo del mundo exterior me van creando nuevas posibilidades de comunicación»*[35]—, sino todo lo contrario. Como señala Halffter, es una continua evolución del lenguaje la que va a provocar el desarrollo, y no sólo en las obras mencionadas, sino en la totalidad de su producción.

Cada día que pasa Cristóbal Halffter parece tener mayor interés en recuperar y dignificar una música española que a los ojos externos parece no tener el grado de importancia que en su ideario estético el autor establece como propio. A esto hay que añadir que nuestro compositor ha contribuido a ello de sobremanera. En suma, se trata de difundir una música que, partiendo o no de esquemas nacionales, llegue al exterior con unas cotas de calidad mínimamente significativas.

Podríamos citar aquí, y a modo de conclusión, las palabras que Enrique Franco pronunciara en el diario Arriba en 1954 referidas al entonces joven compositor :*«La originalidad de la obra de Halffter estriba en que precisamente siendo consecuencia de muchas cosas españolas y europeas, la personalidad del autor consigue una entidad total, que resulta en nuestro panorama como algo nuevo y ambicioso porque aparece todo hecho con alegría, con ímpetu juvenil, sin asombro de artificio, como fruto de un sentimiento actual que siente que ha asimilado un repertorio de gustos y herencias»*. Estas palabras pronunciadas sobre el Halffter de 24 años se mantienen todavía hoy con plena vigencia.

---

[35] Casares, E.: *C. Halffter.* Pág. 43.

Capítulo V. Anton García Abril

Libre tonalidad

Análisis de Cadencias y Homenaje a Mompou

INTRODUCCIÓN

En la música española del siglo XX, sobre todo a partir de finales de los cincuenta, ha habido un predominio estético enraizado en la búsqueda de nuevas formas de expresión que, mayoritariamente, preconizaban un alejamiento de los nacionalismos representados por compositores como Falla, Albéniz, Turina y Guridi, entre otros. Existía entre los compositores jóvenes de aquel momento una necesidad de encuentro con las músicas que se hacían en el resto del continente europeo, en el cual no sólo predominaba la música derivada del dodecafonismo, sino también la ideología que de él provenía, manteniendo cierta animadversión contra el nacionalismo o cualquier música relacionada con éste. La enorme influencia ejercida en la Europa de aquel entonces en contra de cualquier método de trabajo que tuviera que ver con procedimientos considerados tradicionalistas o de carácter folklórico no fue menor en los compositores españoles, la mayoría de los cuales se adhirieron al proceder dodecafónico y sus directas consecuencias, aunque a partir de un punto de partida ideológicamente más débil, puesto que no poseían las enseñanzas, conocimientos y experiencias de los maestros que, en el resto de Europa, habían conducido el avance lingüístico-musical que llevaría a las puertas del atonalismo y dodecafonismo. Durante el mismo período de tiempo se tenía en España una limitada información sobre aquél. En pocas palabras, la música española era huérfana en cuanto a maestros de talla internacional que sirvieran como modelos a seguir. A ello ayudó la falta de una verdadera música española que no mantuviera relación alguna con la política dictatorial del régimen franquista, lo que acentuó el hecho de que la mayoría de compositores nacidos en torno a la guerra civil se desvinculara de cualquier etiqueta que de algún modo significara *música española*, por su posible relación con el régimen. Es curioso observar, sin embargo, que algunos de aquellos compositores han vuelto, al final del siglo XX, a una recuperación de aquel espíritu nacional —no por ello nacionalista—, si bien tal fenómeno pueda ser atribuido a la distancia en el tiempo y al progresivo olvido de la época en que dicha actitud significaba alentar una ideología política.

Esta fuerte resistencia a adquirir algún gesto que pudiera ser identificado como folklórico ha llevado a la música española a una falta de identidad sin precedentes, en la que se han absorbido mejor determinados modelos de composición europeos que los propios —germánicos, franceses e italianos preferentemente—, puesto que estos fueron tachados de excesivamente nacionalistas. No hay duda de que en este proceso los músicos españoles ganaron en internacionalización, si bien la música perdió buena parte de su identidad, algo que por tampoco es exclusivo de la música española. Sobre este hecho y en favor de los compositores existe una justificación plausible, y es la de que nuestro folklore resulta fácilmente reconocible —especialmente el andalucista—, aunque quizá el problema radica en que no hemos sabido extraer lo substancial de su globalidad para que nos sirva como punto de partida hacia una música y lenguaje propios, a lo cual ha ayudado, como anteriormente hemos mencionado, la falta de verdaderos maestros —en su mayoría exiliados—, lo que nos hizo perder en un momento crucial de nuestra historia el cordón umbilical con un pasado rico en matices.

Un compositor se ha desmarcado claramente y sin prejuicios de ese mundo vinculado con la música contemporánea centro-europea, lo que ha provocado la crítica de algunos e incluso una cierta censura musical basada en el hecho único de que mantenía un lenguaje ajeno al proceder europeo de vanguardia, con las consiguientes críticas de sus coetáneos «*[...] dado que aparentemente se trataba de una postura 'poco valiente', digámoslo así, ya que no apoyaba vivamente la ruptura total de moldes 'antiguos' o 'tradicionales' [...]*»[1]. Estamos hablando de Anton García Abril. No se trata de que García Abril no hubiera conocido el mundo de la composición contemporánea, sino todo lo contrario: simplemente le preocupaban otras cosas. Aparte estaba el hecho de no sentirse cómodo con una escritura desvinculada de su mundo exterior, de clara acepción tradicionalista: «*El Grupo Nueva Música es un grupo interesante, por lo que significa de deseo de agruparse con una intención común de hacer música muy cercana a la europea del siglo XX, así como la ruptura con los nacionalismos, [...] lo que siempre ocurre con los jóvenes que empiezan, que siempre quieren alejarse de las cosas anteriores. [...] y yo siempre digo que al final nunca rompen con nada, pues no se puede olvidar el pasado. Es imposible, pues supondría quedarse sin el futuro*»[2].

En la actualidad, Anton García Abril, aún con la enorme influencia y presión de los modelos compositivos de *actualidad o vanguardia* prefiere ir en otra dirección más acorde con su propio pensamiento, lo que inevitablemente le lleva a menudo a verse apartado de determinados círculos compositivos —entre ellos el de la música actual contemporánea— y al mundo que gira a su alrededor, básicamente fundamentado en una música no tonal. Pero actuar al contrario sería, sin duda, un acto de irresponsabilidad: «*siempre será mejor este trabajo serio y bien hecho que la*

---

[1] Cabañas, Fernando J.: *Antón García Abril, sonidos en libertad*. Madrid 1993. Ed. ICCMU. Pág. 51.
[2] *Ibídem*. Pág. 51.

inútil repetición de archiconocidas fórmulas de vanguardia»[3]. A mantener esa posición de firmeza en un lenguaje tonal ha ayudado su continuo trabajo en músicas de cine, televisión, y un sinfín de medios en los que ha demostrado su oficio de compositor.

Tampoco existe en la música de García Abril un propósito firme de organización de un lenguaje individualizado, algo muy de boga en la música de la segunda mitad del siglo XX. El suyo se nutre de formulaciones basadas en la tradición, y tal como el propio Stravinsky citara a propósito de la individualización en el arte, tachando al compositor que continuamente la busca *«[...] monstruo de la originalidad, inventor de su lenguaje, de su vocabulario y del aparejo de su arte»*, señalando también a la consecuencia provocada por ello: *«El uso de materiales ya experimentados y de las formas establecidas le está comúnmente prohibido. Acaba entonces por hablar un idioma sin relación con el mundo que le escucha. Su arte se vuelve verdaderamente único, en el sentido de su falta de comunicatividad y porque se ve cerrado por todas partes»*[4], García Abril quiere gustar al oyente, sin tapujos ni vergüenza. Ahora bien, tampoco se trata de tacharle de compositor nacionalista, ya que si bien ha escrito obras de carácter explícitamente hispano —otros compositores de su generación también lo hicieron—, predomina en su producción musical un quehacer totalmente desvinculado de dichas ideas. Tampoco existe una pretensión de huir de aquellas, simplemente *se hallan presentes.*

Su música es meramente tonal, pero obviamente no carece de amplitud de miras. Existe pues un doble predominio de ideas musicales, por una parte de fuerte carácter melódico *«El contenido musical debe ser ordenado desde la melodía, equivalencia de la palabra en el lenguaje musical»*[5] y por otra, de gran contenido rítmico. Sin embargo, el uso de la tonalidad no se limita únicamente al escueto proceso de una combinación armónica, sino que existe un proceso de ampliación del espectro acordal hasta sus máximas consecuencias, aunque dentro de un claro marco de connotación tonal. El ordenamiento jerárquico se desvincula claramente de los procedimientos tradicionales, utilizando únicamente su direccionalización cromática, aunque evitando una simple relación cadencial.

Sin embargo, si algo hay que destacar en su música es el aspecto de linealidad y direccionalidad melódica. El contenido melódico en su música es innato, y él mismo lo defiende como una de sus principales virtudes, de la cual cree —desde su propio macrocosmos compositivo—, que el compositor no puede desvincularse,

---

[3]   Cabañas, F.J.: *Antón García Abril.* Pág. 77.
[4]   Stravinsky, I.: *Poética Musical.* Madrid 1983. Ed. Taurus. Pág. 77.
[5]   Cabañas, F.J.: *Antón García Abril.* Pág. 103.

184

ya que según él la música vive a partir de la propia melodía. Las alusiones a la necesidad melódica en cualquiera de sus citas en entrevistas, artículos, etc., son cuantiosas, y es con toda probabilidad uno de los compositores españoles que más defienden su recuperación, *«La capacidad melódica es un don que no podemos desarrollar con estudios. Podemos, sin embargo, por lo menos, encaminar su evolución por medio de una crítica perspicaz»*[6]. Las obras que en esta ocasión vamos a analizar son un claro ejemplo del proceso melódico y su desarrollo, y nos servirán a su vez, como medio para conocer el modelo de trabajo del compositor.

El elemento rítmico, aunque secundario en su obra, no deja de tener una gran importancia. En su música hay continuamente alusiones a ritmos complejos que a menudo se emparentan con la asimetría rítmica utilizada en el taconeo del *cante jondo*. Pocas piezas del compositor no poseen una alusión a ritmos ternarios de combinaciones diversas, del tipo 3+2+2, 2+3+2, etc.. Estos ritmos, utilizados a menudo por compositores como Stravinsky y Bartók, adquieren otra dimensión en nuestro compositor, si bien las utiliza a menudo como aquellos, es decir, a modo de pedal, mediante una continua repetición rítmica encadenada en la que será el proceso melódico el que determine su principio y fin.

Las piezas que hemos elegido para el análisis son totalmente distintas entre sí. Somos conscientes que el análisis de sólo dos obras no alcanzan a definir el lenguaje compositivo de un autor, por otro lado muy prolífico, pero sí creemos que puede contribuir a su conocimiento. Desde aquí animamos al lector avanzado a trabajar en una dirección en la que el valor musical deba considerarse desde su aspecto crítico —derivado de su análisis estético y teórico—, algo que por lo demás deberíamos estar acostumbrados a realizar —especialmente los músicos. En todo caso, esperamos que este trabajo sea por lo menos el comienzo. La primera de las obras que vamos a analizar es **Cadencias**, un concierto para violín y orquesta que el compositor tiene en gran estima. La segunda será el **Homenaje a Mompou**, una obra para trío en la que la cuestión temática es llevada a su más elevado desarrollo, en el sentido netamente tradicional del término, y en la que toma como modelo de partida la música del insigne compositor catalán.

---

[6]   Stravinsky, I.: *Poética Musical.* Pág. 43.

Cadencias

Cadencias no es un concierto para violín organizado según el modelo clásico, sino que se regula mediante agrupaciones y motivos temáticos que se desarrollan por un procedimiento de melodía continua, en la cual la evolución se organiza a través de elementos fijos que se convierten en ideas leitmotiv. De este concierto el propio compositor comenta: *«Deliberadamente he aludido a la forma clásica del concierto para crear una forma más libre y flexible. En este sentido, la cadencia me ha brindado infinidad de posibilidades estructurales y expresivas, al mismo tiempo que evitar la rigidez consecuente de trabajar sobre moldes fijos de la forma sonata»*[7]. Dichos modelos melódicos tienen total relación con la tímbrica utilizada en la orquesta: *«El material temático aparece en constante variación y eludiendo siempre los temas recortados y circulares en beneficio de células fugaces muy íntimamente unidas a su color tímbrico. El material que utiliza el violín, aunque mucho más temático, es lanzado abiertamente hacia fórmulas no conclusivas ni cadenciales»*[8].

El propósito del autor que subyace en el concierto es el de desarrollar un discurso horizontal en el que las ideas vayan apareciendo según éste avance, y en el que el engranaje general de la obra sea más una derivación de su intuitivo encadenamiento que fruto de una ordenación *a priori*. Ese microcosmos de motivos temáticos —temas— que contiene la obra contribuye a darle un colorido siempre distinto, confiriéndole una variabilidad melódica acorde con el pensamiento composicional del autor: *«Me he propuesto que la melodía cante ininterrumpidamente. El violín nació cantando, no podemos llevarlo por otros caminos»*[9]. Por otra parte, esta continua variación puede provocar en el oyente una cierta dificultad de comprensión del discurso global, sobre todo en su primera audición, aunque para evitarlo la configuración armónica que en él se utiliza resulta determinante. El uso temático a lo largo de toda la obra se desarrolla a partir del elemento inicial, siendo los siguientes temas o motivos temáticos derivaciones de aquél, por lo que si aparentemente todo parece distinto, en la realidad no lo es.

Aquí vamos a realizar el análisis en tres direcciones: la primera tratará sobre el aspecto formal unido a las ideas temáticas que de aquél surgen; la segunda lo hará

---

[7]   Cabañas, F.J.: *Antón García Abril.* Pág. 74.
[8]   *Ibídem.* Pág. 75.
[9]   *Ibídem.* Pág. 75.

sobre la derivación motívica de las ideas temáticas principales, así como las características de su enlace armónico; y la tercera versará sobre el aspecto de articulación armónica general de la obra. Creemos que no se puede obviar a ninguna de ellas para realizar un análisis de cierta coherencia, que al mismo tiempo muestre la claridad del uso melódico y gestual.

Desarrollo formal

El procedimiento temático de la obra se rige por un gran entramado motívico en el que existe una evolución temática que va siempre hacia adelante, y en la que no se encuentra un planteamiento reexpositivo literal al estilo de la forma sonata, sino que se trata de un desarrollo continuo y variado de la idea temática principal, utilizando una combinación entre la exposición orquestal de aquella y el instrumento solista. Esta dualidad es normal en cualquier obra con solista, ya que existe una necesidad de diálogo acompañada, como es el caso que aquí nos ocupa, de una exposición melódica contínua «*[…] creo que es un elemento fundamental (la melodía), desde mi punto de vista y desde mi estética, para llevar a término el proyecto musical*»[10]. La necesidad explícita de utilizar elementos de gran contenido melódico hace que la obra se desarrolle apoyada básicamente en dicho aspecto, resultando la armonía accesoria, por otra parte, comporta que la distribución formal sea mucho más compleja, aunque únicamente se deba a la enorme dificultad que supone establecer diferencias temáticas de forma clara, ya que a menudo encontramos superposiciones que lo dificultan. El procedimiento empleado por García Abril en **Cadencias** se emparenta claramente con el espíritu romántico de máxima expresividad, reflejada aquí en un alto contenido melódico. Sin embargo, junto a dicho elemento que rige el discurso global —claramente horizontal—, el compositor utiliza a menudo una serie de grupos rítmicos que a su vez sirven de nexo de unión entre las distintas ideas temáticas, ideas que prácticamente se encuentran en todas las secciones de cierta importancia de la obra, a modo de motivos claramente contrastantes. Así pues, la idea inicial contiene explícitamente la dualidad de elemento rítmico y proceso melódico, y se irá desarrollando paulatinamente hasta conseguir mayor complejidad. El primer elemento temático es anunciado por la orquesta y repetido después por el instrumento solista.

---

[10]   Guerrero, José: Diario «*La Vanguardia*», 4-10-1993.

LIBRE TONALIDAD

Ejemplo 1

La combinación motívica de la obra se realiza mediante distintos grupos motívico-formales que tienen, como parte intermedia, la cadencia del instrumento solista, a modo de desarrollo culminante de los elementos temáticos presentados por la orquesta y por el violín. De ese modo, en el inicio el elemento motívico principal se desarrolla con gran transparencia, especialmente en lo que se refiere a su combinación y exposición:

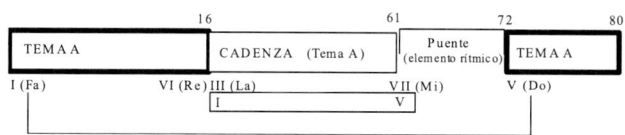

Ejemplo 2

La combinación armónica del fragmento es simple, puesto que mantiene una progresión que pasa del supuesto primer grado (Fa) a su relativo menor (Re), aunque este no actúa como tal. A partir del compás 80 aparece un nuevo elemento temático realizado por el violín. Se trata de una derivación de la cola del tema A.

Ejemplo 3

Este tema, que aparece tras la repetición en la dominante del tema A, parte aquí del VI grado (Re), por otra parte grado contrastante y relativo del inicial (Fa), que tiene aquí una función explícitamente tonal. Esta segunda parte se prolonga hasta el compás 120, ya que a partir del compás 121 aparece otro nuevo elemento. A pesar de todo, en esta sección existe una confrontación temática entre los fragmentos cadenciales del violín y la exposición temática, normalmente acompañada por la orquesta (ejemplo 4).

En el compás 121 aparece un nuevo motivo que actuará de nuevo tema (Tema D), y que es a su vez una variación del tema B. La influencia de este tema se mantendrá hasta el compás 200, utilizando una cadencia intermedia con una disminución rítmica del tema B, aunque con una nueva configuración temática (ejemplo 5).

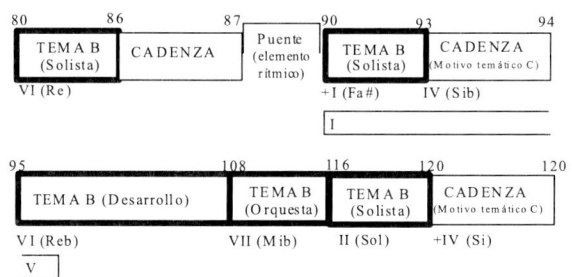

Ejemplo 4

Ejemplo 5

Aquí se mantiene la siguiente configuración formal:

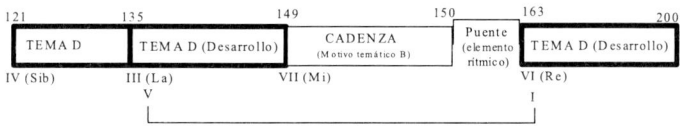

Ejemplo 6

Como se observa en los ejemplos de distribución formal hasta ahora expuestos, existe un procedimiento de engranaje que mantiene una estructura combinatoria similar en todos y que culminará —tal y como se mostraba en el ejemplo 6—, en una sección a modo de final que a su vez posee un grupo de tres subsecciones. Existe así una combinación similar entre el tema A y el tema D, con la diferencia de que en D el desarrollo temático, que incluso mantiene el mismo número de compases (80), utiliza un mayor desarrollo, mientras que la parte intermedia B contiene únicamente 40 compases, en los que aparecen dos ideas temáticas contrastantes (B y C), siendo aquí las cadencias las que toman mayor protagonismo. En A y D se observa también una mayor estabilidad tonal con respecto a B y C, las cuales son tonalmente inertes.

Lo que sigue a partir de ese grupo expositivo que termina en el compás 200, será un gran período de desarrollo, en el que aparecen nuevas ideas temáticas que teniendo relación con las anteriores se comportan de forma independiente. Así, este nuevo gran período constituirá un gran desarrollo a partir de la idea que lo inicia.

Ejemplo 7

El nuevo tema, que como puede observarse es una variación del tema inicial, se desarrolla a lo largo de todo el fragmento hasta el compás 352; es decir, un total de 152 compases, con lo que resulta verdaderamente extenso. Se desarrolla además sobre el séptimo grado con respecto a la tonalidad inicial, o lo que es lo mismo, a la distancia de un semitono cromático descendente de aquella. Utiliza distintas variaciones temáticas que a continuación resumimos.

Ejemplo 8

Por primera vez hemos encontrado un fragmento de cierta consideración que no usa ninguna cadencia, comportándose así como un verdadero desarrollo. Utiliza un solo compás de 2/4, algo insólito hasta el momento, siendo el cambio de compás lo que determina su entrada y su fin (ejemplo 9).

Tras este período de desarrollo temático aparece un fragmento en el que hay un predominio cadencial claramente contrario al precedente. Para preparar la cadencia, García Abril utiliza una nueva idea temática que, partiendo de elementos de la anterior (Tema E), se desarrolla de forma independiente (ejemplo 10).

190

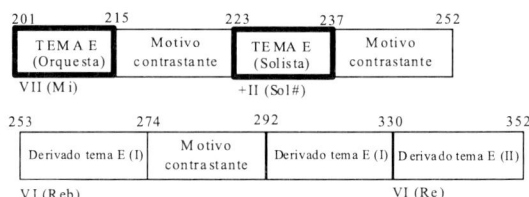

Ejemplo 9

Ejemplo 10

La característica melódica de esta nueva idea temática, junto a su acompañamiento, confiere personalidad propia a la sección, que desemboca en una cadencia en la que predomina, por encima de todo, un tipo de escritura no utilizada hasta el momento y que incluso es inhabitual en la música del compositor (ejemplo 11).

La idea de utilizar aquí este tipo de escritura es crear una ambigüedad rítmica que contraste con el resto de la obra, algo que no volverá a ocurrir en adelante. Este fragmento finalizará en el compás 513.

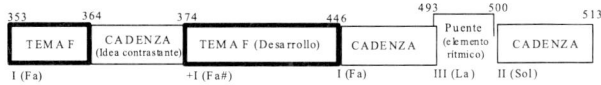

Ejemplo 11

A partir del compás 514 y hasta el final de la obra se mantiene una combinación de los temas E y F, utilizando su forma original y añadiendo —en el caso del tema E— sus variantes. En esta última parte no hay ninguna cadencia del instrumento solista, y es la única sección que utiliza una idea reexpositiva, aunque sobre el tema E. Incluso utiliza el mismo grado tonal (VII) para su realización. La obra termina en el mencionado VII grado, que parece ser utilizado como tonalidad

LIBRE TONALIDAD

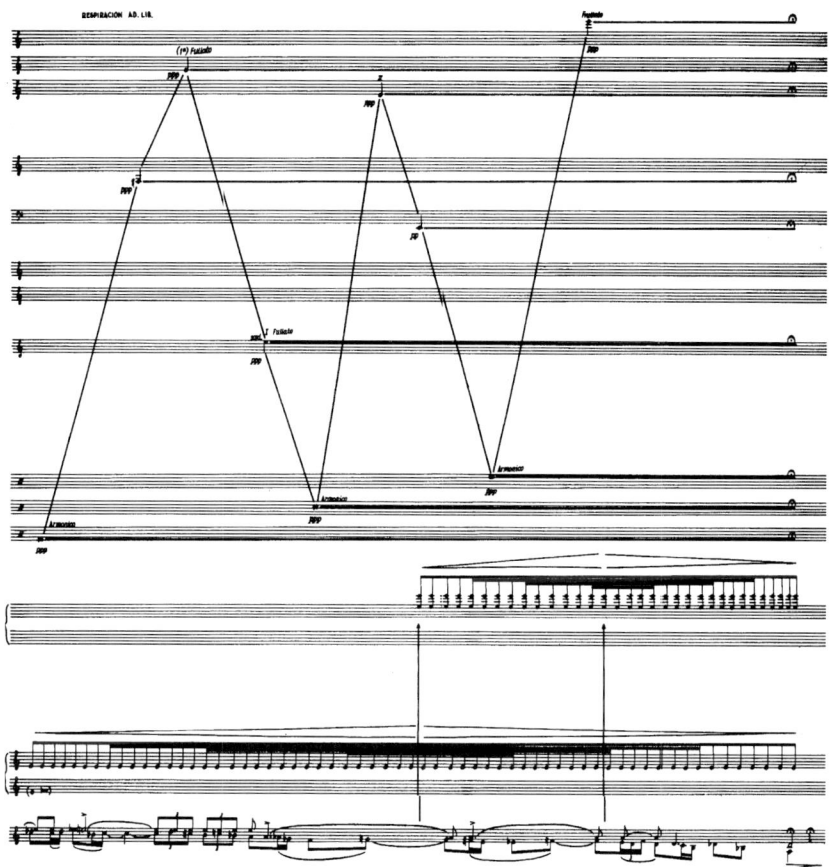

Ejemplo #45

contrastante y sustitutoria de la de dominante. Que el concierto termine en ese grado define claramente el propósito de García Abril de no utilizar la tonalidad clásica en su forma tradicional, sino organizada de forma libre, en la que cada idea se articula en un área tonal que resulta ideal según el fragmento musical, aunque sin formar parte de una planificación global.

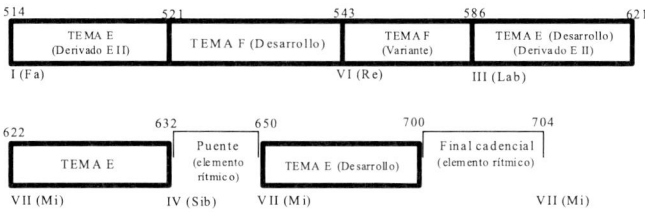

Ejemplo 13

La obra se distribuye de forma libre, aunque mantiene una considerable coherencia interna en la articulación de sus elementos. La continua variación de aquellos hace que se comporte como un concierto en varios tiempos y sin pausa. Por otra parte, la variedad temática es enorme, ya que si bien existe un grupo definido de seis ideas temáticas, estas mismas generan infinidad de distintas formas, lo que incide directamente en su organización complicando enormemente su análisis y su consiguiente síntesis. Por esa razón es necesario realizar un estudio pormenorizado de los elementos que en ella aparecen así como de su desarrollo armónico, ya que resulta fundamental para poder observarla con claridad.

Uso motívico-temático

El inicio de la obra nos da una clara muestra del medio con el que se organizará lo que le sigue. De algún modo será el modelo principal y explícito de su desarrollo; es decir, por una parte tenemos un modelo temático o leitmotiv generador de las ideas contrastantes que le seguirán, y por otra un encadenamiento de aquél en progresión cromática. La idea temática inicial se compone así de dos elementos motívicos (Ejemplo 1). Dichos elementos motívicos son encadenados en forma de progresión, estableciendo un descenso cromático que puede no ser apreciado a primera vista pero que se observa en el plan armónico general que exponemos en el ejemplo 14.

Sin embargo, el uso armónico del fragmento es limitado, ya que se utiliza genéricamente un unísono orquestal a modo de substituto lineal del instrumento solista. El procedimiento de enlace armónico se aleja de los modelos tonales convencionales, a pesar de su relación con aquellos. Lo aquí mencionado se observa

cromatismo contínuo. Tras la exposición temática de la orquesta, en lo que será la primera cadencia, el violín utilizará la misma idea que había realizado aquélla (compás 16) (ejemplo 15).

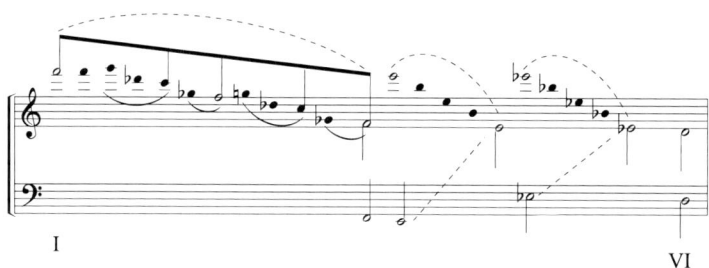

Ejemplo 14

Ejemplo 15

En el proceso temático utilizado por el violín se introducirá, a partir del compás 22, un descenso cromático que actuará de forma parecida a la ya utilizada en el fragmento orquestal anterior (compases 1 a 15). Esta idea se llevará a cabo durante todo el fragmento cadencial, que termina en el compás 60. En aquél abundan las secuencias en forma de progresión.

Ejemplo 16

De nuevo, en el compás 37 reaparece el tema A, aunque esta vez contiene un puente que sirve de nexo de unión entre las distintas secciones. Si bien el plan armónico de la cadencia es libre, debido al uso continuado de progresiones, en el resto de la obra García Abril utiliza un medio de encadenamiento armónico que sirve para estabilizar la tonalidad. Este procedimiento de estabilización no figura en las cadencias, ya que éstas actúan según su significación literal, es decir, como una improvisación. A pesar de que a lo largo de la obra las cadencias se hallan escritas en su totalidad, predomina una gestualidad melódica que varía entre sí. La primera cadencia resulta ser una derivación de la idea temática A.

La estabilización tonal, que como anteriormente hemos mencionado no se encuentra en la cadencia, mantendrá en las partes orquestales su mayor significación, convirtiéndose en modelos de *ostinato* o *perpetuum mobile,* principal punto de partida en los fragmentos que actúan de puente y que generalmente siguen a la mayor parte de las cadencias. En el puente que sigue a la primera cadencia (compases 65 a 72) aparece un ritmo simple que mantiene una acentuación precisa, en forma de ostinato.

Ejemplo 17

A dicho ritmo, desarrollado en mayor medida por el violín solista, se le añade un elemento rítmico en contrapunto que es utilizado por la percusión y que ayuda a terminar la sección y preparar de nuevo la entrada del tema inicial en el compás 73.

Ejemplo 18

El tema aparece en el compás 73 en la tonalidad de Do, o sea, en la dominante de la tonalidad inicial (Fa). El proceso cromático que se establece aquí es, sin embargo, más corto que en el inicio, aunque conduce igualmente al tono de Re (relativo de Fa). Tras éste pedal sobre Re —que se mantiene en los instrumentos graves— aparece en el compás 80 una nueva breve idea temática que actuará como elemento contrastante con respecto al inicial, a modo de tema B, aunque en realidad se trata de una idea claramente derivada de la cola del tema A (ejemplo 3). Tras éste nuevo tema se utiliza una idea contrastante que llamamos aquí motivo C, por el hecho de que aparece dos veces (compases 93 y 120), algo que no ocurre con demasiada frecuencia. Se trata de un elemento básicamente melódico y que es, en realidad, una idea de progresión parecida a la que observábamos anteriormente.

Ejemplo 19

Existe pues una dualidad entre ambos elementos temáticos (ejemplos 3 y 19) que se mantendrá de forma idéntica en los períodos que van del compás 90 a 94 y 116 a 120 —en cuanto a su combinación melódica. Cambiará únicamente su exposición tonal, que en el primero partirá de Fa# y en el segundo de Sol, es decir, manteniendo entre sí la relación cromática que ya observábamos al principio. El fragmento termina con un silencio de blanca con calderón que lo separa claramente de lo que le sigue.

En el compás 121 cambiará la idea rítmica que dominaba la primera parte, pasando de un compás ternario a uno binario, ligeramente más rápido que el anterior. Con él aparece, como ya es habitual, un nuevo motivo o tema (ejemplo 5) que mantiene una clara alusión a la escala andaluza, puesto que la utiliza como modelo melódico sobre el que fundamentar su realización temática.

Ejemplo 20

En el anterior ejemplo se observa el uso de una escala de carácter andalucista, y que aparece aquí por primera vez de forma clara. Este uso escalístico se prolonga, con una progresión ascendente que nos llevará paulatinamente al compás 135, junto a la reaparición temática que culminará en la cadencia del violín en el compás 149. En esta cadencia el elemento que se toma como modelo motívico no es el tema D, sino el B, pero con una mutación que lo convierte en aparentemente distinto. Este nuevo elemento es utilizado de forma exhaustiva a lo largo de toda la cadencia, en la que predomina un uso contínuo de progresiones. El tema D, de nuevo en desarrollo, será utilizado otra vez en el compás 163, y lo destacable del encadenamiento que aquí se establece es que entre esta aparición y la anterior del compás 135 se mantiene una distancia de quinta —o de dominante-tónica—, en la que vuelve a ser Re el grado predominante, aunque en este caso se halla integrado dentro de un magma sonoro que lo hace poco perceptible como tal. La estructura melódico-contrapuntística hasta el compás 174 es la siguiente:

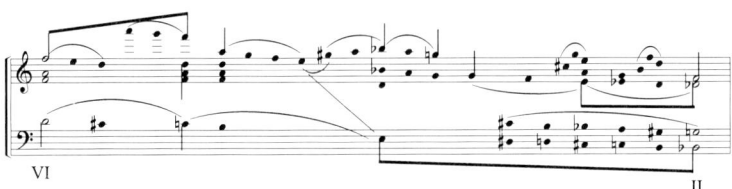

Ejemplo 21

En este fragmento se observa de nuevo el uso del descenso cromático, algo habitual en la obra. Lo que sigue a esta exposición es la repetición del tema D sobre Reb, o sea, a una distancia de sexta conforme a su aparición inicial. A pesar de todo, la importancia tonal de esta nueva repetición es relativa, ya que se halla integrada en un discurso melódico en el que será su desarrollo lo primordial, no existiendo un descanso melódico o armónico que pueda servir de eje referencial.

La exposición temática no termina aquí, puesto que en realidad este es el punto intermedio de las nuevas apariciones motívico-temáticas, aunque se encuentre lejos de ser el centro neurálgico de la obra. Los temas que le siguen van a contener un mayor desarrollo que los anteriores, por lo que su longitud también será superior. Este nuevo paso hacia adelante, que empieza en el compás 201, va a retomar de nuevo el uso de un elemento temático de carácter rítmico similar al del comienzo. Esta sección, crucial en el desarrollo de la obra, contrasta fuertemente con el resto. Su configuración es lo suficientemente explícita (ejemplo 22).

También se establece aquí una significativa diferencia con respecto al tema inicial (A), ya que en este caso la pulsación es puramente binaria, mientras que en el primer tema era de tipo ternario compuesto. El nuevo tema, que denominamos E (ejemplo 7) será desarrollado a continuación, siendo fundamental para la composición de los nuevos motivos o temas, ya que se realizarán a partir de éste y no del tema inicial, a pesar de que mantengan elementos comunes entre sí, comportándose como una idea contrastante. A que resulte contrastante con A contribuye, sin duda, el eje tonal elegido, ya que como en la idea inicial aquél es realizado mediante una octavación continua como variante lineal del unísono, en el que será la nota Mi la más utilizada. Ya sabemos que Mi no es su dominante, pero sí su sensible, por lo que resulta ser el sustituto de aquella. El tema completo se divide en dos secciones: la primera, que constituye básicamente el núcleo temático, y la segunda, que se comporta como motivo contrastante. Véase a continuación la planificación armónico-contrapuntística de ambos fragmentos de forma independiente (ejemplo 23)

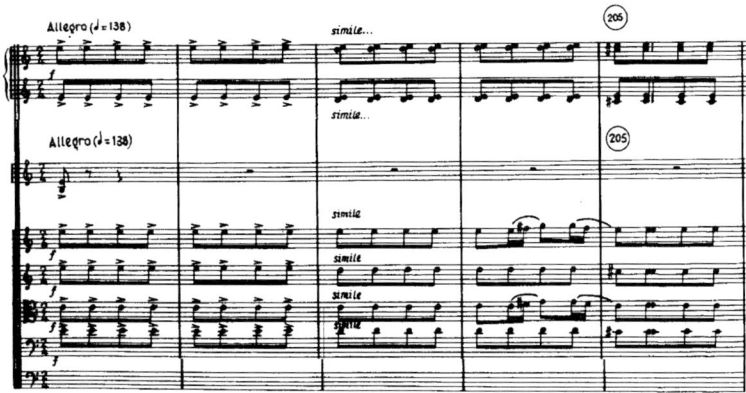

Ejemplo 22

Tema E

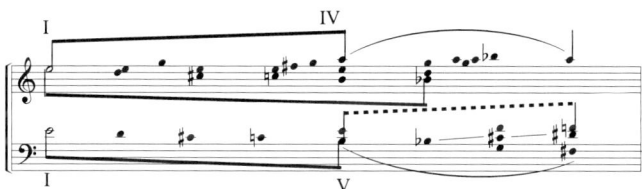

Motivo contrastante

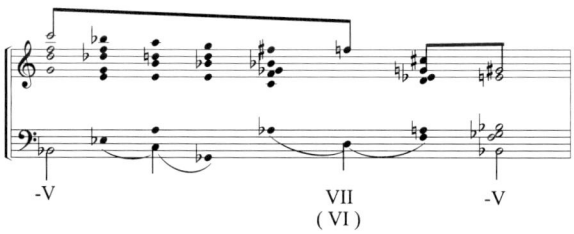

Ejemplo 23

Entre ambos se mantiene una relación de quinta disminuida, además del encadenamiento cromático que hemos ido observando a lo largo del análisis. El tema E es repetido más tarde por el instrumento solista, que lo utiliza como contestación del anterior. El diálogo temático es aquí significativo, ya que no existen fragmentos cadenciales del instrumento solista, y es el mayor fragmento de la obra que no los contiene. El tema y su motivo contrastante terminan su doble exposición en el compás 252, y a partir de aquí comienza una andadura melódica en la que el tema E va tomando distintas formas, aunque todas ellas fruto de la misma idea inicial (ejemplo 8). Las nuevas ideas (derivadas I y II del tema E), tienen la característica de mostrarse siempre en forma de progresión, algo que ya podemos decir que es habitual en la configuración en módulos de la obra. Todos estos temas se mezclan entre sí, creando un desarrollo de nada más y nada menos que 100 compases, coherentemente integrados en la magnitud general de la obra. Destaca en todo este entramado armónico su final con el derivado II del tema E, que se halla en la tonalidad de Re, bien conocida en el contenido global de la pieza y repetida continuamente como tonalidad común de enlace entre los ejes tonales que en ella aparecen.

En el compás 353 aparece el último motivo temático utilizado (ejemplo 10). Resulta ser un motivo conductor que actúa más como elemento en progresión que como modelo temático simple. Su apariencia es básicamente una progresión que desemboca en una corta cadencia del violín en el compás 365.

Ejemplo 24

De nuevo es utilizado aquí el grado relativo de Fa (Re), que incluso será el que origine la escala de Re mayor que utilizará el violín en la cadencia del compás 365. En esta cadencia el instrumento solista usa dos ideas contrapuestas: una de ellas utiliza una progresión que mantiene las notas de la escala de Re mayor, y la otra usa los acordes derivados de aquella. La cadencia es, sin embargo, muy corta, y a ella le sigue un elemento de desarrollo que tiene como punto de partida el acorde del ejemplo 25.

El desarrollo parte de este acorde y se prolonga durante un tiempo considerable, hasta el compás 446, en el que aparece de nuevo otra cadencia del instrumento solista utilizando el mismo tema sobre la tónica —o supuesta tónica— . La cadencia se articula de nuevo en constantes progresiones que tienen al tema F como centro neurálgico. Tras la cadencia vuelven a aparecer (compás 193) el ritmo y compás iniciales, aunque aquí poseen un carácter contrastante, ya que el solista utiliza una melodía continua en semicorcheas. Lo que el oyente percibirá en este fragmento y con mayor claridad es su contenido rítmico, que servirá de nexo de unión al elemento cadencial del compás 500 (ejemplo 11), donde el tema F volverá a tener protagonismo en el instrumento solista utilizando, como ya viene siendo habitual, una serie de progresiones que preparan la entrada de la última sección.

Ejemplo 25

La última sección es utilizada como reexposición, si bien no aparecen los temas iniciales sino únicamente los dos últimos temas junto a sus derivados, combinándose entre sí. De nuevo vuelve a ser Fa el polo tonal del fragmento, de modo que si bien no se repite el tema inicial, sí que lo hace su tonalidad. El fragmento no se halla exento de progresiones, ya que mientras se establece a Fa como pedal, sobre el cual se utiliza el segundo derivado del tema E, éste se dispone de forma cromática, de modo parecido a lo que ya observábamos en el encadenamiento armónico del comienzo de la obra.

Ejemplo 26

De nuevo aparece el tema F con un pequeño desarrollo que desemboca en un compás cadencial del violín. A éste le sigue la repetición del tema F, en el que se ha duplicado el tempo, por lo que la apariencia de la melodía no es igual a pesar de que en realidad se trate de la misma idea. Aquí el pedal se hará sobre Re, y aunque variará a lo largo del fragmento, hasta el compás 586, aparece como el más importante, puesto que en el compás 567 se repite la misma secuencia melódica que va del compás 543 al 555, intercambiando únicamente las intervenciones, es decir: la parte del solista pasa a los violines primeros y la de los instrumentos de viento al instrumento solista, con lo que el contenido interno final es idéntico. Lo que sigue en el compás 586 no añade nade nuevo a lo ya expuesto, siendo los procesos en forma de progresión los predominantes. De nuevo aquí y hasta el compás 622 se utiliza el derivado segundo del tema E, tratado en forma de desarrollo.

En el compás 622 de nuevo vuelve a ser Mi el eje tonal, utilizado de forma similar al que observábamos en el compás 201, aunque en esta ocasión también participan los instrumentos de viento, que serán los encargados de ejecutar la parte melódica más importante. El fragmento es de corta duración (sólo 11 compases), y dará paso a una sección intermedia que va del compás 632 al 650, en la que se utiliza por vez primera un ritmo en tutti que contrasta con el instrumento solista (ejemplo 27).

Al igual que en la exposición del tema E en el compás 201, éste se vuelve a repetir, en este caso sobre el quinto grado y no a la distancia de tritono como sucediera en aquella. El tema es aquí menos evidente, utilizado en realidad como un elemento en desarrollo y preparatorio del final de la obra, en el cual se utiliza un período rítmico sobre un pedal de Mi, tonalidad contrastante desde el compás 201— con respecto a la inicial Fa.

Uso armónico y orquestal

De lo dicho hasta aquí el lector puede deducir que en algún momento García Abril utiliza un engranaje armónico de relación absoluta con la tonalidad clásica. Sin embargo, no es así. La obra aquí analizada se desenvuelve en un medio tonal en el que las alturas son lo predominante, y a ellas se les une un medio armónico de relación tonal. Es pues la *altura* lo que resulta determinante. Prueba de ello es el hecho de que los temas principales de la pieza (A y E), se desarrollen en unísonos orquestales, en los que se carece de toda superposición de terceras, cuartas o cualquier otro intervalo tonal fundamental. Complementariamente encontramos un continuo uso de progresiones, en las que predomina la utilización del cromatismo.

Por otra parte, en la obra encontramos contínuas referencias a obras de compositores como Stravinsky y Milhaud, entre otros, especialmente en lo que se refiere a los procedimientos rítmicos utilizados, e incluso a la idea de superposición tonal o bitonal que aquellos usaron en sus obras. Aún así, en García Abril tales procedimientos aparecen bajo un aspecto distinto, en el que predomina la superposición de terceras sobre una fundamental determinada. Estas formaciones de acordes aparecen con más claridad en los fragmentos en pedal y en los *tuttis* orquestales.

LIBRE TONALIDAD

terceras sobre una fundamental determinada. Estas formaciones de acordes aparecen con más claridad en los fragmentos en pedal y en los *tuttis* orquestales.

Ejemplo 27

Compás 500

Compás 541

Ejemplo 28

A veces estos elementos podrían pasar inadvertidos, ya que lo que resulta audible en primer plano es la idea de pedal rítmico y armónico, que sirve de sustituto del encadenamiento armónico tradicional. En el mundo de la tonalidad, todo lo que se superpone a un elemento pedal se justifica sistemáticamente, ya que la percepción del oído mantendrá el recuerdo de dicho pedal a modo de sonido mantenido o ritmo como referencia ineludible —claro está que dependerá de cómo sea conducido. El elemento de pedal resulta imprescindible en el caso que aquí nos ocupa, ya que la contínua variabilidad melódica precisa de elementos de estabilidad tonal, para lo cual el pedal resulta ideal. Cuando éste no aparece se sustituye por una agrupación de progresiones. Los fragmentos en pedal son contínuos y no vamos a enumerarlos aquí. Remitimos al lector a la partitura, ya que creemos haber citado suficientes ejemplos.

Aún así, en la audición se aprecia el carácter fundamentalmente tonal de la obra, que si bien parece ordenarse en un medio libre no por ello deja de ser suficientemente claro y transparente. En todo caso, lo que parece ser relegado a un segundo plano es la simple articulación acordal de aquél, siendo la superposición de terceras y cuartas ya mencionada la que va a gobernar su discurso armónico. En los ejemplos citados anteriormente dábamos rendida cuenta de los procedimientos de enlace armónico que García Abril emplea, y por ello no vamos repetirlos. El distanciamiento con respecto a la tonalidad clásica queda claramente determinado con el uso de la tonalidad en la relación entre los temas, que en su mayoría se ordenan por una consecución armónica libre en la que predomina el aspecto melódico, fundamental en el compositor. Las coincidencias entre tónica y dominante son más bien fortuitas. Ni siquiera la obra finaliza en la tonalidad de partida, aunque sí lo hace en la supuesta tonalidad alternativa, que es la propia del tema E —tema contrastante principal—, pero no queda claro que exista un propósito específico al respecto; quizá se trate simplemente del mejor grado de resolución en el momento en que se determina el fin de la obra.

Ahora bien, el tratamiento armónico incide sobre todo en el uso orquestal, en el que se mantiene una fuerte dualidad entre los dos medios armónicos principales: el unísono y la superposición armónica. La orquesta es utilizada como acompañante del instrumento solista y, de hecho, ésta participa en la ejecución temática muy esporádicamente, si bien lo hace en los fragmentos temáticos en unísono, algo que resulta curioso, ya que es en estos fragmentos donde la orquesta posee menor variedad tímbrica, canalizada aquí por el unísono orquestal. Sin embargo, no debemos entender esto como una debilidad en el uso de la orquesta, sino como una característica significativa de la música de Anton García Abril, en la cual a menudo la orquesta se torna instrumento único, subyugado por el quehacer melódico. Esta pecualiaridad la encontramos en buena parte de sus obras orquestales y camerísticas:

A. G. Abril: Celibidachiana, compás 342. © Ed. Bolamar.
Ejemplo 29

El uso del unísono lo encontramos en los temas A y E, aunque también es utilizado en otros fragmentos de importancia. Esta forma de articular el tema se justifica por el juego existente entre orquesta e instrumento solista, cuyo papel parece querer imitar en algún momento la orquesta, de ahí que sea en las partes donde aquella utiliza el tema predominante donde el unísono se enfatice.

Ejemplo 30

Esto no quiere decir que la obra no contenga tuttis en el sentido tradicional del término, sino que éstos se hallan dispuestos de modo convencional, es decir, desde un punto de partida orquestal menos personalizado, en el que el despliegue de los acordes y sus tensiones implican una necesaria ampliación del espectro tímbrico. Pretender abarcar todos los medios orquestales utilizados a lo largo de la obra sería materia de un compendio, algo que no pretendemos. Nuestro objetivo final es dar a conocer los rasgos y medios de elaboración principales del material musical utilizado por el compositor.

La obra que a continuación vamos a analizar es otra de las más significativas de su catálogo, además de poseer un recuerdo entrañable de la amistad con el compositor catalán Frederic Mompou. Se trata del **Homenaje a Mompou** que García Abril escribiera en su memoria y dedicara a la esposa de aquél, la pianista Carmen Bravo.

Homenaje a Mompou

La obra fue encargada por el Trío Mompou y escrita para homenajear al compositor, al cual había conocido en Siena en su época de estudiante *«En una de las clases magistrales de Sajarov, un ballet compuesto por italianos y rusos presentó una escenografía con una música que me estaba cautivando y, al preguntar sobre ella, descubrí con alegría que era de un español, de Mompou»*[11]. De antemano la pieza iba a ser dedicada al maestro, y por ello García Abril escogía un elemento reconocible de una de las obras más significativas del compositor catalán, y a partir de aquella desarrollaría su propio trabajo. *«[...] me planteé la posibilidad de estructurar mi obra, partiendo de alguna célula, acorde, ritmo... etc., en definitiva, partiendo de un elemento constructivo del maestro, y tomándolo como punto de arranque, para iniciar mi propia trayectoria. De esta forma, me decidí por una pequeña estructura interválica, precisamente el inicio de la Canción y Danza nº 6. Este intervalo de segunda se convierte en el móvil que impulsa mi obra hacia un desarrollo camerístico y que actúa como germen que irá creando su propio desarrollo»*[12].

Lo que se mantiene en común no son las notas, sino el intervalo inicial de la obra de Mompou, que por otra parte es la idea leitmotiv de la **Cançò número 6**.

---

[11]   Cabañas, F.J.: *Antón García Abril*. Pág. 75.
[12]   García Abril, Antón: Texto de la contraportada del disco interpretado por el Trío Renaissance.

Ejemplo 31

Este elemento motívico será desarrollado de forma casi obsesiva por

García Abril, de modo que la obra se construye mediante un discurso en continua evolución a partir de aquél. Aún así se mantiene un procedimiento tonal de carácter libre y de connotaciones parecidas al que encontrábamos en **Cadencias**, aunque existe aquí un procedimiento formal más transparente, remarcado por la reexposición motívica, lo que le procura un carácter cercano al tradicional, especialmente en lo que respecta a su planteamiento.

En esta obra, como en **Cadencias**, el lenguaje armónico se encauza desde un aspecto de total libertad, utilizando la idea de tónica como base tonal jerárquicamente movible. Si bien la pieza comienza en la tonalidad de Mi mayor (en su dominante Si), termina en Reb, utilizando un final en el que no aparece la tercera del acorde, lo que ayuda a reafirmar su ambigüedad tonal. Sin embargo, el medio armónico utilizado es más limitado que el encontrábamos en **Cadencias** y priman, por encima de todo, las tonalidades de Mi y Mib mayor. Téngase muy en cuenta esto último, puesto que el procedimiento será similar al de la obra anteriormente citada, sobre todo en el hecho de que se mantiene la idea de un cromatismo tonal entre los ejes de mayor significación.

La obra se inicia mediante la repetición exhaustiva de la célula o motivo de la obra de Mompou, a la que se le añade una melodía que, lejos de ser secundaria, será esencial, ya que el motivo antedicho se comporta como un pedal de dos notas (ejemplo 32).

Al igual que sucediera en **Cadencias**, será preciso abordar de forma independiente cada uno de los fragmentos de la obra, ya que esto nos ayudará a arrojar luz sobre su configuración global. Así, desarrollaremos el trabajo en los siguientes apartados:

      a/   El proceso temático de forma sonata
      b/   El medio de encadenamiento armónico

El primero, como un medio que sostiene el engranaje formal de la obra, aunque con diferencias con respecto a la forma tradicional, y el segundo, como complemento necesario para la observación del movimiento de la relación armónica general.

Ejemplo 32

El proceso temático de forma sonata

La obra sigue un proceso formal que se halla íntimamente relacionado con la forma sonata, algo que queda claramente reflejado en la reexposición, si bien no resulta exactamente conforme al patrón de aquella, ya que es un elemento leitmotiv el que la rige y no una idea temática, sin embargo, este elemento motívico es utilizado como idea principal y elemento secundario. Algo así ocurre en el principio de la obra, en la que el tema realizado por el violonchelo sobrepasa temáticamente a la célula motívica.

Ejemplo 33

Esta idea inicial, presentada por el violonchelo, no tiene repercusión en el resto de la pieza, ya que ni siquiera será utilizada de nuevo —a excepción de la reexposición final. En el fragmento aparece una constante ambigüedad tonal entre Mi mayor y Si mayor, propiciada por la caída en tiempo fuerte de la nota Fa# junto a la aparición de Si como eje tonal del tema del Violonchelo, a pesar de que aquella actúa en realidad como apoyatura. Será la tonalidad de Mi mayor la que acabará imponiéndose en lo que sigue.

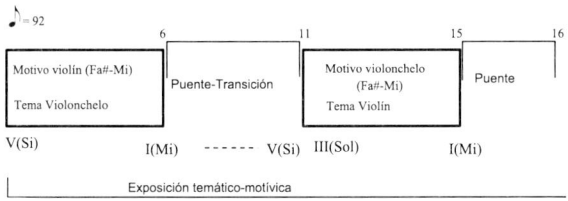

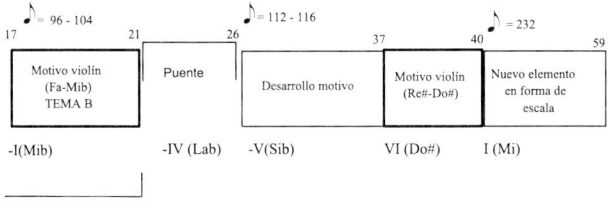

Ejemplo 34

A pesar de que en la obra imperan los fragmentos temáticos no hay que menospreciar los períodos de puente, puesto que son fundamentales para guiar el proceso armónico hacia la nueva tonalidad y en ellos subyacen melodías secundarias.

LIBRE TONALIDAD

El primero de estos puentes sirve únicamente para establecer el proceso cadencial preparatorio de la repetición temática del compás 11; aquí la repetición temática —invertida— corre a cargo de la cuerda, mientras a lo largo del fragmento el pianista muestra un claro carácter acompañante. Esta peculiaridad se prolongará durante buena parte de la pieza.

El primer puente, que abarca del compás 6 al 11, es de nuevo repetido entre el compás 15 y 16, aunque sólo en parte, quedando interrumpido por la aparición de la célula motívica en la nueva tonalidad de Mib, es decir, a distancia de segunda menor descendente. El nuevo motivo generado, que será interpretado como un segundo tema —semejante a la idea del tema secundario utilizado en la sonata clásica—, será también repetido en la reexposición, si bien su resolución final será distinta. No hay que olvidar que lo mencionado es algo habitual en la forma sonata, si bien no lo es mantener en la reexposición la misma tonalidad del tema contrastante.

Este nuevo tema, aunque mantiene el mismo carácter motívico inicial es realizado de forma aparentemente distinta.

Ejemplo 35

Obsérvese la circunstancia de que por vez primera aparece con las mismas notas (Fa y Mib) del motivo de la **Cançò número 6** de Mompou. Violonchelo y piano actúan únicamente como instrumentos acompañantes. Tras el puente que sigue surge de nuevo la célula sobre Do tal como aparece, textualmente, en la partitura de Mompou, aunque la configuración melódica del fragmento le confiera distinto aspecto. Será aquí el lugar donde se observe mayor coincidencia con la partitura del maestro catalán, algo que no se repetirá en adelante (ejemplo 36).

Aunque el fragmento comienza como anteriormente indicábamos, se apunta un retorno a la idea temática anterior, de nuevo repetida en Fa-Mib, aunque no habrá verdadera estabilidad tonal hasta el compás 37, donde aparece el motivo principal en las notas Re#-Do# sobre un pedal del acorde de Do# mayor, relacionado tonalmente con lo que le sigue. Este elemento, que se prolonga únicamente durante 3 compases, sirve de puente a la presentación del elemento contrastante, que aparece de nuevo en la tonalidad de Mi mayor (compás 40), que es donde se conseguirá una mayor estabilidad tonal con la inclusión de un período temático en forma de escala, realizada en primer lugar por el piano y seguida por los instrumentos de cuerda (compás 45). A partir del compás 60 se desarrollará hacia nuevos derroteros, tomando como punto de partida una derivación de la escala anterior, a modo de tema (ejemplo 37)

Ejemplo 36

Elemento en forma de escala

Idea temática derivada

Ejemplo 37

Este elemento, que por su carácter melódico puede ser interpretado como una idea temática nueva, es utilizado únicamente como contraste intermedio y arranque del desarrollo principal (ejemplo 38)

Quizás al lector pueda resultarle poco clara la configuración del desarrollo; cabe resaltar al respecto, sin embargo, que el período de que tratamos sobreabunda en cambios de tonalidad —pasando de la dominante de la tonalidad principal (Si) a la tonalidad del tema segundo Mib—, característica que predomina durante toda la sección hasta el compás 157, donde de nuevo tenemos un regreso a la tonalidad principal.

LIBRE TONALIDAD

El desarrollo es el lugar donde concurre la mayor diversidad de variación temática de toda la obra, en el que se manifiesta un cambio continuo de región tonal. Por supuesto, aquí se encuentran muchos fragmentos que se utilizan como pedal armónico y que por consiguiente alcanzan una cierta estabilidad tonal, si bien tales fragmentos breves quedan aislados entre sí. Este es el caso del compás 77, en el que mediante la célula motívica sobre Fa#-Mi utiliza el pedal del acorde de Do mayor hasta el compás 85, donde una nueva célula temática, que inicia su recorrido con las notas Re-Do, es acompañada de un pedal sobre la dualidad Fa-Mi, tras el cual en el compás 96 aparece un fragmento de gran parecido al del compás 40 y siguientes, si bien ahora mucho más corto y sobre un pedal de Mib, que es la tonalidad del tema contrastante (B).

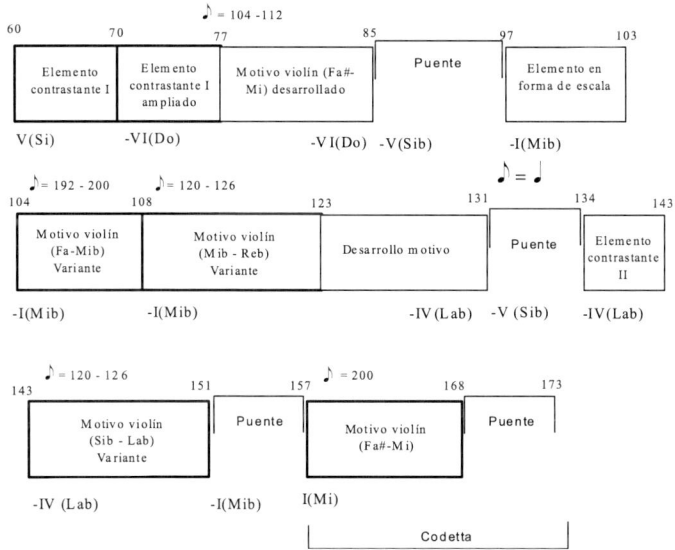

Ejemplo 38

Entra aquí, en el compás 104, una repetición motívica sobre las notas Fa-Mib que es seguida de Mib-Reb, siempre sobre un pedal de Mib. Éste fragmento, de una duración de 21 compases y que resuelve sobre Lab en el compás126, es el de mayor estabilidad tonal de la obra, si bien se utilizan acordes en tensión que sirven para realizar la ampliación tonal necesaria para el desarrollo armónico del fragmento. Lo que resulta paradójico es que el fragmento se encuentre precisamente integrado en el desarrollo, sobre todo cuando este último se caracteriza por su inestabilidad tonal. Hasta cierto punto es comprensible: si en los temas iniciales se produce una clara estabilidad tonal al mantener una tónica estática, es normal que el desarrollo se comporte como contraste de aquellos —a una idea temática de gran movimiento tonal se le aplica un desarrollo de mayor estabilidad tonal.

En el resto de la obra, la configuración formal no aporta nuevas ideas al discurso formal, ya que el desarrollo se va a prolongar hasta el compás 157, donde aparece una *codetta* preparatoria de la reexposición, a modo de falsa entrada. Antes de llegar a ella en el compás 134, aparece un nuevo elemento temático tras un pequeño puente que, de forma parecida a lo que hemos llamado *elemento contrastante I*, se comporta como algo ajeno al discurso global. Se trata de un fragmento de únicamente 9 compases, desvinculado de cualquiera de los motivos anteriores. En realidad es un período que actúa como sostén tonal, basado sobre un pedal de Lab que prepara la continuación (compás 143). De nuevo será una variación del motivo presentado en el compás 108 y siguientes, aunque en este caso sobre el pedal de Lab. El motivo principal se encuentra sobre las notas Sib-Lab. Éste grupo motívico es de parecida extensión al anteriormente citado de Mib, y vuelve de nuevo en el compás 151. También servirá de puente hacia la repetición y preparación de la reexposición, a modo de falsa entrada (compás 163), y utilizará una textura rítmica procedente de los temas A y B sobre un pedal de Mi. Su configuración es la que se observa en el ejemplo 39.

Siguiendo a este elemento de cuatro compases aparece el único silencio de la pieza en todos los instrumentos. Tras aquél hay un pequeño período de inestabilidad tonal, en el que el piano es el encargado de realizar la parte melódica principal acompañado de un pequeño arpegiado en pizzicato en los instrumentos de cuerda. En el compás 174 se inicia de nuevo la reexposición temática, mantenida prácticamente inalterable hasta el compás 192 con la aparición del tema B (ejemplo 40).

La parte que se encuentra entre el compás 174 y 193 es idéntica a la del compás 1 a 18. Lo que se comportará de forma distinta a lo que le sigue, ya que lejos de mantenerse en el área tonal de Mib se sitúa sobre la nueva tonalidad de Reb, apoyándose en un pedal en el piano que se perpetúa hasta el final de la obra y que termina con el mismo acorde, sin tercera. Se observa aquí el motivo principal sobre las notas Sib-Lab en los instrumentos de cuerda y Mib-Reb en el piano. Lo sorprendente del fragmento es su terminación en el pedal de Reb. Creemos que lo mencionado está íntimamente ligado a la concepción de la obra, pero no a su contenido, ya que nada tiene que ver con su engranaje armónico. La obra termina en un suspiro o desaliento —motivado por la añoranza del compositor catalán—, que se traduce aquí en un alejamiento tonal que mantiene a la música en suspenso —incluso después de su final—. El procedimiento es inhabitual, aunque no por ello exento de belleza.

Ejemplo 39

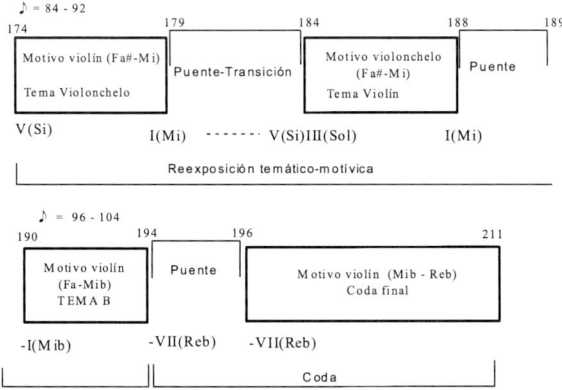

Ejemplo 40

El medio de encadenamiento armónico

Los rasgos armónicos característicos del **Homenaje a Mompou** no se alejan en exceso de los ya utilizados en **Cadencias**, aunque dada su mayor cohesión motívico-temática, no se dan con igual complejidad. El campo de acción temática conlleva, evidentemente, una mayor estabilidad tonal aunque aquí, al igual que en **Cadencias**, siguen siendo las notas pedal las que ordenan la continuidad armónica.

La obra contiene una estructura motívica férrea, y los elementos puente se comportan como episodios que sirven para la unión de las células motívicas que la integran. Sin embargo, creemos imprescindible analizar con cierto detenimiento la relación tonal de las principales secciones, ya que resultará útil para observar los principales rasgos de los procedimientos armónicos utilizados por el compositor. Los dos temas se articulan de forma parecida, si bien su contenido es distinto. El primero, que utiliza un motivo con tema añadido posee claramente delimitada su base armónica, en este caso en su primer grado tonal.

Ejemplo 41

Lo mismo ocurre con el segundo tema, que se halla justo a un semitono descendente de la tonalidad principal.

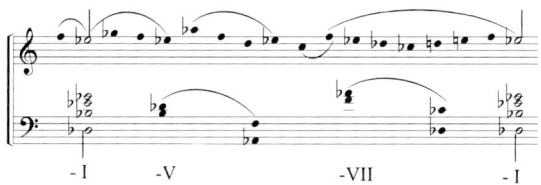

Ejemplo 42

Distinta es la utilización temática del compás 26 que, partiendo de la célula Do-Sib de dicho compás, llega a la de Re#-Do# en el compás 37.

Ejemplo 43

En el anterior ejemplo se observa que existe en el fragmento una tonalidad de Mib menor subyacente, mientras que se ejerce una conducción armónica que parte de Reb resolviendo en su enarmónico Do#. El movimiento de la armonía del fragmento es significativo, ya que el piano realiza un arpegiado continuo sobre una base de acordes con séptima plagado de notas de paso que, en su disposición horizontal, pueden parecer parte del arpegiado, si bien en su audición queda perfectamente delimitada su dirección armónica. Lo que cambia aquí es el motivo, que pasa de ser Do-Sib —mediante un engranaje en forma de progresión descendente— a Re#-Do#. En realidad se trata del VI grado de la escala de Mi mayor.

Los motivos contrastantes nada tienen que ver con las células melódicas principales, aunque parten de éstas. El primero (compás 60) es repetido dos veces y mantiene su contenido armónico prácticamente inalterado.

Ejemplo 44

En el fragmento predomina un pedal sobre La, al que se añade una serie de acordes en contínua variación, compuestos de superposiciones de cuarta. La constante variación tonal hace que el La se comporte en el fragmento como sustituto tonal, ya que se integra en parte del desarrollo. El segundo motivo contrastante (compás 134) nada tiene que ver con el anterior, sobre todo en lo referente a su aspecto melódico, aunque utiliza también un pedal —en este caso sobre Lab—, por lo que se establece entre ellos la misma relación que existe entre el primer y segundo tema, a la cuarta superior.

Ejemplo 45

La articulación armónica es, a pesar de todo, similar a la del primer elemento contrastante, ya que su constitución es la de un elemento pedal sobre el que se articulan los acordes en superposición, en los que predomina la relación de cuarta. Parecido encadenamiento utiliza la coda final, que se articula sobre un pedal con el acorde de Reb sin tercera.

La contínua superposición armónica sobre un área de pedal provoca implícitamente una ampliación tonal que resulta muy evidente en determinados fragmentos de la obra. Éstos son, sin duda, herencia de las músicas tonales de finales del XIX, que evolucionaron hacia planteamientos bitonales. Un caso en el que este procedimiento aparece con extrema claridad es el de la repetición temática del compás 11, donde se superpone el motivo y tema principal en los instrumentos de cuerda a una tonalidad distinta en el piano (ejemplo 46).

Obsérvese cómo los instrumentos de cuerda utilizan la tonalidad de Mi mayor, mientras que el piano se mueve en un área tonal de Sol mayor-menor. Estamos aquí ante un pedal, aunque en un sentido más amplio del término. No es solamente una nota la que actúa como tal, sino todo un proceso melódico que, por su sobreentendida tónica, toma su apariencia. Lo demás es una variación añadida. Este empleo de superposiciones tonales lo encontramos a menudo en **Petrouchka** y la **Consagración de la Primavera** de Stravinsky, músicas de influencia cierta en las de García Abril (ejemplo 47).

No debe extrañarnos el uso del material tonal de las obras analizadas en este trabajo —sobre todo en lo referente al pedal—, ya que resulta normal en un medio armónico en continuo cromatismo como el que aquí se aborda. Recuérdese al respecto el abigarrado pedal sobre Mib que Wagner utiliza al comienzo de su ópera **El Oro del Rhin**. Aunque el caso es muy distinto, existe una misma finalidad: erigir una estabilidad armónica frente a un procedimiento cromático en continuo cambio.

LIBRE TONALIDAD

Ejemplo 46

I. Stravinsky: Petrouchka.
Ejemplo 47

Al igual que en **Cadencias**, el uso melódico utiliza a menudo un doblaje al unísono o a la octava, enfatizando así su expresividad. Este medio de ampliación melódica se observa a lo largo de toda la obra: en el piano, mediante el doblaje a la octava en los compases 11, 17, 104, 131, 168, 184, 190, 196; en los instrumentos de cuerda, en los compases 134, 146, 163, 168, añadido además a un gran número de paralelismos que aquí no vamos a citar. Ya decíamos con respecto a **Cadencias** que esta es una de las características de la música de nuestro compositor. Por otra parte, en un mundo de ampliación tonal donde existe una necesidad de dirección armónica, cuando ésta no aparece —en un sentido puramente tradicional—, se precisa de un medio que actúe como sustituto, de ahí que en la música de García Abril aparezca a menudo el pedal. La progresión representa, sin embargo, todo lo contrario, y debemos decir que nuestro compositor no escatima su uso.

Algunas consideraciones sobre la música de Anton García Abril

La música de Anton García Abril se caracteriza, ante todo, por un contínuo desarrollo melódico. En ello el aspecto tonal juega un rol fundamental, de lo cual la melodía es la lógica consecuencia. Este característica del compositor, única de entre sus compañeros generacionales, se acentúa por el hecho de que será en la segunda mitad del siglo XX cuando exista una potente atracción de la música hacia cualquier medio no tonal, provocando un lógico alejamiento de la influencia tonal clásico-romántica claramente dirigida hacia la melodía infinita y la *Gesammt Kunstwerk*[13]. La mayor parte de compositores de la época realizó una música en la que la melodía era accesoria, algo a lo que García Abril renunció como principio, provocando la consiguiente ruptura con el medio atonal, en el cual hizo contadas incursiones.

Añadamos que García Abril siempre ha pretendido agradar con música, por lo que debía ser cercana a lo que el público reconoce como medio expresivo, *«[...] mostrando sin pudores verbales un deseo irrefrenable de amar y ser amado en cada compás, en la más sencilla síncopa, en el más elemental acorde igual que entre la mayor complejidad rítmica o densidad armónica. Tal es, seguramente, el secreto de su arte y de su éxito. Para gustar hace falta, primero, querer gustar y gustarse en ello»*[14]. Esto le ha proporcionado cierto éxito, pero también le ha frenado en su

---

[13]   Obra de arte total.
[14]   Zaldívar, Alvaro: Contraportada del disco monográfico de Antón garcía Abril publicado por el Gobierno de Aragón. (Marzo de 1993).

condición de compositor del siglo XX, atendiendo al hecho de que el avance lingüístico-musical no iba en esa dirección. No es nuestro propósito hacer crítica al respecto, sino únicamente constatar un hecho, al mismo tiempo que hacer una reflexión: ¿acaso en su época *Bach* no fue un compositor que utilizaba un lenguaje *anticuado?*, a lo que también se podría añadir lo que se cita en la contraportada del disco mencionado anteriormente: «*[...] los genios nunca tienen éxito en su tiempo y los que tienen éxito en su tiempo nunca son genios*»[15].

En todo caso, la música de Anton García Abril es una música fluida en la que no faltan ideas, recursos, voluptuosidad, etc. Quizá se pueda decir en su contra que, no es una música innovadora en un sentido meramente lingüístico, aunque esto no es *conditio sine qua non* para su validez.

---

[15] *Ibídem.*

Capítulo VI. Carmelo Bernaola

Fenomenología sonora

Análisis de Sinfonía en Do y Superficie número 1

Introducción

La personalidad de Carmelo Bernaola es una de las más controvertidas en la música española del siglo XX. Su incursión en la mayoría de los medios de comunicación musical, ya sea televisión, cine, música sinfónica, etc., hacen de él un creador polifacético, en el que confluyen una necesidad de renovación lingüística y un quehacer musical arraigado en la tradición y el oficio. Si bien mantiene en común con Antón García Abril un trabajo creativo de parecida índole —además de una gran amistad—, nada tiene que ver su lenguaje expresivo, especialmente el de la música sinfónica. Su dirección y perspectiva musical se encamina hacia la búsqueda de nuevas formulaciones, siempre inmersas en un lenguaje actual que tiene en los procedimientos seriales de los años 50 punto de referencia ineludible .

La producción musical de Bernaola parte de obras en las que existe una devoción explícita hacia Bartók: «Por *aquel entonces, era Bartók mi verdadero ídolo; no tanto Stravinsky o Hindemith*»[1], y avanza hacia el dodecafonismo que descubrirá con Gustavo Becerra: «*[...] sería éste mi primer contacto serio con la música atonal y pudo decir que, desde aquel punto, ayudado de libros y partituras, me interesé vivamente por unos procedimientos absolutamente desconocidos entre nosotros*»[2], lo cual le abriría nuevos caminos hacia propuestas poco o nada conocidas en la España de aquél entonces. El camino emprendido por Bernaola daba pues un paso hacia lo desconocido, alejándose de las premisas tonales de la enseñanza musical de su juventud. A ello ayudaría su amistad con el grupo de alumnos de la clase de composición del Conservatorio de Madrid, especialmente la de Luis de Pablo, quien jugaría un importante papel, sobre todo en lo que se refiere a ciertas cuestiones estéticas que en aquel momento se debatían en los foros musicales madrileños. La información sobre libros y composiciones de fuera de España sirvieron para Bernaola, y muchos otros, como punto de partida hacia un mejor conocimiento de la música que se realizaba en Europa.

Sin embargo, no puede entenderse la evolución del lenguaje en la música de Carmelo Bernaola sin tener en cuenta a quienes servirían de guía para ello, puesto que la influencia de maestros de la talla de Petrassi, de quien aprendería una técnica

---

[1]   Iglesias, Antonio: *Bernaola.* Madrid: Ed. Espasa Calpe, 1982. Pág. 62.
[2]   *Ibídem.*

sólida y el humanismo que caracterizaba su personalidad, de Maderna, del cual comenta que «*[...] sí que me sirvió de mucho, pues él fue quien me enseñó a trabajar las estructuras interválicas y muchas cosas importantes del serialismo*»[3], y Celebidache «*[...] yo aprendí con él [...] cómo estudiar una partitura, hasta entonces, cuanto había realizado en este orden de cosas, comparado con lo que él explicaba, era otra cosa, bajo todos los puntos de vista. Se analizaban las obras de manera exhaustiva, partiendo de una visión genérica global, pasando por el detalle minuciosísimo de lo específico, para estudiar fundamentalmente, los fenómenos que, por su especial aplicación en cada caso, produce el sonido como elemento esencial de la música*»[4]; esta experiencia, junto a los cursos en Darmstadt con Boulez, Stockhausen, Pousseur, Nono, etc marcarían su carrera futura. Todo ello implicaba una continua reflexión sobre la situación del compositor del siglo XX y el modo en que debía adoptar su propio trabajo, algo que se reflejaría en las obras inmediatamente posteriores: **Constantes**, **Sinfonietta Progresiva**, **Superficie número 1**, etc.

De todos esos conocimientos, amistades y estudios de formación destaca el aspecto de la *fenomenología sonora* como planteamiento musical generado a partir de las clases de Celebidache, idea que hace hincapié en el sonido resultante de la combinación, dispersión, relación, etc., que confluyen en toda música y que es la definitoria de su resultado final. Esta particularidad resulta claramente apreciable en su música, que huye explícitamente de ideas de complejidad extrema —aunque a veces parezca todo lo contrario— y se dirige hacia conceptos de combinación y desarrollo fenomenológico a partir de elementos de distinta configuración, ya sea tímbrica, armónica, contrapuntística, etc., y su relación con la escucha. Por ello la música de Bernaola no puede ser clasificada en un apartado específico, como puede ser la de otros compositores españoles, ya que cada obra es un mundo en sí misma, en la que tanto la configuración tímbrica como su globalidad sonora se articulan siempre de distinto modo. Tampoco es una música que se base en abstracciones complejas o indefinidas «*[...] su música no se plantea la carga de preocupaciones sociohumanísticas [...], sin embargo, desde el punto de partida del abstracto material sonoro, su obra cobra la misma dimensión de producto cultural valioso porque ha sabido plantearse con rigor las exigencias del lenguaje y la forma practicando un acercamiento artesanal a la música que demuestra una naturaleza musical de primer orden y una asombrosa profesionalidad*»[5].

---

[3]   Iglesias, Antonio: *Bernaola.* Pág. 76.
[4]   *Ibídem.* Pág. 78.
[5]   Marco, Tomás: *Historia de la música española.* Madrid: Ed. Alianza Música, 1989. Pág. 226.

De ese modo, su obra es técnicamente muy elaborada y contiene una gran variedad de elementos de contraste que son, de una composición a otra, verdaderamente distintos. Con esa continua variación de las ideas de partida la música de Bernaola resulta nueva en cada pieza, ya que en ellas existe un impulso imparable de renovación fenomenológica que se mueve en ciclos y en obras que los cierran *«[...] Cada uno de estos ciclos se cierra siempre con una obra-resumen: Superficie número 1, Mixturas, Música de cámara, etc.»*[6]. Aunque el punto de partida de la música atonal en nuestro compositor fue el dodecafonismo, no será en este medio donde principalmente desarrolle su lenguaje, *«El Piccolo Concerto es la primera muestra de mi música dodecafónica, muy incipiente, porque, luego, dodecafonismo, dodecafonismo..., haré ya muy poco»*[7], sino en procesos derivados de elementos combinatorios de diversa índole.

Paradójicamente, y aún siendo un compositor bastante conocido por el gran público, resulta lamentable que apenas exista una bibliografía actualizada y ni siquiera un catálogo de su obra completa. Por esa razón al lector que precise de información sobre el autor le puede resultar difícil contar con más elementos de juicio para conocer su obra. Aunque existe alguna biografía del compositor, la más reciente data de 1981. Ninguna de ellas aborda su obra desde un punto de vista técnico.

En la actualidad la música de Bernaola se mueve por derroteros muy alejados de la música serial de la década de los 50 y se halla más cercana a un aspecto lúdico, algo a lo que muchos compositores de su generación habían renunciado en los años 60 y 70, aunque muchos de ellos han recuperando de nuevo en la actualidad. En Bernaola esto queda plasmado en obras como **Juegos concertantes** (1986), **Nostálgico** (1986), **Sinfonía nº 3** (1990-1991), y otras obras de nuevo cuño. Sin duda, el compositor todavía tiene mucho por decir, si bien es en la madurez compositiva donde menor es la búsqueda de nuevas formulaciones, aunque ya hemos mencionado que en Bernaola una nueva composición siempre supone un nuevo lenguaje.

Las obras del compositor que aquí vamos a analizar son dos de las más importantes de su catálogo, y a decir verdad, fueron escogidas por él mismo para este trabajo. Para el autor, éstas son las composiciones que contienen con mayor claridad los aspectos de realización y desarrollo del material musical que utiliza. La primera, **Sinfonía en Do**, es una obra del año 1974 que integra planteamientos aleatorios de diversa naturaleza. La segunda, **Superficie número 1**, escrita en 1961, fue la obra con la que Bernaola iniciaba una nueva etapa compositiva dejando de lado la

---

[6]   Iglesias, Antonio: *Bernaola*. Pág. 108.
[7]   *Ibídem.* Pág. 74.

experiencia serial. Con estos análisis pretendemos acercarnos a la visión organiza-
dora del compositor, para después realizar la difícil tarea de escrutar en el interior
de la música con el objetivo de conocer mejor a quien la ha realizado.

SINFONÍA EN DO

Dedicada a José María Franco Gil y a su esposa Beatriz, la obra fue
estrenada en Madrid en Febrero de 1974 por la Orquesta Nacional de España dirigida
por el dedicatario. La **Sinfonía en Do** es una de las obras más representativas dentro
de su catálogo, además de ser su primera sinfonía. En ésta se halla el punto de partida
hacia formulaciones en las que por encima de todo existe un propósito firme de
renovación lingüística.

Bernaola se define a sí mismo como un formalista, y aunque tal clasificación
puede no resultar evidente en la obra que aquí nos ocupa, lo será desde el punto de
vista de su engranaje interno. La **Sinfonía**, lejos de hallarse inmersa en un mundo
dodecafónico —por otra parte no utilizado en sus obras desde los años 60— se
enmarca dentro del uso de nuevos procedimientos y nuevos métodos de trabajo,
utilizando un modelo contrario al del serialismo estricto: la aleatoriedad o flexibili-
dad combinatoria.

La sinfonía se compone de tres movimientos o partes que aluden a la
sinfonía tradicional: «*[…] se articula en tres partes, que no en tres movimientos,
donde la segunda y tercera se tocan sin interrupción. En la primera parte existen
diversas secciones que podían ser como las equivalentes, muy lejanas en mi
concepto, a una exposición, tema principal o primer tema, tema secundario o
segundo tema, y grupo cadencial de una sinfonía tradicional. [...] La segunda parte
podría ser como una forma ternaria donde se sustituyese la tercera sección, por un
proceso de desarrollo episódico, y que en este caso es un proceso aleatorio, que
conduce a la tercera parte. En ésta se podría hablar de una referencia lejana con
el rondó; en las secciones que serían equivalentes al estribillo, y como un personal
homenaje al sinfonismo clásico, la música se produce con un metro y un pulso de
aquel estilo. El contraste viene dado por las secciones equivalentes a la copla,
donde ya la música se produce con un lenguaje actual y, naturalmente, como en toda
la nueva música, han desaparecido el metro y el pulso tradicionales. Un proceso*

aleatorio viene a ser como un grupo cadencial.»[8]. Así pues, la obra se configura en tres partes que mantienen en común una dicción y gestos musicales polivalentes, en los que existe una dualidad que oscila entre notas en continuo movimiento y estaticismo.

Probablemente, lo que sorprenda al lector es el título de la obra, **Sinfonía en Do**, aunque eso nada tiene que ver con una concepción tonal, sino con un procedimiento de desarrollo del material musical que tiene en **Do** su eje o altura principal. **Do** es la nota más utilizada a lo largo de toda la obra, y para ello Bernaola se sirve de la octavación y el unísono. Para conseguir cierta claridad hemos optado por el dividir el trabajo analítico en varias partes.

El proceso formal. Distribución horizontal y vertical

La distribución de los elementos de carácter temático o motívico-interválico, junto a su medio de desarrollo, o quizá mejor, de encadenamiento derivado, no es nada fácil de determinar con exactitud, ya que como el compositor citaba en las notas al programa de su estreno, se huye de un planteamiento clásico a pesar de que la obra integre ciertas connotaciones de la sinfonía tradicional. Bernaola utiliza para ello varios modelos o elementos estructurales que son, en realidad, substitutos del tema tradicional, en algunos casos ordenados mediante yuxtaposición y en otros de forma contínua. Sin embargo, dos modelos serán fundamentales en su construcción lineal, y de uno u otro modo son la misma idea. El primero es el modelo estático-lineal que gobierna el proceso de avance a lo largo de toda la obra. Contrario a él, hallamos un modelo en contínuo movimiento que aparece de distintas formas: una de ellas es la de movimiento sobre idea lineal, mediante el uso de un elemento en bordadura o en constante repetición; otra es la derivada del uso aleatorio de ideas en movimiento.

Por tanto, el tema no resulta equivalente a la significación clásica de idea melódica unitaria, ya que como tal resulta inexistente en toda la sinfonía. No hay ideas de carácter melódico, a lo sumo cierta gestualidad interválica que la imita pero cuyo resultado sonoro no es ni mucho menos ideológicamente similar. Esta gestualidad es la que permanece invariable a lo largo de toda la obra, y será la que le proporcione la unidad necesaria como pieza única, aunque se trate de una forma tripartita. En ella coexiste una combinación tímbrica y formal muy significativa, o lo que es lo mismo,

---

[8]   Programa de mano del estreno de la obra.

una combinación horizontal frente a la vertical que separa dos modelos de ideología distinta: el primero (horizontalidad) ordena el transcurso y la evolución de las ideas en substitución del aspecto temático; el segundo (verticalidad) ordena el proceso tímbrico y la combinación instrumental. En esta configuración basamos el análisis, con el convencimiento de que es el modo más adecuado de sintetizar coherentemente su exposición.

Por otra parte, existe también un procedimiento de crecimiento armónico y tímbrico constante, en el que se tiende a menudo a conseguir el clímax sonoro mediante la acumulación, añadiendo instrumentos de forma paulatina. Esta forma de crecimiento tímbrico-armónico se refleja claramente en el proceso formal del primer movimiento: se parte de un comienzo básicamente estático que nos lleva progresivamente y mediante la aparición de nuevas ideas temáticas hacia el fragmento de desarrollo, donde participan tanto ideas de estaticismo y movimiento como procedimientos combinatorios.

A lo largo de la obra Bernaola utiliza una combinación tímbrica agrupada por familias, de modo que los instrumentos de madera aparecen siempre unidos, y en caso contrario lo hacen en grupos de instrumentos iguales, es decir, flautas, clarinetes o fagotes. El mismo criterio se utiliza en cada una de las secciones instrumentales, lo que le da unidad tímbrica a la obra, si bien se pierde en combinación textural.

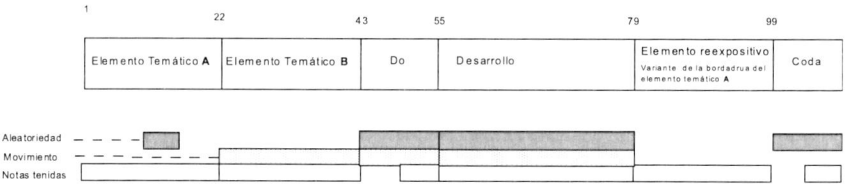

Ejemplo 1

En el anterior ejemplo se mostraba la realización formal del primer tiempo junto al procedimiento de masificación gestual —movimiento, aleatoriedad y estaticismo. Sintéticamente se observa una combinación que, partiendo de un estaticismo absoluto, va creciendo paulatinamente en cada una de las partes hasta su sección central, a partir de la cual el movimiento se invierte para terminar en un doble juego de aleatoriedad y notas mantenidas.

Ahora bien, ¿existe en realidad un elemento principal y contrastante que refleje con claridad el aspecto bipartito de la sinfonía? No se puede afirmar con la

229

rotundidad de un tema clásico, aunque existe una doble idea motívico-interválica que tiene, especialmente en el aspecto instrumental, su más clara diferenciación, es decir, mientras que el elemento inicial (A) se realiza entre percusión y cuerdas, sosteniendo estas últimas el peso sonoro, el segundo (B) se realiza con los instrumentos de viento, manteniendo únicamente en común el timbal, que pasa de la nota Fa —única utilizada en el fragmento anterior por el timbal— en el elemento A, a Si en el elemento B, retornando a Fa de nuevo en su parte intermedia (compás 33). A esto hay que añadir que el primero (A) no posee movimiento alguno, mientras que el segundo (B) actúa en contínuo cambio mediante el uso de ataques en los instrumentos de percusión, piano, celesta y arpa, que provocan el cambio del acorde utilizado en los instrumentos de viento.

Resulta notoria la aparición del Do en el compás 43, ya que por su disposición en cuatro octavas simultáneas se comporta como claro eje tonal del primer tiempo. De hecho se halla justo en la parte intermedia. En el fragmento se mantiene una combinación de movimiento aleatorio con la que se crea una enorme tensión que nos lleva a una parte del desarrollo en la que destaca la combinación de ideas en continuo cambio. No se puede hablar de desarrollo en el sentido clásico del término, ya que lo que se pretende es la continuidad con lo anterior, de modo que lo que se añade es una ampliación de la idea de bordadura junto a una enfatización de la aleatoriedad, creando así un magma sonoro que poco a poco se irá diluyendo para llegar a una nueva idea estática en el compás 79. En este compás el motivo principal no reaparece de modo literal, ya que tampoco se trata de un tema clásico, pero sí lo hace en cuanto a un encadenamiento similar al inicial, es decir, utilizando la doble bordadura al tiempo que lo realizan de nuevo los instrumentos de cuerda. El movimiento finaliza con un diseño descendente que se comporta como una coda.

Si bien en el procedimiento formal de este primer movimiento no se observa un proceso matemático lógico, se observa que la sección áurea de su conformación general se halla justo al final del crecimiento del segundo elemento temático (B), en el compás 39. Aunque este aspecto no ha sido controlado no hace más que confirmar el rigor de la combinación y la buena intuición del compositor.

El segundo movimiento posee una configuración formal mucho más simple. En realidad se trata de una forma en tres secciones claramente diferenciadas. En primer lugar, aparece una idea de crecimiento similar a la observada en el elemento B del primer movimiento. Esta vez serán los instrumentos de viento-madera los encargados de realizar el crecimiento, si bien lo coronarán, junto a los instrumentos de cuerda, en el compás 25. Tras esta primera sección (A), que coincide en cuanto al número de compases con la parte inicial de la sinfonía (elemento A)

—en este caso el acorde final se prolongará hasta el compás 28—, seguirá un fragmento de gran movimiento, en el que se combina el estaticismo de la cuerda con un movimiento de combinación tímbrica en el resto de los instrumentos de la orquesta (B).

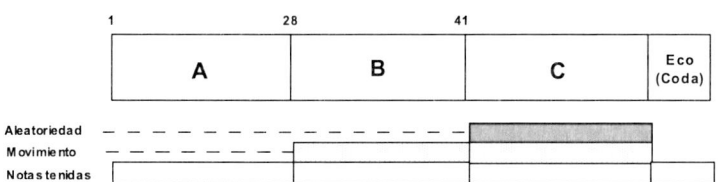

Ejemplo 2

En la última sección (C), a partir del compás 41, se inicia un movimiento combinatorio creciente y de gran movilidad, a modo de «*[...] mosaico construido con las pequeñas piezas perfectamente delimitadas. No son la pintura hecha a golpes de grandes gestos, ni al fresco, es lo opuesto, muy minucioso*»[9], al que posteriormente se le añade un elemento estático realizado por los instrumentos de cuerda. Dicho elemento se encadena directamente con el tercer movimiento, prolongándose hasta el quinto compás del mismo.

Será el tercer movimiento el que posea una disposición formal más clara, ya que se halla en la línea de la forma rondó de la sonata clásica, es decir, utiliza una combinación formal en la que predomina la repetición de un elemento que actúa como tema o estribillo, en este caso una nota repetida en forma de pulsación que parte de Do.

Su estructura formal, aunque también basada en ideas de crecimiento, pasa aquí a un segundo plano. En esta parte, lo que verdaderamente destaca es el efecto de disminución temporal de cada uno de los elementos. El elemento A, que utiliza inicialmente la nota Do se mantiene durante 32 compases con una idea de doble bordadura e inversión al mismo tiempo.

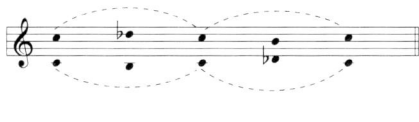

Ejemplo 3

---

9   Michael, Pierre: *György Ligeti, compositeur d'aujourd'hui*». Strasburg: Ed. Minerve, 1985. Pág. 156.

La segunda aparición del mencionado elemento posee una duración de 20 compases, y en este caso lo hace sobre la nota Re, también utilizando la doble bordadura. El tercero será de 14 compases sobre la nota Fa, el cuarto de 7 compases sobre la nota Sol, y el quinto de 5 compases sobre la nota Si. Tras este último no se manifiesta todavía el final de la obra, aunque sí lo hace el final de la exposición temática principal: en el compás 99 aparece un fragmento de 9 compases que utiliza la superposición de todas las notas principales (Do, Re, Fa, Sol y Si) utilizadas en cada uno de los elementos A, en una disposición que abarca todos los registros desde el grave hacia el agudo. La nota más grave es Do y la más aguda Si, notas primera y última respectivamente.

Un nuevo elemento combinado de A y B aparece entre los compases 109 y 120, terminando con una combinación de notas mantenidas entre el compás 120 y 124 semejante a la inicial .

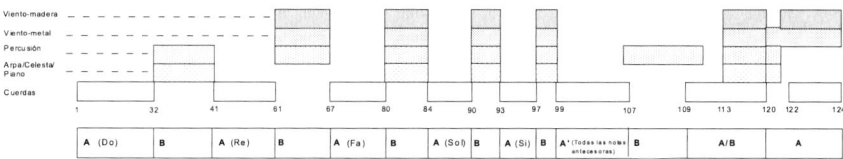

Ejemplo 4

Un proceso similar es el que se establece en lo que llamamos aquí B. En este caso B es, contrariamente a A, siempre diferente, de forma parecida a la copla del rondó clásico-romántico. Sin embargo, esta diferencia es únicamente de contenido y no de procedimiento. Lo utilizado en B[10] es una agrupación instrumental que usa combinaciones rítmicas de carácter aleatorio. En el ejemplo 4 damos rendida cuenta de la agrupación instrumental utilizada, en la que no aparece del mismo modo el aspecto de crecimiento presente en los movimientos anteriores.

Se mantiene también un decrecimiento contínuo en cuanto a la duración de los fragmentos, que pasa de ocho compases el primero, a cinco el segundo, tres el tercero, dos el cuarto, y uno el último. Coincidencia o no, este decrecimiento del número de compases se corresponde exactamente a la serie áurea común. A partir del compás 107, el elemento B se prolonga durante un período mayor que alcanzará su punto álgido en el compás 113 a 120.

---

10   Sabemos que en el análisis formal del rondó se enumera de distinta forma cada copla, pero en el caso que aquí nos ocupa, hemos preferido utilizar la misma denominación para cada una de ellas, ya que si bien el gesto es distinto, la finalidad es idéntica.

Elementos interválicos. Engranaje y combinación.

A simple vista resulta difícil encontrar un nexo interválico de unión en el magma de alturas de la obra, sobre todo debido al hecho de que realiza una combinación cromática que no permite observar claramente su ordenación. No por ello deja de existir, lo que ocurre es que simplemente la ordenación se articula de distinto modo al habitual.

Tratándose de una sinfonía en Do resulta fácil determinar que dicho sonido ocupará un lugar predominante en el desarrollo interválico, lo que en el desarrollo general de su articulación se convierte en una gran melodía tímbrica en continuo movimiento. Será sobre dicha nota desde la que se establezca un eje central de movimiento, tanto vertical como horizontal.

Por otra parte, hay detalles en el principio de la obra que pueden inducir a cierta confusión analítica, como es el hecho de que la obra comience con un Fa en los timbales, y no en Do como sería lo adecuado según su título. Por otra parte, existe una combinación a partir de Do mediante el uso de los armónicos más lejanos. Si la importancia de Do resulta clara en un sentido general, puesto que se repite en octavaciones en los compases 43 del primer movimiento, y en los primeros compases del tercer movimiento, no parece tan evidente la articulación interválica de cada uno de ellos. Por esa razón para empezar convendrá observar la combinación que el compositor establece a partir del eje principal Do.

Ya decíamos anteriormente que la obra se inicia con la nota Fa, pero hay algo más: las primeras notas que aparecen son Fa-Do y Sol, o sea, las tres notas principales que tenemos en la escala tonal de Do mayor. Eso no significa que Bernaola utilice un engranaje tonal, pero esa entrada sirve, en cierto modo, como presentación de su propósito compositivo. Tras esa entrada de las notas más cercanas de la tonalidad de Do mayor aparece otro grupo en forma de arpegiado ascendente que simulan una escala de armónicos sobre la fundamental Do, si bien lo que en realidad se está utilizando es una escala cromática sin la nota Do# (Reb). Sin duda este inicio posee una importante herencia de la música dodecafónica anterior. Cada uno de los instrumentos expone un número determinado de notas:

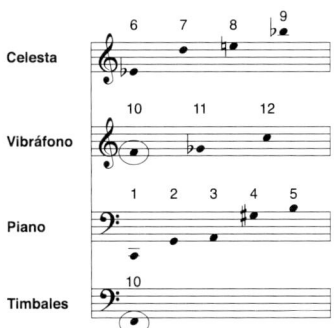

Ejemplo 5

Sólo se repite una de las notas: Fa, en los Timbales y el Vibráfono. También se mantiene una relación intervállica en la que predomina el tritono, intervalo habitual en la música expresionista. Este intervalo, aparentemente poco significativo en este fragmento, será de gran importancia en lo que sigue, de tal modo que la combinación intervállica que utiliza la madera en el compás 11 y la marimba en el compás 7 mantiene en sus extremos agudo y grave una distancia de tritono.

Ejemplo 6

No es solamente esto lo significativo del fragmento. A ello se le suma el hecho de que se trata de una escala cromática en la que únicamente falta la nota Sib, manteniendo también Do como punto de partida. Ese Sib, que no se encuentra en la combinación de estos dos grupos, aparece inmediatamente como la nota superior de los instrumentos de cuerda (compás 9 y ss.). En este caso será de nuevo Do la nota más grave.

Ejemplo 7

Obsérvese en el anterior ejemplo la simetría de la combinación interválica, en la que destaca la superposición de dos tritonos. Éstos también son utilizados en el encadenamiento ordinario de las notas, por lo que el tritono será claramente un intervalo privilegiado. Una aparición todavía más clara es la que se halla en los violonchelos entre los compases 17 a 19, en la que se utiliza una superposición de dos tritonos Do#-Sol y Si-Fa.

La simetría que constatamos en la parte inicial queda claramente reflejada en el movimiento de notas rápidas utilizado en las cuerdas en los compases 15 y siguientes, que por otra parte son una doble bordadura que usa el acorde inicial con las mismas alturas como punto de partida (ejemplo 7).

Ejemplo 8

Este mismo elemento de bordadura se encuentra en los compases 59 al 70, aunque sensiblemente variado y en diferente altura. El fragmento de articulación interválica más importante del primer movimiento es el que se inicia en el compás 22 en las trompas y el piano, y que mediante una progresiva evolución ascendente y descendente culmina en el compás 40, siendo utilizado como idea conductora que lleva el discurso musical hacia la aparición octavada del Do en el compás 43. La articulación es aquí evidente, y resalta especialmente la importancia textural de Do.

Ejemplo 9

Obsérvese que se utiliza una escala diatónica de Do en la melodía ascendente de la parte superior, y una escala de Do con el Fa# en la melodía descendente de la parte inferior. La primera forma parte de la tonalidad de Do mayor, y la segunda de su dominante Sol mayor. Las notas intermedias Mib y Sol# se mantienen durante un largo período, a partir del cual comienzan una escala descendente y ascendente respectivamente, hasta lograr la inversión de las mismas. Esta idea será doblada por los instrumentos de viento, que poco a poco aprovecharán la intensificación acordal para realizar un crecimiento progresivo que se coronará, como anteriormente se ha mencionado, en el compás 40. El uso de este elemento resulta aquí trascendental, ya que crea una ambigüedad melódica y armónica que precisa de una resolución clara, es decir, se crea un estado de tensión extremo que se resolverá con el unísono (u octavado) de la nota Do en el compás 43 en la cuerda .

Por otra parte, hay un hecho importante a resaltar sobre la configuración del acorde inicial del piano y las trompas del compás 22:

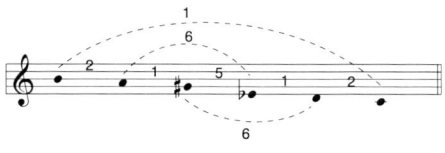

Ejemplo 10

Como se observa en el ejemplo 10, el acorde se compone de la superposición de dos tritonos con la separación entre nota aguda y nota grave de un semitono, o lo que es lo mismo, una séptima mayor. La trascendencia del elemento es notoria, ya que será precisamente el tritono el intervalo privilegiado, junto al semitono o el cromatismo.

Así se puede observar que los elementos simétricos son contínuos a lo largo de toda la sinfonía. Otro nuevo aparece en el movimiento rápido de las trompas en el compás 51, en el que se realiza una escala descendente con resolución a Do.

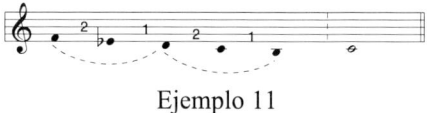

Ejemplo 11

Sin embargo, el más significativo es el utilizado en el compás 55, en la combinación vertical de los instrumentos de cuerda, donde aparece un espejo combinatorio a partir de un semitono central:

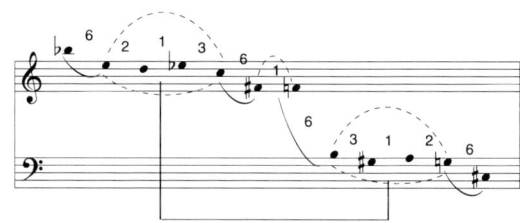

Ejemplo 12

Se observa claramente la preponderancia del intervalo de tritono y de segunda menor, mientras que los demás son accesorios.

A partir del compás 72 se inicia una escalada melódica, en la que se parte de un acorde pedal al que se le superpone otro pedal móvil en los instrumentos de madera, percusión y arpa. El arpa usa las mismas notas que los instrumentos de cuerda, mientras que la madera utiliza una combinación interválica en la que predominan las distancias de tritono y semitono.

Ejemplo 13

También encontramos aquí una escala cromática sin el sonido Fa#. Este pedal enlaza con otro del compás 79. En este caso será de tipo movible, es decir, utiliza una combinación interválica que se va moviendo paulatinamente en cada una de las voces. Aunque aparentemente no parece poseer un movimiento concreto, nos encontramos frente a una ampliación del elemento de doble bordadura que ya aparecía en el compás 15, articulado del mismo modo en todas las voces.

Ejemplo 14

En el ejemplo anterior se observa la existencia de un engranaje vertical basado en el tritono, en el que cada una de las notas que inicia la bordadura se articula con otra manteniendo dicha distancia. También sorprende observar que de arriba a abajo encontramos una combinación interválica —entre cada uno de los elementos— que mantiene la distancia de 1-2-1-2-1-2 semitonos, algo que sin duda ha sido minuciosamente preparado por el compositor. La importancia de este elemento es capital, ya que resume en sí mismo la configuración interválica de toda la obra, especialmente la del primer movimiento. Lo que ocurre a partir de aquél pasa a un segundo plano de importancia. Resulta curioso que ese engranaje de doble bordadura sea el eje sobre el que se fundamenta una de las obras más importantes de la música del siglo XX, el **Concierto para percusión, cuerdas y Celesta** de Béla Bartók, que en su final resume del siguiente modo el contenido global de la obra:

B. Bartók: Concierto para percusión cuerdas y celesta.
Ejemplo 15

No hay duda de que existe cierta relación con la obra de Bartók, aunque sea inconsciente, ya que aquélla utiliza en su encadenamiento interválico principal —del mismo modo que Bernaola lo hace en la **Sinfonía nº 3**— una doble dirección de alturas hacia el agudo y el grave.

Este elemento se prolonga hasta el compás 99, donde un descenso cromático en el que se utilizan primordialmente intervalos de tritono y segunda menor conduce a un acorde con sonidos armónicos en los instrumentos de cuerda. Este último acorde, que será con el que finalice el primer movimiento, integra una combinación de la escala cromática completa, en la que la cuerda toca once de las notas, siendo la número doce (Sib) confiada al timbal.

En el segundo movimiento la articulación interválica permanece inalterable, probablemente debido a que la obra, a pesar de articularse en distintos movimientos o partes, se comporta como una pieza en tres estadios de tempi distintos. En el segundo, el uso de Do como centro tonal no resulta tan claro como en el primero, si bien será conducido hacia aquél en el enlace hacia el tercero. Este nuevo movimiento empieza con la nota Sol, y a partir de ella se realizará un progresivo avance de características semejantes al del compás 22 del primer movimiento; es decir, se utilizará un crecimiento contínuo mediante notas tenidas que nos llevará a un acorde en el compás 25, todo esto unido a la incorporación simultánea de todos los instrumentos de la orquesta, exceptuando los de viento-metal. El proceso empleado aquí es el siguiente:

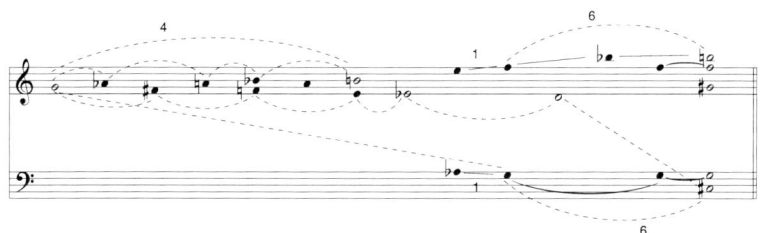

Ejemplo 16

Se observa un contínuo uso del tritono entre la nota inicial (Sol) y la más grave (Do#), distancia que se repite también en el registro agudo, mientras que la parte intermedia finaliza en Sol #, o sea, manteniendo entre la primera y última nota del registro central (Sol-Sol#) una distancia de semitono. Esta misma articulación se repetirá en los compases 27 y 28, mientras que en el 26 se encuentra una distinta agrupación de notas que mantienen entre sí una relación de gran coherencia:

Ejemplo 17

De nuevo será aquí el tritono el eje interválico principal junto a la distancia de semitono, que en este caso se refleja entre los extremos agudo y grave. A partir del compás 29 el proceso se diluye poco a poco para conseguir un gran mosaico sonoro en constante variación y que enlazará con el tercer movimiento. En este fragmento coexistirán dos ideas distintas. En la primera, los instrumentos de cuerda, mediante notas tenidas utilizarán una articulación fija en la que el tritono es el eje interválico principal:

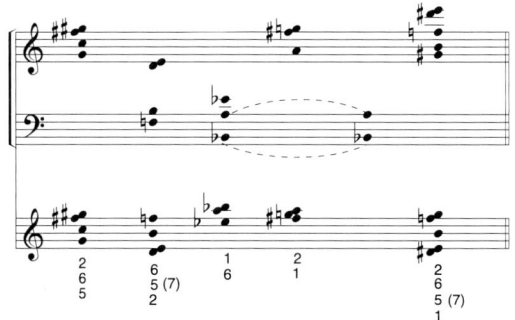

Ejemplo 18

En la parte inferior se observa la inversión del acorde, y en ella se refleja el uso que tienen los intervalos de tritono, cuarta justa, segunda mayor y menor, como los preferentemente utilizados en los instrumentos de cuerda. Esto ocurre durante el fragmento que va desde el compás 30 al 41. Sin embargo, los otros instrumentos utilizan un enlace mucho más complejo que sirve a su vez para preparar el fragmento de libre repetición del compás 42 y siguientes. Así pues, la articulación interválica del fragmento es diversa, de la cual la que sigue es su parte inicial:

Ejemplo 19

Esta articulación se superpone a la combinación de la cuerda, que mantiene notas tenidas. En el último acorde que sirve de conclusión (compás 38 y ss.) aparece una parte doblada por el arpa, algo que ya se ocurría en el primer movimiento (compases 14 y ss.). Lo que le sigue en el compás 42 se comportará como una *microarmonía* —equivalente vertical de la *micropolifonía* utilizada por Ligeti—, y se desarrollará en un gran complejo vertical en el que, por encima de todo, es el efecto tímbrico resultante el que importa, a pesar de que en el engranaje armónico de cada uno de los acordes subsista una ordenación que mantiene a los intervalos de tritono y segunda menor como principales. Ese engranaje se observa especialmmente en la cuerda, que será la continuadora del elemento móvil que servirá de nexo de unión con el tercer movimiento. En este caso parte de la cuerda toca un acorde tenido y el resto realiza un pizzicato con las mismas notas. Con ello se refuerza la verticalidad y se obtiene una mayor movilidad.

Ejemplo 20

En el anterior ejemplo se observa cómo en cada grupo se utiliza una combinación con distancia de tritono, al tiempo que la verticalidad —en su totalidad— contiene toda la escala cromática sin el sonido Fa, algo que ya había sido utilizado anteriormente y de forma similar. Este elemento se va a mantener hasta el compás 5 del tercer movimiento, donde aparece junto a una octavación de Do que se prolongará hasta el compás 15, a partir del cual se inicia una idea semejante a la observada en el compás 79 y siguientes del primer movimiento, es decir, una combinación a modo de doble bordadura manteniendo el mismo ritmo-pulsación de la nota Do, a la cual regresa inmediatamente.

Esta misma idea se repetirá más tarde y en distintas alturas, manteniendo también la doble bordadura: entre el compás 41 a 61 sobre la nota Re, entre el compás 67 y 80 sobre la nota Fa, entre el compás 84 y 90 sobre la nota Sol —en este caso únicamente una sola bordadura— entre el compás 93 y 97 sobre Si, y entre el compás 99 y 107 se mantendrá un acorde que tiene en sus extremos Si y Do, que será el encargado de concluir. Esta superposición vertical (compás 99) mantiene todas las notas pedal utilizadas hasta el momento, comportándose como la culminación lineal de este tercer movimiento.

Ejemplo 21

Para unir estos bloques sonoros Bernaola utiliza unos fragmentos aleatorios que se caracterizan por una textura específica y en la que cada familia instrumental juega su función. Tal es el caso del primer fragmento, entre los compases 33 a 40.

Ejemplo 22

Observemos que se pretende crear un magma sonoro contrario al fragmento anterior, en el que se utiliza la octavación de la nota Do. Si bien el encadenamiento interválico es aquí poco significativo, ya que lo que se pretende es crear una textura sonora movible, existe una relación interválica en la que predomina el tritono. Tómese como ejemplo el grupo de notas utilizadas por la marimba.

Ejemplo 23

En el fragmento se hace un uso de notas restringido, ya que la xilomarimba utiliza 11 sonidos (le falta el sonido Si), la marimba 9 sonidos (le faltan los sonidos Fa, Fa# y La), el vibráfono 8 sonidos (le faltan los sonidos Mib, Fa, Fa# y La), la celesta 10 sonidos (le faltan los sonidos Si y La), mientras que el Arpa y Piano los utilizan todos. También hacen uso de todos los sonidos cromáticos dispuestos verticalmente la combinación de Trompetas, Trompas, Trombones, Timbales y Flautas las cuales, en su conjunto, utilizan doce sonidos que son, a su vez, los 12 de la escala cromática.

El fragmento siguiente que sirve de unión es el del compás 62 a 66, en el que se producirá un efecto semejante al antedicho, es decir, un grupo de sonidos en movimiento rítmico libre. Serán únicamente los instrumentos de viento y percusión los que participen, de tal modo que en los instrumentos de viento se utiliza una agrupación individual para cada familia de únicamente 3 sonidos, mientras que los instrumentos de percusión lo hacen con 4 sonidos.

Ejemplo 24

Como se observa en el ejemplo anterior, predomina el uso de los intervalos de semitono y segunda mayor, a excepción del vibráfono. La siguiente parte intermedia posee sólo 3 compases —se halla entre los compases 81 y 83— y utiliza de nuevo el gesto de la doble bordadura en los instrumentos de madera, percusión y piano, tras los cuales se produce una simetría interválica vertical, mediante una nota tenida en los instrumentos de metal y un arpegiado con valores libres en la percusión y piano.

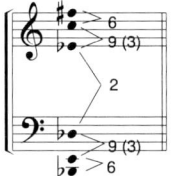

Ejemplo 25

El siguiente fragmento, de únicamente 2 compases, comienza en el compás 91 y utiliza los instrumentos de madera, trompas, percusión celesta, arpa y piano, con un acorde-bordadura en los instrumentos de viento. Del mismo modo se tratará el último período intermedio, que se halla en el compás 99.

A partir del compás 108 se inicia un período *Senza Tempo* en el que únicamente el timbal mantiene notas de afinación temperada, en concreto cuatro: Fa-Do-Si-Fa# que, como se observa, mantienen entre sí una distancia y superposición de tritono. La obra finaliza tras un episodio en forma de gran mosaico sonoro y con un acorde mantenido, en el que los extremos agudo y grave guardan una distancia de tritono entre sí, siendo la nota más grave Do, realizada por los fagotes y los violonchelos.

Ejemplo 26

Hasta aquí se ha mostrado el uso interválico de cada uno de los fragmentos. La claridad de los enlaces junto a los ejemplos escogidos creemos que son suficientes para que el lector pueda observar el comportamiento interválico. En este existe una combinación simétrica en la que el tritono juega un papel significativo. Ahora bien, deberíamos preguntarnos sobre la importancia real de dichos intervalos, puesto que sin duda es relativa. Lo que importa es la altura fija de Do y el engranaje interválico que parte de su combinación, junto a la férrea distribución formal que delimita su uso y desarrollo.

Aleatoriedad. Elementos integrantes.

A lo largo de la **Sinfonía** se mantiene una constante aleatoria mediante el uso de formulaciones diversas que son, sin embargo, parte integrante de una misma idea. El medio aleatorio posee como objetivo principal crear texturas armónico-contrapuntísticas en las que se produzca un efecto de mancha sonora, a modo de *micropolifonía*. Para ello Bernaola utiliza distintos medios que en su mayoría contienen una combinación rítmica de total libertad. Estas posibilidades tienen relación con distintas formas de escritura.

No hay una constante armónica ni melódica variable, sino que aquella se halla delimitada a su aparición inicial y a su sucesión lineal. Las posibilidades rítmicas quedan así reflejadas según un grupo restringido de variables, determinadas por el compositor. La explicación de su lectura se encuentra al comienzo de la partitura. Sin embargo, poseen en común una constante repetición de fragmentos melódicos en tiempo libre. Por esa razón cada una mantiene una apariencia distinta, aunque son tres las principales. La primera es la que actúa como un medio de repetición constante, en la que el motivo interválico debe repetirse lo más rápidamente posible (ejemplo 27).

Ejemplo 27

La segunda actúa como una variante rítmica de elección temporal libre. Aparece por vez primera en el compás 45 del primer movimiento (ejemplo 28). La tercera actúa a modo de repetición rítmica constante, y será en el compás 62 donde aparezca por vez primera (ejemplo 29).

Cada una de ellas utiliza una escritura distinta que sirve a su vez para diferenciarlas. Todas las otras formulaciones de carácter libre que aparecen a lo largo de la obra son derivadas de las mencionadas y no añaden nada nuevo. Sin embargo, vale la pena resaltar que los efectos aleatorios utilizados no son tan significativos como el talante de música abierta que ello conlleva, algo que además influirá en su contenido general. De ese modo el elemento de nota mantenida que la inaugura participa también en el engranaje aleatorio resultante. En las notas mantenidas no se utiliza un valor equivalente de compás sino una línea continua, lo cual trae consigo una mayor claridad de la linealidad pretendida así como una intemporalidad de su duración, a pesar de que ésta se halle a menudo delimitada.

Ejemplo 28

Así pues, en la **Sinfonía en Do** existe un constante predominio de la aleatoriedad, si bien se trata de una aleatoriedad espacio-temporal controlada, lo que por otra parte resulta conveniente para su correcta interpretación. El elemento aleatorio pasa a ser así un medio de contraste, y a menudo, tal y como se observaba en la descripción formal, un elemento substitutorio del desarrollo. Es precisamente en ese plano donde radica la novedad del lenguaje de Bernaola, es decir, en el uso substitutorio de las ideas conceptuales clásicas por otras de indudable contemporaneidad y que se implementan de modo coherente. De ese modo la obra no deja de

utilizar un lenguaje tradicional, sino que por el contrario, éste se vuelve verdaderamente nuevo en esa concepción lingüística particular del compositor, en lo que
podríamos denominar *renovación tradicional.*

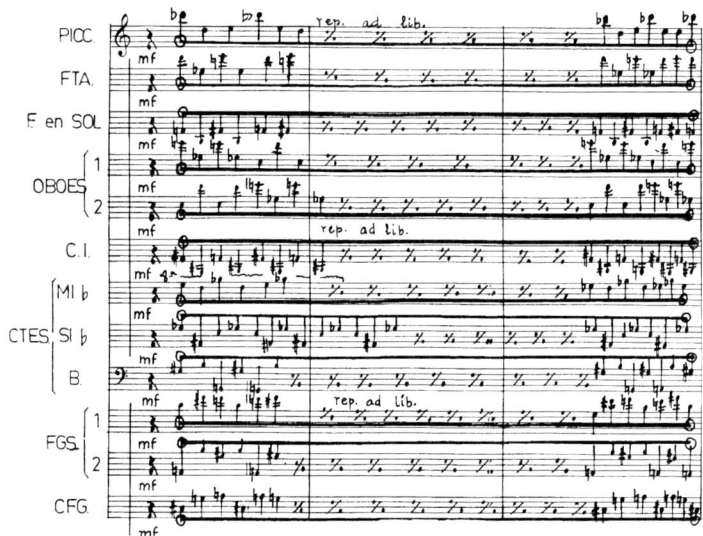

Ejemplo 29

Este constante intercambio fenomenológico es fundamental en la obra de
Carmelo Bernaola y pone de manifiesto una gran preocupación por el resultado
sonoro. La **Sinfonía** es una obra de carácter claramente tímbrico, en la que el timbre,
junto a la evolución lineal, comporta un mundo de sensaciones cuyas ideas temáticas
configuran una textura de múltiple color.

La obra que estudiaremos a continuación, **Superficie Número 1,** no posee
las características aleatorias de la **Sinfonía en Do,** puesto que es una obra anterior
—distan 13 años entre sí— si bien establece los mismos elementos de partida que
llevarían a su realización.

SUPERFICIE NÚMERO 1

Escrita en París en 1961, se trata de una de las obras más significativas en el catálogo de Bernaola, y probablemente sea la más importante de sus obras para cámara. **Superficie número 1** es la primera de una serie —cinco hasta la actualidad— en la que persiste un claro pretexto de búsqueda de nuevos procedimientos de realización del material musical alejados del mundo dodecafónico de obras anteriores. La obra inaugura una etapa en la que se utilizarán estructuras interválicas cerradas y se inicia un modelo de trabajo propio que se irá acentuando al paso del tiempo. El punto de partida es el de buscar un nuevo medio de expresión desligado de un procedimiento serial, puesto que éste era considerado por el compositor como excesivamente rígido .

Lo que contrasta con lo anteriormente mencionado es la elaboración de la obra, que se halla escrita de modo muy preciso, si bien lo que en realidad se pretende es crear aleatoriedad: «[...] *las líneas divisorias se tendrán en cuenta únicamente como orientación; el director, tomando como base las medidas metronómicas, conducirá libremente la masa sonora»*[11]. La configuración rítmica de la pieza a menudo resulta compleja, aunque no obedece a un orden predeterminado sino a una ordenación del material musical que sustituye a la disposición libre. Sería esta complejidad la que más tarde provocaría en el compositor su orientación hacia la música abierta, puesto que así el resultado final es aproximado y se gana mucho tiempo en su montaje.

Proceso formal

La obra se divide en tres secciones, a pesar de que la intermedia es muy corta. Cada una posee una configuración distinta aunque las dos extremas poseen elementos en común. En la primera existe una continua dirección de las alturas desde el grave al agudo, lo que se refleja en el uso de los glissandos en los instrumentos de cuerda, mientras que la última mantiene lo contrario, es decir, una continua orientación de las alturas en sentido descendente, especialmente observada en los glissandos de la cuerda.

---

[41]   Iglesias, Antonio: *Carmelo Bernaola.* Pág 82.

No sólo en la dirección melódica existe una tendencia de crecimiento hacia el agudo, sino que, aunque realizado de distinta forma, coexiste también una tendencia a un *accelerando* rítmico en la primera sección y a un *decrescendo* en la última. La sección intermedia actúa como elemento libre, en la que el silencio forma parte indisoluble de aquélla, a modo de centro y contraste con las secciones adyacentes.

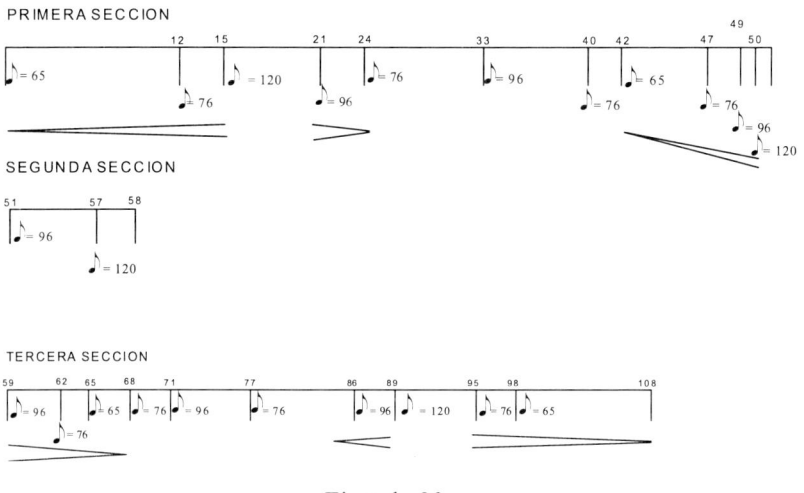

Ejemplo 30

En el ejemplo anterior puede observarse que tenemos únicamente 4 tempi distintos, los de corchea a 65, 76, 96 y 120, que se mantendrán sin otros variables a lo largo de toda la obra. Existe además un elemento de simetría que se observa en la distribución formal completa, de modo que la primera sección, que llega hasta el compás 51, muestra diferentes estadios de evolución, el inicial, que progresa desde 65 a 120, pasando por 76, y el último que lo hace mediante los cuatro tempi en continuidad. La tercera sección realiza lo mismo, pero en sentido retrógrado, es decir, aunque toma a 96 como punto de partida, en realidad es 120 su justo antecesor, con lo que los tempi determinados a partir de aquél son iguales, pero dispuestos de modo contrario. No sólo dichos tempi coinciden, sino que incluso el número de compases de cada sección se arbitra del mismo modo, a pesar de que poseen algunas diferencias. Así pues, en la sección central tenemos, entre el compás 51 a 57, el tempo de corchea 96, que es el único tempi que no aparece en el primer y último accelerando —diminuendo en el caso del compás 98 a 108—. Algo parecido ocurre con el uso interválico, al que dedicamos el apartado siguiente.

Procedimiento de encadenamiento interválico

El cluster que inaugura la obra es, en cierto modo, premonitorio de la forma en que se articulará interválicamente. Cinco son las notas que aparecen, y lo hacen a partir de la fundamental La.

Ejemplo 31

Este cluster constituye la única referencia de asociación cromática, pero su significación va más allá, ya que la distancia global de tercera mayor (4 semitonos), representa otro elemento a tener en cuenta, puesto que será fundamental en el contenido de la obra.

Como antes habíamos anunciado, en esta primera sección Bernaola utilizará un medio de encadenamiento interválico vinculado a una orientación de las alturas hacia el agudo y de regreso al grave, de modo que cada una de las partes se ordenará en esa dirección. No por ello será la única. El compositor conoce bien la argumentación que precisa una obra musical para llegar a su destino final de forma coherente. Sin embargo, un elemento distorsionador del encadenamiento interválico será la percusión, que será empleada como enmascaramiento de la línea melódica, en la que a menudo actúa integrada apoyando ataques precisos o como simple elemento de contraste de afinación no temperada. Dejamos para más adelante el estudio del desarrollo rítmico de la pieza.

El medio interválico, como se anuncia en el principio, se desarrollará a partir de elementos celulares que mantienen entre sí un encadenamiento cromático ordenado de forma independiente en cada una de las familias instrumentales, por lo cual, tras la aparición del cluster de cinco notas en el piano —primer compás—, esta misma articulación se presentará en los instrumentos de madera y cuerda, manteniendo entre sí la combinación interválica siguiente:

Ejemplo 32

Dicha combinación, que en el caso anteriormente citado es de carácter horizontal, se ordena verticalmente en el compás 12 en los instrumentos de cuerda, y en el compás 13 en los instrumentos de madera. También se utiliza una cola melódica que contiene un encadenamiento simétrico.

Ejemplo 33

El engranaje interválico es aquí similar, y predomina en una dirección hacia el agudo, algo que se observa claramente en el compás 12 del piano.

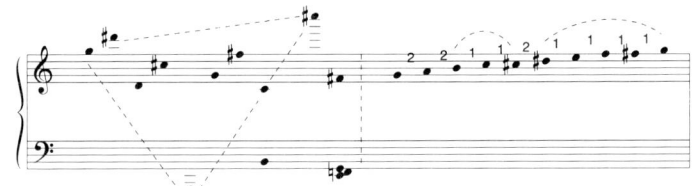

Ejemplo 34

En el ejemplo 34 se observa de nuevo la importancia de la distancia de tercera mayor, que será la que rija la llegada al grave y el agudo del fragmento —entre ambos extremos se encuentra la mencionada distancia interválica—, mientras que en el uso cromático de su globalidad predomina la secuencia de 3 sonidos junto a la de 5, que suma a su vez una tercera mayor, de igual modo que en el primer acorde de la obra.

Claramente se observa la importancia de la distancia de tercera mayor como la que engloba un cromatismo absoluto. Ésta va a regir la mayoría de las ideas de este tipo que aparecen en la obra, en el sentido de que aquella actúa como marco que a menudo se completa con distancias cromáticas, si bien en algunos casos también admite la distancia de segunda mayor. Por otra parte, en otro plano de importancia se hallan los grupos de 2 y 3 notas con interválica de semitono cromático entre sí y que son, como puede adivinar el lector, complementarias con respecto a la distancia de tercera mayor.

En el compás 19 tenemos de nuevo un cluster en la cuerda que culmina en el agudo pero que comienza en el compás 15, manteniendo una paralelismo continuado.

Ejemplo 35

Al mismo tiempo, en el mismo compás 19 los instrumentos de madera tocan un cluster, en este caso de 3 notas. En el fragmento queda claramente reflejado lo dicho anteriormente, es decir, que nos hallamos ante una distribución interválica articulada mediante un grupo de distancias limitadas a pequeños módulos cromáticos. Algo parecido se utiliza en lo que le sigue en el compás 22, utilizado como coronación del fragmento en paralelo de la cuerda. En el compás 23 el piano corrobora el medio utilizado así como la combinación interválica predominante.

Ejemplo 36

Este fragmento, debido a la dificultad de lectura por la dispersión en distintas alturas de cada una de las notas, puede parecer que se trate de una combinación interválica diferente a la hasta aquí mencionada., pero lo que en realidad se utiliza es una combinación de grupos de 3 y 2 notas en sucesión cromática, en las que se mantiene una relación global de absoluta simetría (ejemplo 37). Aquí de nuevo se mantiene la distancia de tercera mayor entre las notas extremas —o su inversión, sexta menor. Algo semejante ocurre en lo que le sigue, predominando la interválica antedicha. Obsérvese al respecto la secuencia melódica de las cuerdas y el piano entre los compases 25 y 26 (ejemplo 38).

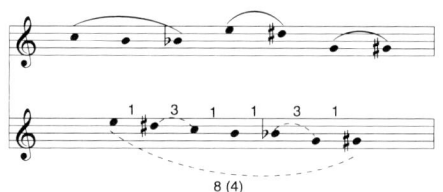

Ejemplo 37

Ejemplo 38

Ejemplo 39

FENOMENOLOGÍA SONORA

A pesar de todo, una de las partes en las la combinación simétrica llegará a su máxima elaboración, es la que se sitúa en los compases 45 y 46 (ejemplo 39), donde entre cuerda y madera no solo se mantiene una simetría en el encadenamiento interválico, sino que ésta se observa también en la dirección hacia el grave y agudo de cada uno de los grupos tímbricos junto a un uso rítmico prácticamente idéntico.

En el fragmento se imitan flauta con violín segundo, oboe con violín primero —aunque con una pequeña diferencia rítmica—, clarinete con violonchelo, y por último, fagot con viola —también con algunas diferencias rítmicas entre sí—. Esta primera parte concluye con dos compases de conducción melódica hacia el agudo, donde predomina una concatenación interválica de tipo cromático.

Ejemplo 40

En el compás 49 aparece por vez primera un unísono de todos los instrumentos. Lo curioso del fragmento es que se compone de dos encadenamientos cromáticos —el primero de dos notas y el segundo de tres—, es decir, una articulación parecida a la interválica inicial. En lo que le sigue predominan los encadenamientos cromáticos unidos al glissando del piano y los violines. Entre sus notas extremas se encuentra también la distancia de tercera mayor.

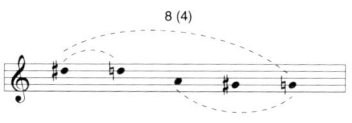

Ejemplo 41

En la sección intermedia (compases 51 a 58), aparece en primer lugar una combinación de todos los sonidos de la escala cromática en grupos de cuatro notas, asignadas a la madera, piano y cuerda respectivamente, combinación que se mantendrá a lo largo de toda la sección utilizando un paralelismo interválico entre los compases 54 y 58.

La última sección, a partir del compás 59, se articula de forma parecida a la primera e incluso termina con una configuración interválica idéntica en el piano, aunque a la quinta inferior.

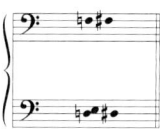

Ejemplo 42

En esta última parte aparece un elemento interválico que hasta el momento sólo lo había hecho circunstancialmente. Aquí tomará nuevo cuerpo: el intervalo de tritono. Éste aparece en dos combinaciones a la vez, una en los instrumentos de cuerda y otra en los de madera; en los compases 60 y 61 respectivamente.

Ejemplo 43

FENOMENOLOGÍA SONORA

También el piano lo utiliza, aunque su importancia es menor. Este elemento, junto a una serie de modelos de imitación contrapuntística de tipo simétrico, se encuentra en el compás 63 de forma parecida a la que ya se había dado entre los compases 45 y 50, aunque rítmicamente sea distinto.

Ejemplo 44

Aquí puede observarse la imitación entre flauta y violín segundo, oboe y violín primero, clarinete y violonchelo, fagot y viola. Desde el punto de vista analítico, lo que resulta más interesante del fragmento es que los compases 63 y 64 mantienen una constante simétrica con respecto a la aparición anterior de los compases 45 y 50, ya que ambos se encuentran a distancia de 4 compases del período intermedio, es decir, los primeros (45 y 46) son anteriores, y los segundos (63 y 64) posteriores. Cabe añadir que la repetición del elemento rítmico en ostinato del piano, que terminaba en el compás 45, recomienza de nuevo en el compás 63 (ejemplo 45).

Tanto en este fragmento como en el anterior (compás 44), se mantienen las mismas distancias cromáticas, aunque aquí se utiliza preferentemente la relación de tritono. Dicha relación se observa en la parte de la cuerda en los compases 65 y 66, donde se establece un encadenamiento por agrupación de tritonos (ejemplo 46).

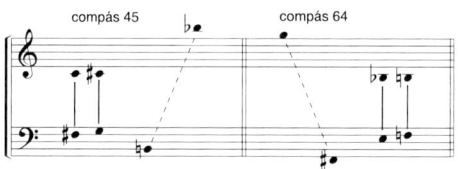

Ejemplo 45

Ejemplo 46

En el ejemplo anterior sólo el intervalo que se encuentra dentro del círculo no utiliza un encadenamiento de tritono, aunque creemos que se debe a un error. En la partitura la nota es Sol#, pero debería hallarse en su lugar Fa# .

Aunque no se puede hablar de una simetría absoluta nota a nota, percibimos una contínua referencia a ideas que se encadenan de igual modo en las dos partes extremas, como ya se citara en el apartado dedicado a la forma. Aparece así una gestualidad repetida a pesar de que los elementos se hallen dispuestos en otro contexto y altura. Todo esto no hace más que confirmar la idea de simetría que anunciábamos desde el comienzo del análisis. Cabría preguntarse si quizá exista en **Superficie número 1** una cierta alusión al **Pierrot Lunaire** de Schoenberg, ya que en el número 18 —*Der Mondfleck*—, utilizaba una retrogradación rítmica e interválica de cierto parecido a la obra de Bernaola.

Los encadenamientos interválicos sufren una alteración importante en la tercera sección, en la que predomina el semitono cromático junto a las distancias de tritono. La aparición de estos encadenamientos es innumerable, de modo que exponerlos en su totalidad resultaría excesivo; aparte de eso, no arrojaría nuevas luces sobre el procedimiento interválico empleado por el compositor. En el retroceso formal de la tercera parte se vuelve también paulatinamente a la normalidad interválica mediante el uso de distancias de tritono combinadas en grupos de 3 y cinco notas, como la del compás 99, en la que se utiliza una articulación en los instrumentos de cuerda en forma de glissando tras las notas mantenidas, tal y como ocurría en el compás 10 y 11 de la primera parte. También son aquí 11 los compases que faltan para el término de la obra, con lo que la simetría resulta notable. Se añade a este final una sucesión interválica de tritono en los instrumentos graves, distancia que era de tercera menor al principio de la pieza, si bien en aquel caso se utilizaba en los instrumentos agudos.

No hay duda de que en esta obra existe una clara necesidad de control del material interválico, prueba de ello es que éste mantiene sus principales ejes de acción en el cromatismo absoluto y en el control modular en grupos de sonidos. En contra se halla la distancia de tritono, por otra parte el único intervalo no invertible que poseemos en nuestro sistema cromático. Debemos señalar también una experiencia dodecafónica anterior, en la que el cromatismo o los procedimientos de relación cromática eran algo normales, al tiempo que, según se desprende del uso modular de la escala cromática, Bernaola parece tener en Webern el ideal de disgregación modular de la combinación serial.

Articulación rítmica

El aspecto rítmico, aunque no es trascendental en la música de Bernaola puesto que prima por encima de todo el aspecto de interrelación interválica, toma en esta pieza una mayor dimensión, si bien subsiste el propósito de crear una ambigüedad rítmica cercana a la aleatoriedad. Sin embargo, no podemos obviar la elaboración rítmica por el único hecho de que se relacione con un aspecto aleatorio, ya que resulta evidente que para su ordenación Bernaola utiliza artificios tradicionales y de tipo simétrico .

Los modelos de elaboración rítmica empleados se podrían resumir en los siguientes: a) proceso de aceleración, b) relación rítmica equivalente y contraria, c) simetría e imitación rítmica.

En el primer caso —proceso de aceleración—, el compositor utiliza la acumulación de sonidos en un solo tiempo como manera de crear un *accelerando* escrito. También se halla un número de grupos ascendentes, que siempre son de 3, 5 ó 7 notas. Éstos lo encontramos ya en el compás 4, en la parte del oboe, que pasa de un ritmo de tresillo de semicorcheas a un septillo:

Ejemplo 47

Parecida es la idea utiliza el piano en el compás 12, que se coronará en el compás 23.

Ejemplo 48

En el compás 60 este efecto se encuentra en los instrumentos de cuerda.

Ejemplo 49

Del mismo modo aparece expuesta, aunque en este caso de forma vertical, en el compás 50, en la que existe una superposición rítmica combinada .

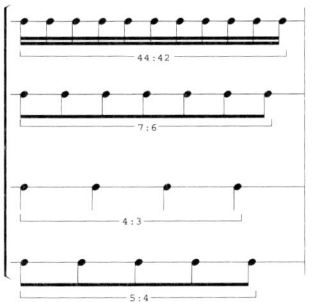

Ejemplo 50

Esta escritura resulta ideal para evocar cierta inestabilidad rítmica y a su vez obtener accelerandos y ritardandos de forma lógica. A pesar de todo, la gran dificultad de su lectura le proporciona un elemento de inestabilidad próximo a la aleatoriedad, ya que abundan los grupos de notas intercalados entre varios compases, difíciles de medir con exactitud.

El segundo procedimiento rítmico —relación rítmica equivalente— es menos utilizado, pero tiene en la obra una función de imitación intercambiable para conseguir así una mayor variabilidad rítmica. El caso de los compases 12 y 13 entre la flauta y el oboe es lo suficientemente explícito. Algo parecido se utiliza al intercambiar la disposición rítmica del compás 45 con elementos equivalentes entre el oboe y violín primero, y fagot y viola (ejemplo 39). También se observa entre clarinete y fagot en los compases 81 y 82. Podríamos seguir indefinidamente, pero nuestro propósito es el de resaltar únicamente los más significativos.

En todo caso, el tercero es el más interesante de los procedimientos, el derivado de la simetría e imitación rítmica. De estos, los que aparecen con mayor claridad son los de los compases 45 y 46 (ejemplo 37), y 63 y 64 (ejemplo 42), donde la combinación simétrica, aunque con algún intercambio rítmico, resulta transparente.

Los ritmos de pulsación constante son raramente utilizados a lo largo de la obra. Los únicos que mantienen cierta continuidad son los utilizados en el piano en los compases 42 a 45 y 65 a 67. Si bien en algún momento surgen elementos de carácter lineal, éstos se distribuyen de forma asimétrica y sin una clara continuidad. Tal es el caso de la flauta entre los compases 4 y 7 entre otros. Tampoco la percusión se utiliza aquí como un elemento de pulsación fija, sino que actúa en apoyo de determinadas entradas o con absoluta independencia de movimiento, en la que prima un uso rítmico basado en las formas de articulación anteriormente mencionadas. La enorme diversidad tímbrica de los instrumentos utilizados (2 maracas, triángulo, 2 platos suspendidos, 3 temple blocks, caja china y caja clara sin bordón) ayuda a la dispersión rítmica, comportándose como elementos tímbricos que confieren gran colorido instrumental.

UN LENGUAJE PERSONAL

La música de Carmelo Bernaola presenta formulaciones inhabituales con respecto a buena parte de los compositores de su generación, algo que junto al desarrollo técnico de su música lo convierten en un compositor muy particular. A pesar de todo, no podemos omitir la influencia que en él ejerció el desarrollo de un lenguaje enmarcado en el mundo dodecafónico y serial y lo que ello representó como control de la realización del material musical, ya sea desde el aspecto interválico hasta el del desarrollo, algo que en sus obras se lleva a una minuciosidad técnica que a veces escapa al análisis por su prolijidad, siendo imprescindible conocer el manuscrito original y sus apuntes para poder discernir sin errar y con cierta seguridad su modelo de trabajo.

Evidentemente el handicap del analista es resolver de forma adecuada el análisis de cada obra, ya que éstas se desarrollan siempre independientemente con gran diversidad de elementos, sobre todo si se alejan entre sí más de 10 años con respecto a la fecha de su composición. Lo que algunos podrían percibir como elemento de dispersión y de falta de identidad personal constituye, sin embargo, una de las principales características de su música, que lejos de ser repetitiva —desde el puto de vista del desarrollo del material musical— resulta encontrarse siempre en constante renovación lingüística.

A pesar de todo, hay un rasgo que vale la pena destacar de su procedimiento de trabajo: aunque a menudo resulta variable, tiene en los procesos de tipo modular y, en concreto, en las combinaciones interválicas por grupos o módulos su punto de partida. Pocas obras de Bernaola utilizan un encadenamiento interválico que no tenga que ver con un procedimiento de relación de grupos limitados, ya sea desde el punto de vista interválico o desde el control de alturas. Son las obras de la primera época o de tiempos recientes las que utilizan elementos de mayor libertad compositiva. Su procedimiento principal es el de elaborar la obra a partir de un elemento básico que es tomado como punto de partida para el desarrollo de dichos grupos o módulos interválicos. Sin embargo, en el desarrollo rítmico su control es menos habitual. No en vano la dirección de la música de Bernaola de los años 70 se situó en el uso de lo aleatorio. La **Sinfonía en Do** es un claro ejemplo de la utilización de dicho parámetro, en la que apenas existe alusión a un ritmo determinado, a lo sumo a una pulsación continuada que actúa como idea substitutoria de la estaticidad de un sonido mantenido. Como Tomás Marco afirma: *«Es necesario buscar la disciplina en la libertad, y afirmo de nuevo, que no se puede encontrar la libertad más que por la disciplina»*[12].

A ese encadenamiento modular se le une una voluntad explícita de mantener una coherencia formal íntegra, de tal modo que el procedimiento de encadenamiento de los distintos grupos de acción se realiza bajo un control absoluto, como el caso de la **Superficie número 1**, en la que hemos podido observar cómo se establece un control de cada una de las partes de forma férrea. Si bien en la **Sinfonía**

---

[12]   Boulez, Pierre: *Penser la nusique aujord'hui*. París: Ed. Gallimard, 1987. Pág. 9.

FENOMENOLOGÍA SONORA

en Do resulta menos clara —especialmente en los movimientos primero y segundo -, no por ello el desarrollo interválico deja de ser controlado.

Para terminar vale la pena citar otra frase de Tomás Marco con respecto a los procedimientos y características de la música de Bernaola: *«No hay duda de que la música de Bernaola es una de las más importantes de toda la generación* [en alusión a la generación del 51]. *Perfecta y casi lapidaria, queda como el ejemplo vivo de una obra que, sin necesidad de salirse de un lenguaje musical abstracto, refleja las más altas realizaciones culturales de nuestros días»*[13].

---

[13]   Marco, Tomás: *Historia de la música española.* Madrid: Ed. Alianza Música, 1989. Pág. 229.

Capítulo VII. Josep Soler

Música expresionista

Análisis de Sonidos de la noche, Concierto para clave y Le Christ dans la banlieue

Introducción

A menudo hemos oído decir que parte de la música catalana posee una fuerte influencia de la música expresionista alemana, y a veces eso es punto de partida para su descalificación. Nada tiene que ver con la calidad de la música, ya que aquélla no viene dada por la afinidad a un estilo concreto, sino por el trabajo individual de cada creador. Sobre la afinidad a esa escuela catalana más o menos expresionista tiene mucho que ver la influencia de Josep Soler, sobre todo en las generaciones de compositores que tienen en la actualidad entre 30 y 50 años, aunque a menudo se generaliza en exceso sin tener en cuenta que otros compositores, también catalanes, no poseen dicha influencia, tal es el caso de Joan Guinjoan, Xavier Benguerel, Mestres-Quadreny, etc. El hecho es que Soler ha tenido una clara predilección por el modelo alemán que establecieron Schoenberg, Berg y Webern, y que a pesar de la distancia —tanto temporal como geográfica— ha hecho de dicha predilección un modelo a seguir.

Habría que añadir que Josep Soler ha dedicado gran parte de su tiempo y de su vida a la enseñanza de la composición, por lo que dicha influencia ha sido directa en sus alumnos e indirecta sobre su alrededor. Sin embargo, a menudo se le ha atribuido una influencia perniciosa, y a esto quien suscribe este trabajo —también ex-alumno—, debe responder negativamente con rotundidad, añadiendo que si en algunos casos se ha producido no es algo que pueda ser atribuible al maestro. De mi época de estudiante no recuerdo ningún caso en el que se me forzara a hacer algo de lo que yo mismo no estuviera de acuerdo. Quien ha sido influido por su trabajo o por lo que le rodea lo ha sido voluntariamente. Por otra parte, resulta incluso lógico que los compositores jóvenes se sientan atraídos por la música de un compositor de fuerte personalidad como el que aquí tratamos. Seguir su ideario será, en todo caso, decisión propia.

No hay música que no refleje la vivencia personal de su creador, y este es el caso de Josep Soler, por lo que no es extraño que su mundo de impacto creativo fuera el expresionista y no cualquier otro, por otro lado algo bastante normal en los años 50. A esta cuestión ayudó la falta de información y la influencia wagneriana en la música catalana de aquellos años, de la cual es gran conocedor. El dramatismo wagneriano y la idea romántica del *Sturm und Drag* no sólo se hallan presentes en la última etapa del compositor, sino en etapas anteriores, ya que el retorno hacia un lenguaje simplificado viene dado por la necesidad de claridad junto a la acentuación de la visión negativa del entorno *«[...] las ideas parecen venir acompañadas de conflictos, situaciones de una cierta violencia no resuelta que traen consigo una gran carga de brutalidad a pesar de su aparente atonía»*[1]. Dicha influencia ha hecho que su música sea de carácter oscuro y en extremo reservada, a veces sólo comprensible por el propio compositor.

Ciñéndonos al ámbito puramente musical, la música de Josep Soler se desarrolla en varias etapas, que si bien poseen una directa relación con un lenguaje expresionista —o dicho de otra manera, *germánico*—, tienen en la profundidad de su pensamiento y en el culto divino a la muerte su punto de partida: *«Más profundo que experimental, el dramatismo innato en su obra no deja cabida al humorismo»*[2]. Eso se observa en los títulos de sus partituras, que en buen número mantienen relación con citas bíblicas, por otra parte raro en un compositor que se muestra en contra del ideario eclesiástico —especialmente el relacionado con la religión católica.

La preocupación del compositor sobre la predestinación y la libertad, unidos al culto de lo sobrenatural resultan campo abonado para la expresividad extrema: *«Hablar del artista y de su creación es hablar de una máquina que produce angustia, y al mismo tiempo la difunde»*[3]. Aparece una necesidad casi brutal de expresar las ideas, con una claridad que a menudo queda oculta en el magma expresivo de la obra y la aleja del objetivo de su comprensión intrínseca. En ocasiones Soler parece disfrazarse para evitar la desnudez que pretende ocultar a toda costa .

Los orígenes de la música de Soler se remontan a los estudios realizados con su maestro Cristòfor Taltabull, quien actuaría de comodín en la música catalana propiciando las tres tendencias musicales que persisten en la Cataluña actual: Josep Soler como representante de la escuela expresionista, Mestres-Quadreny, de la escuela avanzada y nuevas tendencias, y Joan Guinjoan, representante de un mundo intermedio o de compositores sin afinidad estética concreta. Los estudios con el

---

[1] BRUACH, Agustí: Artículo titulado *«Josep Soler o la creación como exégesis»* aparecido en el programa de mano de los conciertos-homenaje realizados en Octubre y Noviembre de 1994. Barcelona: Fundación «La Caixa», 1994. Pág. 51.

[2] MARCO, Tomás: *Historia de la música española*. VI, Siglo XX. Madrid: Ed. Alianza Música, 1989. Pág. 240.

[3] CASARES, Emilio: *14 compositores españoles de hoy*. Oviedo: Publicaciones de la Universidad de Oviedo, Colección Ethos Música nº 9, 1982. Pág. 445.

maestro Taltabull le sirvieron como punto de partida, y con aquél aprendió algo que ha destacado en toda su producción musical, y aún más, humana: su honradez y honestidad. *«Taltabull supo, con una discreción que sólo puede y sabe poseer un auténtico maestro, suministrar datos, abrir posibilidades y caminos sin forzar a ninguno de sus discípulos a escoger o seguir ése o aquél»*[4]. Aunque posteriormente amplió sus estudios con René Leibowitz, no tuvieron verdadera significación en su producción musical, si bien el respeto hacia dicho maestro le sirvió como punto de referencia en su ideario musical posterior: «Leibowitz *significó, con su carismática personalidad, la promulgación de unos imperativos, no estéticos sino éticos: la claridad de la ordenación del material musical y un estricto sentido del orden y la estructura que debe presidir la construcción del andamiaje musical»*[5].

A pesar de sus grandes dotes de compositor —sus primeras obras datan de los 13 años— no sería hasta el año 1956 cuando Josep Cercós estrenaría sus **Dos piezas** para piano en un concierto restringido, siendo el año 1960 el de su primer estreno con público. En esa ocasión la obra era **Danae.** Será precisamente a partir de ese año cuando empiece la verdadera carrera creativa de Soler— paralela a los estudios con Taltabull—. Aquí se inicia su primera etapa, eminentemente dodecafónica. El estreno de su primera obra fue motivo de polémica en una ciudad poco acostumbrada a la música de vanguardia y anclada entre una escuela wagneriana y otra nacionalista: *«La obra de José Soler, Danae, no tuvo el más mínimo éxito, lo cual es sensible por varias razones. La obra es puramente dodecafónica y, por lo tanto, de difícil captación para el público en una sola audición»*[6].

Si bien Josep Soler es un compositor actual, no se puede hablar de él como un músico de vanguardia, pues su lenguaje musical no resulta novedoso —aunque lo fuera en la Barcelona de los años 50 y 60—, ya que en los años 60 el lenguaje dodecafónico era algo dejado de lado por buena parte de los compositores y discípulos de la escuela de Viena. Hay que añadir que Soler opina que la vanguardia es algo artificial y nada lógico: *«Schoenberg no es un revolucionario ni menos un vanguardista, es un producto de la evolución y un resultado lógico de ésta»*[7]. La justificación del uso del lenguaje dodecafónico de esa primera etapa se debe, sobre todo, a una necesidad de expresión interna sin cálculo premeditado, en el que se usa la serie en su absoluta desnudez y sin apenas desarrollar los medios habituales de su combinación —retrogradación, inversión, transposición, etc. Para Josep Soler la

---

[4] CASARES, Emilio: *14 compositores españoles de hoy.* Pág. 447.
[5] *Ibídem, pág.* 445
[6] BENET, Sebastián: *El correo de las Artes.* Barcelona: Febrero de 1960.
[7] CASARES, Emilio: *14 compositores españoles de hoy.* Pág. 460.

música era una necesidad de expresión pura, en la que el material resultaba algo superfluo y de segundo orden: *«El verdadero artista, llevado por su necesidad interior, sabe y tiene conocimiento de que realiza y emite, pero no sabe qué; el camino se crea al crearse la obra y ésta, al aparecer, crea también su propio lenguaje. Pero ese lenguaje no se escoge, no se busca, se halla y, existiendo se constituye a sí mismo como emisor»*[8].

Con esa visión del mundo musical, que en ocasiones transmite con la seguridad de que se trata del mundo absoluto —por otra parte algo discutible—, el uso de determinados gestos y orientaciones filosóficas en su música se hallan siempre unidas al uso e influencia de determinados gestos musicales, que tienen íntima relación con obras que resultan ser punto de partida para la construcción de su propio modelo creativo *«Las afinidades de Soler con la música de los maestros que son más cercanos se muestran a menudo en forma de citas textuales o bien con la incorporación de referencias más veladas en el terreno de la instrumentación o de determinados aspectos motívicos y dramáticos»*[9].

Josep Soler utiliza estos gestos con absoluta libertad, reproduciendo lo que considera necesario y dejando de lado la posible consideración de *copia*. Por tanto, lejos de resultar banal, su música se articula desde presupuestos expresivos de influencia externa directa y visceral, en la que el argumento de *copia* va mucho más allá del solo hecho de plasmar en esa repetición —a veces literal— una confluencia estilística, siendo ésta el reflejo filosófico-espiritual que rige las ideas y el desarrollo creativo del compositor. Por otra parte, existe en Soler un empeño en mantener una actitud negativa de la visión del mundo que le rodea —a menudo excesivamente realista—, algo que se refleja en sus escritos y en su pensamiento creativo, en el que a menudo se denosta una dirección de la música y determinadas tendencias compositivas ocultando un gusto musical que niega todo lo que le resulta ajeno. Quizá sea esto último lo que le hace ser criticado por los compositores que no comparten su mismo punto de vista.

En líneas generales, la visión del mundo de la composición es para Soler escéptica, aunque en algunos casos probablemente no le falte razón. Aún así a menudo peca del exceso emotivo del instante vivencial, algo que en el año 1982 se traducía en la siguiente afirmación: *« Ser compositor, significa producir algo que, en las altas esferas, no interesa prácticamente a nadie, significa, en el mejor de los casos, ser un personaje tolerado del que aproximadamente cada diez años algún*

---

[8] CASARES, Emilio: *14 compositores españoles de hoy.* Pág. 460.
[9] BRUACH, Agustí: *Anàlisi d'un quartet de Josep Soler.* Trabajo de investigación. Barcelona: UAB, 1992.

resignado director de orquesta interpretará alguna obra siempre con la recomendación de que ésta sea lo más breve posible, que no sea difícil, que no presuponga aumentos en la orquesta y que no plantee ningún problema [...]»[10].

Josep Soler: Réquiem (1974).

Ejemplo 1

---

[43] CASARES, Emilio: *14 compositores españoles de hoy.* Pág. 465.

Estas palabras pueden resultar duras, pero reflejan claramente la inquietud y perplejidad del compositor por una sociedad que hace caso omiso del arte en pro de un favoritismo de cualquier índole: «*Nadie ignora que vivimos en una situación difícil, y que esta dificultad no es de ahora, sino de cuarenta años atrás; escribir música durante estos años ha significado un largo calvario para muchos (y ese calvario aún sigue) y un camino muy fácil para unos pocos: la historia es la que deberá decidir sobre las complacencias, de tipo político o amistoso de unos, o sobre los caminos cerrados que tantos otros han hallado ante sí; la falta total de planificación y el hecho de que nunca se ha considerado algo que debería integrarse orgánicamente dentro de un más amplio campo que es el de las artes y el hecho de que éste haya siempre dependido, durante los largos años de la postguerra, de los caprichos, las aficiones o los odios de determinados personajes dueños del mundo musical, aunque siempre con rango de sub [...]*»[11].

Ante ese panorama de conflictividad de ideas —trascendental para la visión de su mundo creativo—, su música no puede ser otra más que la puramente expresiva. De ello nos vamos a ocupar seguidamente, intentando desgarrar el velo de la música de Soler mostrando su procedimiento de trabajo.

Lenguaje musical

Anteriormente ya se ha apuntado la base del lenguaje utilizado en su primera época compositiva, que en definitiva será la que marcará los pasos hacia el futuro actual. El lenguaje musical de Soler es puramente expresionista, y por tanto sus inicios son también expresionistas, con un uso del medio dodecafónico muy estricto del cual no hay parangón en otro compositor español de su mismo período[12]. El uso del dodecafonismo en Soler es simple, y apenas se aparta de un uso de la serie con sus combinaciones habituales, es decir, retrogradación, inversión, transposición, etc. Incluso una obra de la envergadura de la ópera **Edipo y Yocasta** era escrita sobre una única serie sin ningún artilugio contrapuntístico, —a excepción de la

---

[11]   CASARES, Emilio: *14 compositores españoles de hoy.* Pág. 464.
[12]   En Madrid, Ramón Barce ha sido considerado el compositor puente de la música expresionista hacia la de nueva formulación. La distinción entre ambos es, sin embargo, notoria, puesto que la música de Soler es meramente expresiva y parte de presupuestos cercanos a los de Schönberg y Alban Berg, mientras que los de Ramón Barce parten de ideas y procedimientos de síntesis vinculados al mundo compositivo de Anton Webern.

simple imitación. No todas sus obras evidencian rasgos estilísticos tan férreos, y algunas de ellas se articulan a partir de elementos de tipo *atonal*, en los que la serie aparece más como un medio y excusa para la uniformidad del proceso formal que como material de uso propiamente dicho.

Ahora bien, si bien el lenguaje dodecafónico y atonal se prolonga en su obra hasta el año 1975, poco se habla de aquél en textos, artículos, libros, etc., dándolo por entendido y sin necesidad de alusión alguna. Mucho más se habla del procedimiento que a partir del año 1975 será la base de su trabajo compositivo, algo que quedará reflejado en buena parte de su obra posterior: el uso del acorde del Tristán de Wagner: «*Desaparecido un idioma, el artista, el compositor que intente proseguir, a pesar de todo, su labor supuestamente creadora, tiene que organizar su propia posibilidad de hablar con las palabras que sean y con las técnicas que para él le permitan articular la operación difícil y compleja ahora más que nunca de componer sus músicas*»[13].

Ejemplo 2

Del mismo modo que en obras anteriores se utilizaban medios e incluso fragmentos literales de obras que habían impresionado al compositor (ejemplo 1), el acorde de Tristán aparece como punto de partida para la elaboración del discurso creativo que se irá acrecentando a lo largo del tiempo, llegando a crear todo un sistema a partir de aquél. El mismo Josep Soler cita:»*[...] el hallazgo de su peculiar forma de organizar su armonía, es decir, el color propio de sus agregaciones sonoras, en una palabra, de su música, surgió, muy lentamente, no por su voluntad sino por la insistente presencia de la que él tardó años en ser consciente, de un determinado acorde que confería un color muy concreto a su música [...]*».[14] Ese «*hallazgo*» se da en algunas obras de forma muy concreta[15], y a veces tiene una presencia abrumadora, como en el final del tercer cuarteto de cuerda en la que aparece en forma de coral y cromáticamente (ejemplo 3).

---

13 SOLER, Josep: Artículo libre realizado por el propio Josep Soler sobre su lenguaje musical para el libro biográfico del autor de Ángel Medina.

14 *Ibídem.*

15 *Ibídem.*

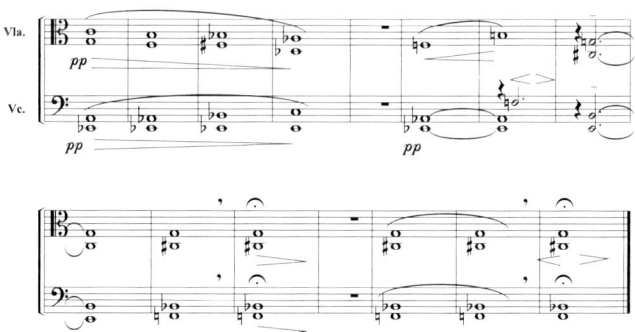

Ejemplo 3

Pese a lo expuesto —que quizá pueda resultar paradójico o pobre para el lector—, el lenguaje y su puesta a punto no es ni mucho menos simple, sino que su elaboración, exquisitez instrumental y los elementos de desarrollo, que tienen su base de articulación en el contrapunto de Max Reger —de influencia directa en Taltabull y heredado en Josep Soler—, son de gran envergadura, si bien coexisten en un medio musical recreado a partir de la intuición y la expresión directa: «El *chorro creador, portador de los elementos nuevos proviene de un impulso, ajeno en su totalidad, y sólo la forma es algo humano; el contenido se escapa absolutamente a la voluntad caso de que ésta pretenda imponerse o condicionar el resultado final* [...]»[16].

Será la forma y los medios de elaboración del material musical lo que vamos a analizar, con el objetivo de acercarnos al uso de los procedimientos lingüísticos principalmente empleados. Dicho análisis se va a realizar sobre tres obras antagónicas. Dos de ellas son próximas en cuanto a la fecha de su composición; aunque son absolutamente distintas entre sí, pertenecen a la etapa dodecafónica: **Sonidos de la noche** y **Concierto para clavecín**. La tercera pertenece al período de uso del acorde del **Tristán**: **Le Christ dans la banlieue**, de la ópera «**La Tentation de Saint Antoine**». La densidad de la última, así como su longitud, no va a hacer posible un análisis pormenorizado compás a compás; nos limitaremos, pues, a lo que creemos imprescindible para la comprensión de los principales procedimientos empleados.

---

[16] CASARES, Emilio: *14 compositores españoles de hoy*. Oviedo 1982. Pág. 443

Sonidos de la noche

Aunque **«Sonidos de la noche»** y el **«Concierto para clavecín»** fueron escritas durante el mismo año 1969, guardan entre sí una diferencia expresiva que a continuación observaremos. **Sonidos de la noche** es una obra rara en el *corpus* creativo de Soler, sobre todo para el oyente que esté acostumbrado a oír la música actual del compositor. Si bien la connotación de oscuridad queda reflejada en el propio título, cabe destacar, sin embargo, su carácter lúdico, algo nada habitual en la producción musical del autor. Esta obra es, además, una de las que le han proporcionado mayor reconocimiento internacional, grabada y ejecutada por intérpretes de todo el mundo. Para la ejecución de la obra se requiere un grupo de 6 percusionistas con un considerable número de instrumentos:

I.   Vibráfono, 5 Temple blocks , y un Crótalo afinado en Sol.

II.   Marimba, Tam-tam, 4 cencerros y 2 congas.

III.   Plato y 2 Wood-blocks.

IV.   Campanas, Tam-tam, Maracas y Gong en agua.

V.   Plato y Xilófono.

VI.   Plato, lira, flexatón y Güiro.

Sólo los percusionistas I, II, IV y V poseen instrumentos capaces de producir sonidos afinados (el flexatón también puede realizarlos, aunque aquí es utilizado únicamente como instrumento de afinación indeterminada), por lo que se restringe a aquéllos el campo de acción melódica.

La obra mantiene la idea de organización temática —en este caso dodecafónica— que Edgar Varèse empleara en su obra para trece percusionistas, **Ionisation**, e incluso sorprende observar gestos parecidos a los de aquella —uno de los más reconocibles es el uso de los trémolos en los instrumentos de metal—. Si bien en el caso de Varèse el uso rítmico se halla por encima del melódico —en **Ionisation** no utiliza ningún instrumento de sonido determinado, a excepción de la parte final, en la que los utiliza como instrumento de sonido indeterminado—, en el caso de Soler serán los instrumentos afinados los que posean la parte orgánica más significativa. De cualquier modo, la obra de Soler se halla cercana a la idea programática de su propio título, especialmente en lo que se refiere al uso de la combinatoria instrumental. Para Soler la organización serial posee mayor importancia que la rítmica, siendo aquella la que gobierna, a modo de idea temática, todas las relaciones y combinaciones de los instrumentos. Aunque al principio la disposición de la serie no resulta clara —sobre todo debido a la fragmentación serial—, sí que lo es en las partes *a solo* de cada uno de los instrumentos de sonido determinado. Veamos en primer lugar la combinación formal utilizada.

Composición formal

No parece existir particular empeño en el compositor en considerar la forma como algo importante *a priori* , sino más bien como lógica consecuencia de la combinación y el desarrollo de la serie. No obstante, en el análisis minucioso de la partitura nos encontramos con una utilización del material que, aunque no ha sido controlada de antemano, manifiesta una combinación simétrica que puede haber sido originada intuitivamente. No sólo existe una idea de simetría y de acumulación sonora, sino que también aparece una distribución formal de tipo áureo, aunque puede deberse a la casualidad. Hay que aclarar, sin embargo, que la combinación formal áurea no ha sido utilizada en ninguna de sus obras —por lo menos conscientemente—, a pesar de que con ella realizó el análisis del **Concierto para percusión, cuerdas y celesta** de Béla Bártok[17], tomándola como base de su constitución formal.

Esta distribución áurea tiene su punto álgido en el compás 40, que sirve de inicio de la condensación melódica en todos los instrumentos a la vez que final del corto ostinato rítmico. Casualidad o no esto es algo que a menudo va unido a la creación, en la que el compositor no controla todo el desarrollo musical de forma consciente: «*La teoría de la forma puede tener como punto de mira, y en primer lugar, observar la significación de la forma artística —el hecho que intenta dotar al producto artístico de una constitución externa e interna, permitiendo reconocerlo como algo que corresponde a la calidad de nuestro intelecto*»[18].

La obra se articula en un continuo crescendo que parte desde un tiempo lento —a modo de plataforma textural— que sirve, a su vez, de preparación de la entrada de la melodía serial iniciada por las campanas, por otra parte de afinación imprecisa y de compleja audición. Sin embargo, en este inicio no aparece la serie

---

[17]   Este análisis se encuentra en el libro *"Fuga, técnica e historia"* del propio compositor. Barcelona 1980. Ed. Antoni Bosch.
[18]   SCHOENBERG, Arnold: *Style and Idea. Theory of form.* Ed. University of California Press. Pág. 253.

completa, sino que lo hace a modo de balbuceo sobre las notas y combinaciones interválicas propias de aquella. Estas notas serán las que establezcan la serie a partir del compás número 11, mediante el uso de los solos instrumentales de los percusionistas I, II y IV, y con la combinación de instrumentos de metal-madera-metal (vibráfono-marimba-campanas). Obsérvese cómo se articula el proceso formal a lo largo de toda la pieza:

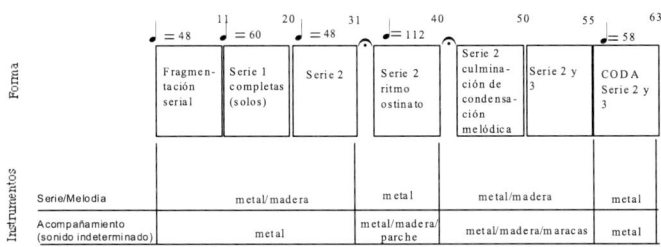

Ejemplo 4

En el ejemplo 4 se han realizado dos gradaciones formales, por una parte la distribución de la forma (primer plano) y por otra la de la combinación instrumental (segundo plano). Dicha combinación se articula sobre la base de la simetría, al igual de lo que sucede en la forma. Obsérvese que únicamente en la parte central (compases 31 a 40) se utiliza un movimiento rítmico que se traduce en un ostinato en los wood-blocks, algo que no se repetirá a lo largo de toda la pieza. Termina en una coda conclusiva, en la que existe un retorno al uso instrumental del inicio, descartando la utilización de los instrumentos de madera y utilizando por primera y única vez un gong que se sumerge en el agua.

El uso serial también mantiene un cierto equilibrio en la globalidad de la forma, de modo que en los dos fragmentos iniciales se mantiene la primera serie (ejemplo 5), en los fragmentos intermedios aparece una serie nueva, y en los dos últimos será una serie derivada de la segunda la más utilizada, si bien se van a combinar entre sí. Obsérvese más adelante el modo en que se articulan dichas series junto a los procedimientos de seccionamiento modular.

Uso dodecafónico

Soler va a utilizar tres series a lo largo de toda la obra. Únicamente entre la tercera y la segunda existirá una clara relación, si bien algún intervalo se repite en todas ellas:

Ejemplo 5

El intervalo común entre sí es el Re-Lab, es decir, el tritono que sirve de inicio tanto de la primera como de la tercera serie:

Ejemplo 6

La relación entre la serie segunda y tercera es de desplazamiento horizontal. En todo caso lo complejo del fragmento es determinar cuál de las dos lo rige, si bien el hecho de que la primera y tercera utilicen el mismo intervalo inicial es lo suficientemente determinante como para declarar que son aquellas las principales, siendo la segunda un desplazamiento o anticipación horizontal de la última. Esto nos confirma la connotación de simetría de la que hablábamos en el apartado dedicado a la forma.

Atendiendo al encadenamiento de alturas, el uso de intervalos con relación de tritono es elevada. De hecho, esta relación constituye buena parte de los procedimientos de encadenamiento melódico de toda la obra, y son precisamente este tipo de relaciones las que le confieren un carácter dramático de talante expresionista. Las series segunda y tercera mantienen, además, una relación interválica en la que la mitad de los intervalos son de tritono, de modo que cada uno de ellos se une al otro mediante un intervalo variable y de combinación simétrica. Obsérvese la utilizada por la serie número 3:

$$6 - 1 - 6 - 3 - \underline{6 - 1 - 6} - 4 - \underline{6 - 1 - 6}$$

Incluso las relaciones de tritono llegan a generar un acorde disminuido desplegado horizontalmente mediante la superposición de tritonos. Sin embargo, si bien las series aparecen claramente en los solos, en la parte inicial lo hacen únicamente con elementos simples, por otra parte fragmentación de la propia serie.

En el ejemplo 7 se muestra la parte introductória hasta el compás 11, donde aparece la primera serie completa. La combinación serial que sigue Soler es compleja, y lo que queda claro es que esta parte introductoria se nutre del uso de elementos interválicos relacionados con aquella, a pesar de que sólo aparezca completa y combinada una vez entre las campanas y la marimba:

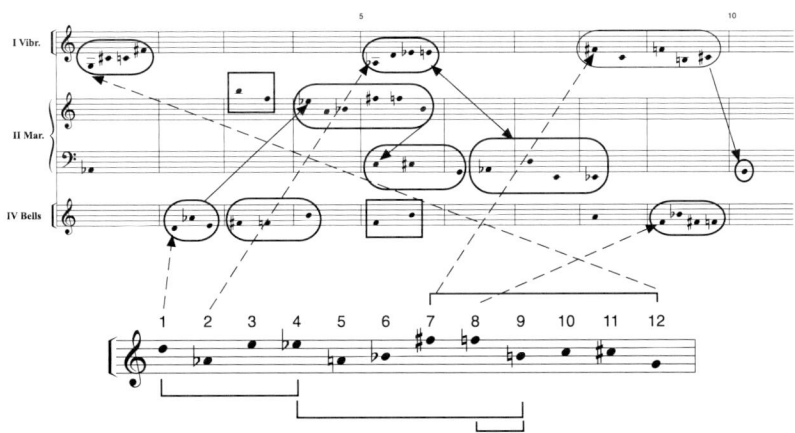

Ejemplo 7

Si bien este comienzo puede parecer el anuncio de una compleja combinación melódica, lo que continúa va a ser mucho más claro, de tal modo que las series se expondrán a partir de aquí de forma más evidente. El punto culminante de dichas apariciones se va a dar en el compás 42 y siguientes. En ella aparece una superposición simultánea de las series segunda y tercera —que en realidad son la misma—, empezando en cada uno de los instrumentos mediante una nota distinta.

Esta combinación interválica (ejemplo 8) resulta ser la más rica de toda la obra —la longitud es limitada, y al tratarse de instrumentos de percusión también es limitado su uso. Aquí encontramos una serie de errores o deslices en el uso dodecafónico que cabe resaltar. Tampoco hay que exagerarlos, puesto que a lo largo de la obra la serie es tratada con cierta libertad, por lo que aquéllos quedan integrados dentro de una textura dodecafónica, y sólo resultan evidentes tras su análisis técnico.

Ejemplo 8

El primero de dichos *errores* se halla en el percusionista cuarto, al cual le falta el sonido número 1 cuando repite la serie (señalado en el ejemplo con un rectángulo). El segundo lo tenemos en el percusionista 5, que en el sonido número 5 utiliza la nota Re en lugar de Mi, que sería la nota correspondiente (señalado con un círculo). Para el sexto percusionista Soler idea una combinación interválica en la que las notas de la serie aparecen tras la repetición de otras notas ya utilizadas anteriormente.

Ritmo y textura

Algo que resulta curioso al estudiar la partitura es que Soler no utiliza ningún elemento rítmico como medio para crear un juego dinámico o de cualquier otra índole, sino que únicamente usa la masificación instrumental como medio para llegar a los puntos culminantes estructurales de la obra. Sólo en el compás 32 aparece un atisbo de utilizar un elemento rítmico concreto, aunque en realidad se trata de un ostinato sobre un ritmo fijo de dos semicorcheas-corchea que dura siete compases sin repetirse de nuevo. El ritmo es aquí poco significativo, aunque resulte extraño que en un grupo instrumental de únicamente instrumentos de percusión no se utilice el ritmo como elemento de contraste. Para crearlo Soler utiliza dos medios de articulación rítmica: un movimiento de notas mantenidas, mediante el uso de trémolos y trinos sobre el mismo instrumento —normalmente utilizado en los instrumentos de gran resonancia (platos, vibráfono, etc.)— y un despliegue melódico que utiliza el movimiento rítmico de tresillo y pulsación binaria. No hay un orden que establezca prioridades o medios de acción concretos, sino que aquél depende de las necesidades expresivas del momento. Lo que prima por encima de todo es el uso interválico de la serie, siendo el ritmo una necesidad de escritura.

Esta formulación serial también será utilizada como modelo básico en el **Concierto para clavecín**, estructurándose así la articulación melódica. La diferencia entre una y otra obra radica en el carácter, algo que tiene que ver directamente con la instrumentación. Mientras en **Sonidos de la noche** existe una cierta imposibilidad melódica debida al uso de los instrumentos de percusión, en el **Concierto para clavecín**, y a excepción del solista, los otros instrumentos utilizan las líneas melódicas de forma claramente *cantabile*.

CONCIERTO PARA CLAVECÍN

El **Concierto para clavecín** se articula en un solo movimiento, si bien en él se integran el concepto rápido-lento-rápido de los conciertos barroco y clásico de tres tiempos. Este concierto es una de las obras más conocidas del compositor, y utiliza una instrumentación prácticamente idéntica a la del **Concierto para clavecín** de Falla, al que irremediablemente se acude como referencia a la hora de escribir un concierto para dicho instrumento. Si bien el concepto y la organización del **Concierto** de Soler nada tienen que ver con el de Falla, mantiene con aquél la semejanza de movimiento y articulación compleja, de figuraciones rápidas de tipo concertante, algo también utilizado por los compositores barrocos. Quizás cabría añadir que la obra, escrita 43 años después del **Concierto** de Falla, de uno u otro modo rinde homenaje a la grandiosidad creativa de uno de nuestros compositores más reconocidos.

Disposición formal

El **Concierto para clavecín** se articula mediante una organización formal que a primera vista incluso puede parecer incoherente, ya que la repetición de los modelos dodecafónicos y rítmicos son siempre distintos a lo largo de toda la obra —especialmente estos últimos—, y únicamente los cambios de tempi ayudan a diferenciar, condensar o alargar el movimiento melódico de la serie. Sin embargo, al examinar más detenidamente la obra se observa un proceso de encadenamiento formal que creemos intuitivo pero que se emparenta con la idea del concierto clásico, sobre todo en lo referente al uso de dos ideas contrastantes que, aunque aquí no pueden ser denominadas como tema, son cabeza temática de fragmentos importantes. La primera de dichas ideas (A) será la que gobierne el resto de la obra. Es la introducida por el clave con un movimiento en forma de arpegiado:

Ejemplo 9

La segunda idea (B) es la realizada por los instrumentos de viento, que son contestados con otra semejante por la cuerda. En este caso el movimiento es contrario a la primera, es decir, un modelo de notas largas y de gran expresividad. El contraste entre ambos grupos es evidente (ejemplos 9 y 10), incluso en el acompañamiento instrumental inicial. Evidentemente hay un uso condicionado por el instrumento solista, que resulta ideal para movimientos rápidos pero poco aconsejable para fragmentos con notas mantenidas, ya que la resonancia de sus cuerdas se apaga de inmediato.

Ejemplo 10

Es evidente que en una música que responde a conceptos de desarrollo sobre configuraciones de tipo dodecafónico como la que aquí tratamos, no queda totalmente clara la definición de dichos fragmentos como ideas contrastantes de tipo temático, e incluso el lector puede objetar que dicha definición es pura conjetura. No obstante, el hecho de que ambos fragmentos resulten ser el inicio de un tempi distinto y que cada uno de ellos posea un número limitado de cuatro compases lo convierte en fundamental en el discurso global de la obra, puesto que resultarán claramente audibles. Si observamos la distribución formal que Soler hace a lo largo del concierto (ejemplo 11), veremos que existe una clara alusión a la forma sonata, especialmente en su estructuración, si bien no se repite ninguno de los fragmentos de forma literal —únicamente la serie se repite a lo largo de toda la obra—.

En el ejemplo 11 mostramos una combinatoria de espacio temporal en dos direcciones: la horizontal, que mantiene dos ideas distintas, que a su vez son los principales elementos temáticos que rigen la obra; la vertical, que regula la combinatoria del proceso formal en dos grupos articulados y encadenados uno tras otro, y que se complementan entre sí. Por una parte, los elementos temáticos que son desarrollados tras el primer grupo cadencial (compases 98 a 255) se articulan del mismo modo que en el inicio, es decir, utilizando la combinación de grupos de distinta importancia. En la exposición temática el orden era clave-instrumentos, y en el grupo de desarrollo es instrumentos-clave. Por otra parte, los grupos cadenciales se suceden siempre tras los de exposición y desarrollo temático, a modo de material intermedio pero siempre cadencial. En el primer grupo existe, además, una simetría que se inicia y termina con una cadencia (compases 71 a 98).

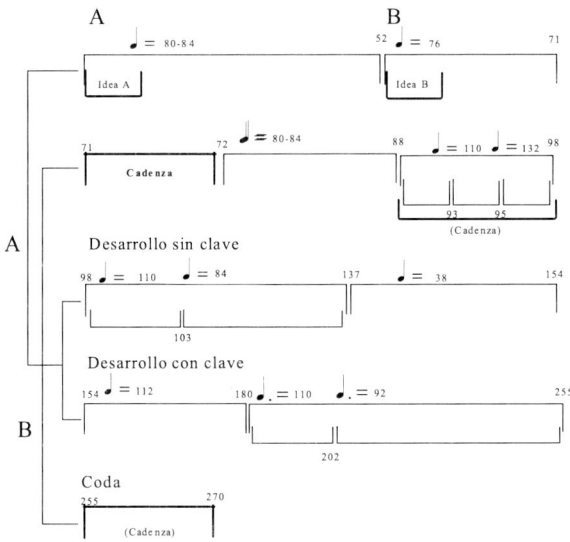

Ejemplo 11

También resulta curioso observar que el encadenamiento formal y su distribución coinciden siempre con algún clímax instrumental, ya sea utilizando una masificación textural —de igual modo a la que encontrábamos en **Sonidos de la noche**— o mediante el uso del *accelerando.* Sin embargo, al clímax más importante de la obra se llega mediante el uso de los multifónicos en el oboe al final del desarrollo con clave, uso inhabitual en la música de Soler, que huye de cualquier idea que signifique ruido para utilizar medios más convencionales, lo que resulta inevitable con el uso de los multifónicos . Este fragmento encierra un microcosmos formal y constructivo que a continuación presentamos.

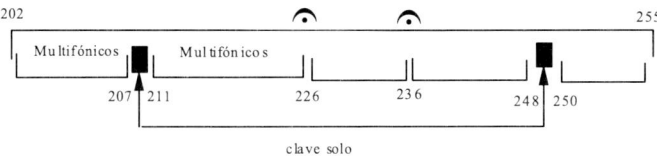

Ejemplo 12

De nuevo aparece aquí una distribución simétrica igual que la del primer grupo cadencial (compases 71 a 98), y en la que juega un importante papel el instrumento solista, que no posee acompañamiento a lo largo de todo el fragmento, mediante dos intervenciones de únicamente dos compases cada una. La primera en el inicio y la segunda al final del desarrollo, que llega a su punto culminante en el compás 226, reduciéndose la tensión a partir de ese momento y hasta el compás 255. A partir de aquí el Clave participa como un instrumento más.

La serie

A diferencia de **Sonidos de la noche**, el **Concierto para clavecín** utiliza una sola serie, sobre la que se basa todo el medio de articulación interválica tanto horizontal como vertical. En este caso la serie es parecida a la que ya encontrábamos en **Sonidos de la noche**, sobre todo en cuanto a su articulación interna, o lo que es lo mismo, en el uso simétrico de los intervalos.

Ejemplo 13

En este caso se utiliza una combinación a modo de engranaje melódico de segunda mayor y menor frente a los de tercera menor, que sirven a su vez para unir a los de tritono y que de uno u otro modo son los que gobiernan la obra. No vamos a agotar al lector con una descripción de todas las disposiciones seriales. Nos limitaremos a citar las que creemos más importantes. Dada la obviedad de la articulación serial utilizada en la idea **B** del concierto vamos a omitir su análisis, realizándolo únicamente sobre otros fragmentos de mayor interés analítico.

Coexiste una disposición vertical y horizontal de la serie en el grupo instrumental e instrumento solista respectivamente, plasmado en los cuatro primeros compases.

Ejemplo 14[19]

Ejemplo 15

---

[19] La partitura está transportada.

Si bien la disposición horizontal es mantenida desde el principio hasta el fin del fragmento citado, únicamente es utilizada en el inicio y continuada por el clarinete bajo, aunque no será completada en su totalidad. Puede observarse cómo Soler mantiene una relativa fidelidad a la serie original y utiliza a menudo la omisión del sonido 3 (La), intercambiándolo por el sonido 8 (Si), algo que ocurrirá a lo largo de toda la obra. De hecho esto parece un error aprovechado como medio de conseguir variedad, aunque sea limitada. En el resto de la obra Soler no utiliza ninguna combinación de la serie, ni siquiera las básicas de retrogradación e inversión. Se limita a usar las combinaciones fragmentadas de aquélla de modo semejante al de **Sonidos de la noche**. El propósito de Soler es desarrollar al máximo las posibilidades de la serie en su forma original y utilizarla a modo de tema. Algo así ocurre en el compás 154, a partir del desarrollo del clave, en el que la encontramos combinada con una superposición vertical (ejemplo 15).

Ejemplo 16

Aunque de una u otra forma todas las combinaciones interválicas tienen relación con la serie, lo que escapa al raciocinio del uso interválico dodecafónico es el uso de los multifónicos, que por su composición interna no pueden organizarse según su planteamiento —el uso de cuartos de tono es algo que Soler no tiene en cuenta como parte integrante de la serie. Dichos multifónicos aparecen como una necesidad de crear cierta confusión sonora que, junto al uso de los acordes de segunda menor y séptima mayor de la viola y el tempo rápido del fragmento, crea una tensión sonoro-textural de gran brutalidad que es, además, la cumbre de la obra —no hay otro fragmento en el que se utilicen medios de tal envergadura. Sin embargo, la combinación de la serie se realiza de igual modo que en los anteriores fragmentos (ejemplo 16).

Elementos de textura homófona

A pesar de que la obra siempre mantiene la distribución horizontal de la serie, subyacen en ella combinaciones en forma de acordes que serán punto de partida y de lenta progresión hacia la creación y estabilización del lenguaje armónico de su segunda etapa compositiva. Estos elementos armónicos son generados por la propia combinación de la serie, ya que al organizarse mediante intervalos de tritono resultan ideales para conseguir combinaciones de carácter consonante, que aunque integradas en el contexto, no se mantienen como tales.

La primera combinación acordal es la que inaugura la pieza. En ella se utilizan los cinco últimos sonidos de la serie y será repetida al final de la idea **A** en el Clave.

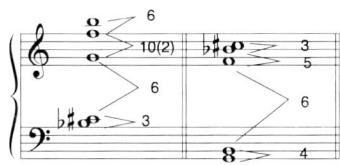

Ejemplo 17

A lo largo de la obra la disposición acordal se realiza con combinaciones interv020cas parecidas, siendo la más significativa la que se encuentra en el *Lento* del final de la cadencia, compás 71 (ejemplo 18).

Obsérvese cómo en los dos primeros acordes aparece una combinación de la serie nota a nota, si bien en el último se mantienen sólo algunos gestos, puesto que la serie ha sido disgregada. La combinación acordal no posee una disposición estable que permita realizar encadenamientos similares en el resto la obra, siendo ordenados únicamente mediante la combinación serial.

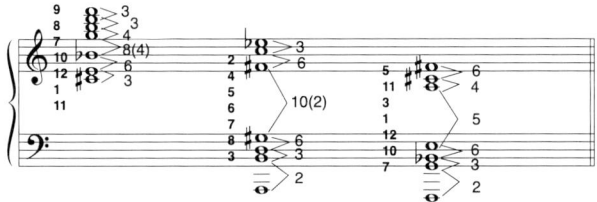

Ejemplo 18

A pesar de lo dicho, la obra mantiene fragmentos de textura rítmica y homófona que merecen ser remarcados, aunque sea sólo por el contraste que representan frente al resto de la pieza, de escritura eminentemente horizontal y en la que lo vertical es una consecuencia. Como notable a este respecto tenemos el fragmento que se extiende del compás 128 al 133. Aunque existen otros fragmentos de homofonía entre grupos de dos o tres instrumentos, no son enumerables como tales, ya que a menudo se utilizan en los procesos cadenciales. El fragmento anteriormente citado recuerda las partes homófonas del **Concierto para clavecín** de Falla.

Manuel de Falla: Concierto para clavecín. © *Ed. Max Eschig.*
Ejemplo 19

También Falla utilizaba estos fragmentos esporádicamente, aunque lo hacía en mayor grado que Soler, quien usa este fragmento como clímax intermedio del desarrollo instrumental. Al igual que en el desarrollo del solista, se realizará la culminación textural con sonidos multifónicos en los instrumentos de viento. No obstante, en ningún momento se abandona la textura serial, si bien su combinación es compleja y no tiene una articulación que pueda ser utilizada como medio de continuidad.

Ejemplo 20

Tampoco se puede hablar de una elaboración rítmica específica para el fragmento, puesto que los ritmos utilizados son siempre derivados de uno único, realizando sobre aquél un desplazamiento que irá acentuándose poco a poco y que será con el que culmine la sección.

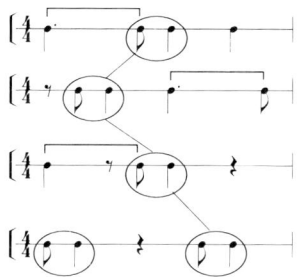

Ejemplo 21

El procedimiento es pues una consecuencia lógica del uso serial, en el que el proceso de encadenamiento horizontal prima por encima de todo, tratado de modo tal que se comporta como una melodía infinita. Por otra parte será punto de partida y elaboración del material musical en la etapa posterior de uso del acorde wagneriano. También se observa en la obra la necesidad de expresión intuitiva, en la que lo formal y lo que tiene que ver con procedimientos complejos de elaboración del material quedan al margen de un discurso pretendidamente simple y directo. Dicho uso y la ambigüedad que de él puede extraerse puede que sea el origen de la necesidad de buscar un medio unitario que sintetice y conduzca de forma más clara la dirección musical. Éste fue probablemente el punto de partida a la hora de utilizar un procedimiento que reuniera la particularidad del control vertical frente al horizontal —de modo parecido al uso de la armonía en la música tonal—, por otra parte el que primaba en la etapa dodecafónica.

LE CHRIST DANS LA BANLIEUE

La composición de la obra data del año 1990 y fue revisada en 1994. Escrita por encargo del festival de Música Contemporánea de Alicante y estrenada en 1991, la obra se halla integrada en la ópera **«La Tentation de Saint Antoine»** con texto de Flaubert, formando parte de la tercera escena del primer acto. Escrita en 1964, con el paso del tiempo esta ópera ha ido sufriendo constantes modificaciones. Si bien su lenguaje inicial era dodecafónico, el utilizado en el fragmento que aquí analizaremos nada tiene que ver con aquél, sino con el procedimiento empleado por Josep Soler a partir del año 1975 y que tiene su raíz en el uso del acorde principal de **Tristán e Isolda** de Wagner.

Ahora bien, el uso del acorde del Tristán, de modo parecido a lo que ocurre en el uso serial, no sufre alteraciones de contenido interno, a excepción del añadido o desglose. Por otra parte no es utilizado constantemente: «*[...] en manos de Wagner, esta concreta agregación sonora es el símbolo del deseo, del ansia universal abocándose, hundiéndose hacia la fuente única que puede colmar este deseo. Así, el "acorde" ha venido a ser una necesidad tan intensa que no admite ninguna otra agregación a su costado: puede manipularse, ser afectado por otros sonidos o por la simultaneidad de varias de sus formas, pero su presencia debe ser constante y omnipresente*»[20]. Este deseo de la no variación es algo obsesivo en el compositor,

---

[20]   SOLER, Josep: Artículo libre realizado por el propio sobre su lenguaje musical para el libro biográfico del autor.

siendo la prolongación del uso dodecafónico en el cual no se teme al riesgo que supone la invariabilidad sonora que dicho acorde impone a cualquier obra. Tampoco debe confundirse el uso moderado, incluso restringido, del material musical como una fuente de pobreza lingüística, ya que el desarrollo que de él realiza Soler es rico en contraste melódico. Independientemente de que la generalidad de su obra reciente mantenga un claro nexo de unión que hace que distintas obras puedan parecerse de modo notable, aunque sólo fuera por la obviedad del uso del mismo material de partida, las diferencias las marca el uso de la melodía y las combinaciones armónicas en un estilo claramente post-romántico.

Llegados a este punto valdría la pena realizar una pequeña reflexión sobre el uso del material temático, armónico y de cualquier índole en la música de Josep Soler. Nuestro compositor nunca ha sido tachado como un compositor de vanguardia, es más, como al inicio ya se mencionó, no cree en ella, algo que provoca que su música carezca de un espíritu de innovación lingüística. Esto hace que únicamente podamos hablar de dos etapas, e incluso dos ideas, como punto de partida de toda su trayectoria creativa. La constancia y el respeto a la tradición siempre le han caracterizado, y entre sus alumnos es conocido el escepticismo que profesa hacia lo nuevo. A menudo hay algo de incredulidad sobre tendencias o nuevas formas de pensamiento musical. A veces no le falta razón, pero *a priori* es una actitud que limita su campo de acción, lo cual no le importa en absoluto como compositor, ya que su fin y dirección creativa se hallan orientados a un punto fijo e inamovible.

Si en sus partituras dodecafónicas puede observarse claramente la serie utilizada, en el caso del uso del acorde del **Tristán** también la distribución interválica de dicho acorde suele aparecer en una parte u otra de cualquiera de sus obras. Esa distribución se halla a menudo en una de las primeras páginas del manuscrito, dispuesta cromáticamente y en sentido descendente. Si bien el acorde utilizado como elemento generador es el anotado en el ejemplo número 2, se halla a menudo invertido, y excepcionalmente en su disposición original. Véase la distribución cromática que Soler utiliza como básica de su sistema en el ejemplo 22.

A partir del séptimo acorde el intervalo de tritono se invierte —recuérdese que el número máximo de tritonos en la escala cromática es de seis—, y su acorde cambia sensiblemente por el uso del resto de las notas que lo forman, que por otra parte se encuentran a la distancia de un semitono por encima de aquéllas. Esta serie de acordes es utilizada en modo diverso —en cuanto a su disposición—, si bien su composición interna es siempre la misma. Aunque existe una preponderancia del primer acorde —la obra aquí analizada termina exactamente con aquél—, no se puede decir que exista un uso jerarquizado, sino que son encadenados de modo arbitrario y libre.

Ejemplo 22

Uso acordal

El encadenamiento vertical utilizado es realmente complejo, e incluso resulta imposible justificar su uso mediante un modo o fórmula interválica de cualquier índole. Dicho encadenamiento posee una relación intrínseca con procedimientos contrapuntísticos que a menudo tienen que ver con los procedimientos armónicos de nota añadida y resolución retardada. Ambos procedimientos producen una sensación de angustia y dramatismo extremo cercano al mundo expresivo del **Tristán e Isolda** de Wagner, que de hecho es del que parten. Sin embargo, mientras que en el caso romántico existe un continuo desarrollo programático en el que intervienen tanto lo profundo como lo superfluo, la concepción del compositor de un mundo cerrado y de connotación negativa relacionado con la exégesis —el texto que acompaña a la partitura es un claro ejemplo—, no da lugar a una relajación del discurso musical, lo que hace de la obra un mundo sonoro complejo que, escapando de una ordenación férrea, se rige por un grupo de ideas fundamentalmente intuitivas.

Soler mantiene total fidelidad al modelo wagneriano, sobre todo en cuanto al uso del medio acordal, de modo que el acorde se hallará presente según la exigencia musical. Es decir, que mientras que en fragmentos de enorme densidad sufrirá mutaciones que lo harán imperceptible, en los fragmentos de gran lirismo y textura vertical será audible con enorme claridad. Este sistema, así como su organización, pretende acercarse a un medio interválico de sonoridad próxima al oyente, siendo un perfecto substituto de la tonalidad. No hay duda de que existe una obsesión en el uso de dicho acorde, lo que por otra parte también tiene una explicación que resulta lógica en su discurso musical: la exigencia auditiva de la música no tonal nos lleva a un extremo sonoro que resulta en algunos casos excesivamente diverso para el oyente; dicha diversidad produce precisamente todo lo contrario de su propósito inicial. Esta rigurosa lectura de lo sonoro es lo que el propio compositor lleva a cabo consigo mismo, pasando a lo largo de su trayectoria creativa de un mundo no tonal —básicamente dodecafónico— a un mundo seudotonal que, en su sonoridad más extrema —el acorde del **Tristán** se comporta en Soler como la cúspide de lo posible con la armonía clásica—, permite desarrollar un lenguaje que se halla en el justo centro de ambos sistemas, algo que por otra parte resulta más comprensible para el oyente, a pesar de su evidente alejamiento[21].

No vamos a realizar una descripción de todos los tratamientos que el acorde recibe a lo largo de toda la obra, ya que sería excesivo para el lector. Sí lo haremos de los fragmentos que consideramos de interés fundamental, contrastándolos entre sí y observando su distinta aplicación.

La primera verticalidad con contenido pleno del acorde del **Tristán** aparece en el compás 18. También lo hace en la parte introductoria, pero ampliado y desarrollado de modo que resulta prácticamente inaudible.

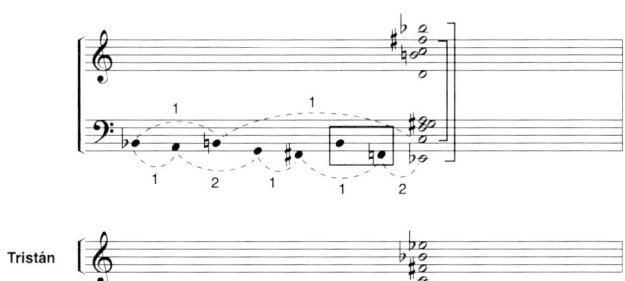

Ejemplo 23

<hr />

[21] No es nuevo que la audiencia en general se halla anclada en la música del pasado, dirigida por el marketing y el poder económico que a menudo no tiene en cuenta a la cultura en sí misma, y cuando así lo hace la confunde con algo que poco o nada tiene que ver con la propia cultura, tal y como anunciara Adorno.

Obsérvese que en el inicio Soler utiliza una escala cromática en dos direcciones, conducida hacia el tritono Si-Fa que se coronará en el Mib grave, sobre el que se edificará el acorde wagneriano. En los primeros compases hay que resaltar también una cierta incidencia sobre el uso de determinadas notas, resultado de añadir el acorde wagneriano al Mib grave:

Celesta   C. 1

Cuerdas   Vl. I C.5

Fagot y trompas   C. 7-8

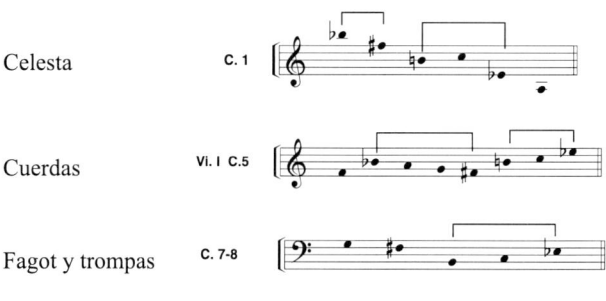

Ejemplo 24

La incidencia sobre dichas notas parece ser el fruto de una inercia de uso, a pesar de que con posterioridad vuelvan a aparecer verticalmente, tanto en el piano como en la cuerda grave (contrabajos):

Ejemplo 25

Ahora bien, el uso de encadenamiento entre acordes viene determinado por un modelo muy específico: a mayor densidad cambian constantemente sus notas, y a menor densidad mantienen notas comunes entre sí, mediante un mayor uso de los acordes que las poseen. Esto será determinante en el uso acordal, y ya aparece con claridad en el compás 19 y siguientes.

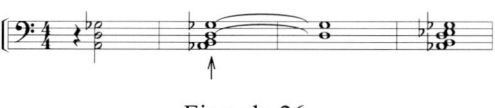

Ejemplo 26

En el lugar del ejemplo 26 aparece el acorde principal del sistema en disposición cerrada, manteniendo entre los que le anteceden y continúan un encadenamiento de notas tenidas a modo de retardos cadenciales que sirven para prolongar la larga distensión que llevará, en el compás 26, al uso de la primera melodía de carácter temático, sin que con ello finalice dicha distensión.

Algo parecido ocurre en los compases 67 y siguientes, en este caso con mayor claridad:

Ejemplo 27

Algunos de estos acordes no aparecen completos, e incluso hay más notas que las que lo forman. En todo caso dicho uso es habitual, y no sólo en esta obra, sino en la mayoría de aquellas en las que Soler utiliza el acorde wagneriano. Nótese además el uso cromático del desplazamiento de los acordes que, aunque dispuestos de distinta forma con respecto a los originales, se desplazan en pequeñas distancias. Esto queda claramente reflejado en el gran divisi de las violas del compás 81 a 84:

Ejemplo 28

En este fragmento únicamente se utilizan tres acordes, que resultan ser consecutivos en la escala cromática ascendente (disposición inversa), empezando por el segundo —a partir del acorde wagneriano fundamental. Ahora bien, el carácter dramático queda reflejado en el Grave de los compases 88 y siguientes, en los que la melodía es utilizada a modo de voz conductora y acompañada de los acordes wagnerianos. En dicho fragmento cada elemento vertical es un acorde diferente que no guarda relación de continuidad con los demás, siendo la nota superior —melodía principal— la que determina el acorde a utilizar.

Ejemplo 29

En este fragmento, el uso del enlace entre acordes con el mismo tritono es continuo —indicados con corchete en el ejemplo—, lo que le confiere una menor agresividad armónica. La última parte (compases 134 y ss.) utiliza una configuración vertical parecida, y se prolongará hasta el último acorde. Véanse al respecto los compases 176 a 182 (ejemplo 30).

De lo expuesto hasta aquí se deduce que el uso del acorde del **Tristán** es simple, utilizando a menudo un número limitado de acordes con el fin de posibilitar un nexo de unión que les confiera coherencia. Los fragmentos de mayor densidad instrumental también son más ricos en su uso, si bien su contenido es idéntico: priman los acordes con sonidos añadidos, por otra parte necesarios dada la mayor complejidad de la textura instrumental. Esto implica una mayor libertad para el compositor, y será en estos fragmentos donde la unidad del acorde quede velada y ocupe un segundo plano. En determinados fragmentos Soler utiliza, para contrarrestar la densa configuración proveniente de añadir sonidos al acorde fundamental, un acorde mantenido que sirve de referencia auditiva.

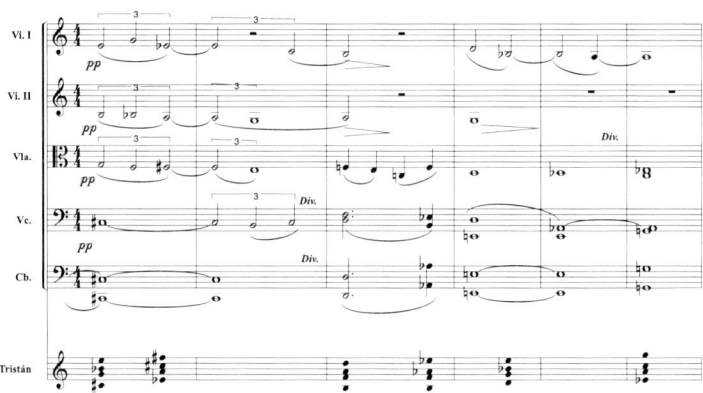

Ejemplo 30

Los mencionados fragmentos de referencia son obvios al observar la partitura, pero difíciles de captar en una primera audición. De ello se desprende que Soler juega aquí con el efecto psicológico de repetir una imagen musical a lo largo de un discurso complejo, provocando que su percepción sea indirecta. En estos fragmentos prima, por encima de todo, su encadenamiento contrapuntístico, y será en los momentos de gran homofonía cuando aparezcan con claridad. Por otra parte, no hay largas secciones de densidad sonora: compás 1 a 18, 54 a 66, 97 a 134 y 158 a 165. El tercero es el más largo, ya que los demás no poseen más de 18 compases. Obsérvese aquí la articulación del acorde wagneriano. El fragmento del ejemplo 31 es el que corresponde a los compases 3 a 5[22].

Es en estas secciones donde el oficio de instrumentador de Josep Soler se muestra con mayor claridad. A primera vista el lector observará un enorme complejo armónico y melódico, de cuyo discurso probablemente le resulte difícil extraer consecuencias. Sin embargo, el discurso, lejos de ser complicado se articula mediante la ampliación orquestal a partir de elementos reducidos, en los que la orquesta simplemente es doblada y redoblada sobre sí misma. En el ejemplo 32 mostramos las ideas básicas que participan en el fragmento, de las que se deduce que sigue siendo el acorde wagneriano lo primordial, aunque sea adornado de una apariencia distinta.

---

[22] Obviamente, dade el tamaño de la partitura no es posible incluir un número más elevado de ejemplos; ello requeriría de un espacio mayor. Para observarlo con mayor claridad remitimos al lector a la partitura original, que podrá localizar en las direcciones de las editoriales referenciadas en el apéndice.

MÚSICA EXPRESIONISTA

Ejemplo 31

Ejemplo 32

Para mayor claridad en su observación se han indicado en el ejemplo los tiempos donde cada uno de los acordes aparece (líneas superiores), junto a su composición. Utilizamos una notación con cabeza blanca para las notas que se hallan ausentes, puesto que en realidad forman parte de aquellos. Sin embargo, mientras existen acordes que utilizan notas distintas, o simplemente un número menor, otros utilizan la superposición de dos acordes (indicado con corchetes). Ese uso contrasta con la pulcritud y la exactitud denotada en los anteriores ejemplos, demostrando que el compositor deja al margen una parte del sentir acordal prefijado siendo lo horizontal lo que prima por encima de lo vertical, es decir, retoma lo que en el uso serial era lo fundamental: el despliegue interválico horizontal.

Lo contrario a este encadenamiento acordal es lo que encontramos en el uso del acorde integrado dentro del gran magma orquestal. El mencionado uso, que en cierto modo podría atribuirse al temor del compositor de que el discurso pueda quedar vacío de contenido armónico al multiplicarse las líneas melódicas, causa un gran efecto, al tiempo que da unidad a la obra. Una de las secciones donde se evidencia es la que hemos denominado tercera sección de complejidad orquestal, en concreto en el compás 111 (ejemplo 33).

Aquí, al igual que en la primera sección —de hecho ocurre en cada una de ellas—, la configuración vertical también se ha realizado mediante el acorde wagneriano, apareciendo con absoluta nitidez en el tercer tiempo del compás 111. No sólo ese acorde será plenamente wagneriano, sino que los que le anteceden y continúan también se articulan igual, siendo uno sólo el que prima por encima de los demás, manteniendo aquí un número considerable de notas comunes, si bien no se articularán de forma ligada (ejemplo 34).

Ejemplo 33

Ejemplo 34

El sistema de Soler es pues, un sistema de encadenamiento interválico de modelos fijos e inalterables, en los que existe un claro alejamiento del concepto tonal *per se*, ya que el uso del cromatismo integral en un orden no predeterminado y sin encadenamientos prefijados, a modo de jerarquización tonal, implica una suerte de proceso múltiple que podría ser asociado al uso atonal practicado con anterioridad a la escuela dodecafónica. Eso sí, manteniendo el uso de un acorde al límite de lo tonal y de lo no tonal como medio de equilibrio intermedio. Lo que puede resultar sorprendente para lector es que, tras un empleo sistemático de acordes en los que el único nexo de unión que se establece es el de la notas comunes, pueda existir una fluidez del discurso, puesto que el sistema en absoluto garantiza la continuidad musical que, sin embargo, resulta evidente y notoria a lo largo de la obra. A ello nos dedicaremos en el siguiente apartado.

Forma, contenido y desarrollo

No hay en esta obra un proceso formal que haya sido explícitamente determinado *a priori*, sino que se trata de una derivación del proceso evolutivo que tiene en la intuición y necesidad expresiva interna su punto de partida. Quizá haciendo referencia a Schelling, quien en *La relación de las artes de la forma con la Naturaleza* (1807) decía que *«Las obras que empiezan desde la mera forma, por mucho que se desarrollen desde ese lado, traicionan su origen por un incurable vacío precisamente allí donde buscamos la última perfección esencial. [...]. Debemos ir más allá de la forma para volver a ella en cuanto inteligible, viva y sentida realmente»*, Soler huye de cualquier planteamiento previo, algo inhabitual en un compositor del siglo XX. Sin embargo, su obra, lejos de carecer de forma, se halla rígidamente delimitada en los aspectos de combinación de la tensión y distensión, aunque esta rigidez sea observada desde el exterior y no desde el propio desarrollo compositivo, en el que la forma nace de dentro hacia fuera sin necesidad de planificación. Esto era algo que ya observábamos en las obras anteriormente analizadas (ejemplo 35).

En la configuración formal cabe destacar el uso de la fragmentación en grupos, en la que existe una férrea unidad de criterio en cuanto al número de compases utilizado. No se puede afirmar con rotundidad que Soler divida dichos fragmentos con claridad , sino que a ellos se accede paulatinamente, siendo la aparición del acorde wagneriano lo determinante.

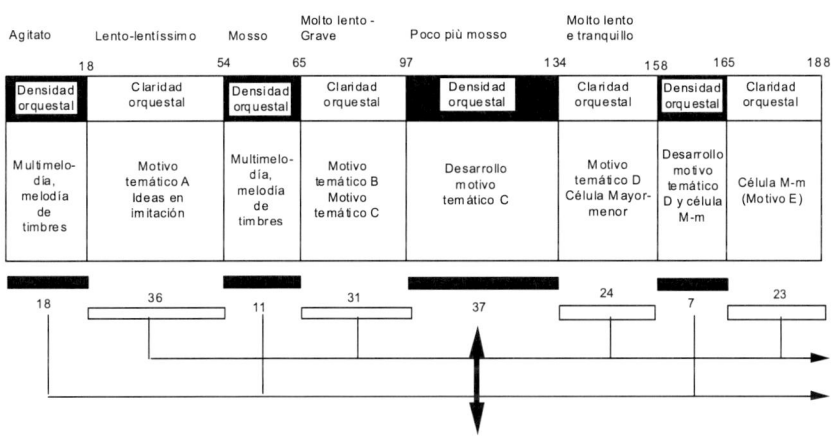

Ejemplo 35

Obsérvese en el anterior ejemplo que el punto de partida de los fragmentos de complejidad y simplicidad orquestal son precisamente del doble de duración uno del otro —en cuanto al número de compases. 18 compases del primero frente a 36 del segundo. A partir de aquellos, cada fragmento sufre una reducción temporal en modo paralelo, con la única excepción de que el movimiento denso de la parte central es más largo —coincide con el centro neurálgico de la obra (compás 97)—, es decir, de 37 compases, cercano al doble de su configuración inicial (18).

Como ya se anticipaba anteriormente, el proceso formal es relativamente simple: la obra se divide en 4 partes de enorme densidad orquestal frente a otras 4 de gran claridad, en las que el predominio del acorde wagneriano es primordial, si bien será en las partes lentas donde éste actúe con verdadera relevancia. La idea de alternar un período denso con otro menos denso, junto a la de la disminución del número de compases es, a grandes rasgos, una derivación de la forma utilizada por Alban Berg en su **Suite Lírica.**

Algo que aparece aquí como rasgo diferencial de las obras anteriores es que en el inicio no se utiliza ninguna idea motívica o de tipo temático que se convierta en desarrollo, siendo el propio acorde quien asume la mencionada función y las partes de mayor densidad las que más acusan dicha particularidad. En resumen, no hay elementos motívicos con rasgos diferenciales, a lo sumo hay elementos que serán repetidos limitadamente, aunque no sean los que componen el discurso global de la pieza. Este es el caso del motivo rítmico de las trompas en el inicio que, ampliado en el compás 12 aparece modificado en el 64, si bien no lo hará de nuevo en ningún otro fragmento.

Ejemplo 36

Los otros elementos son, en realidad, una derivación de la arpegiación y la conducción melódica del acorde del **Tristán.** Un ejemplo de ello se halla en el compás 5 y los compases 13 y siguientes, en los que predomina un elemento de tresillos, si bien no posee un carácter explícito de idea temática. El primero que lo posee es el del compás 19 y 20, aunque actúa más como cita del leitmotiv wagneriano que como elemento temático.

Hasta este punto lo que ha utilizado Soler es una especie de elementos verticales que, magistralmente instrumentados —la orquestación recuerda a los **Gurrelieder** de Schoenberg— le confieren una expresión de multimelodía o melodía de timbres —*Klangfarbenmelodie*—, en la que será la tensión dramática producida por el acorde lo que por encima de todo resulte evidente. Las únicas ideas temáticas claras que aparecerán a lo largo de la obra lo harán en los tiempos lentos o moderados, aunque se articularán de forma independiente y sin repetirse. La primera de ellas surge en el compás 25, efectuada por el flautín y el violín primero a solo.

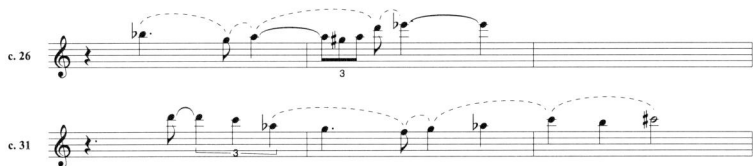

Ejemplo 37

En ambas melodías (compases 26 y 31) existe un encadenamiento idéntico —en el ejemplo las notas enlazadas con una línea discontinua—, unido por notas de paso intermedias que utilizan la misma dirección. El único desarrollo que utilizan estos elementos es el de una continuidad melódica que no se repite, algo parecido a la idea de melodía infinita wagneriana. En muy pocos casos existe un desarrollo contrapuntístico, uno de ellos lo encontramos en los compases 50 a 52.

La segunda idea temática realizará su desarrollo contrapuntístico en el segundo período de simplicidad orquestal, los compases 74 y siguientes. A partir de aquí se suceden las ideas temáticas hasta llegar al compás 88, donde aparece la melodía acompañada del acorde wagneriano (ejemplo 29), también evolucionando hacia el infinito. Va a ser precisamente ésta la única idea clararamente determinante en la densidad orquestal posterior, aunque lo hará continuamente variada. De ese modo la configuración melódica resulta siempre distinta a la inicial, y por tanto, en continuo desarrollo.

Ejemplo 38

Si bien el aspecto melódico global es siempre distinto, se repiten gestos melódico-interválicos entre las distintas frases (ejemplo 38), algo que servirá al oyente como referencia. La última idea importante hace su aparición en el último período de claridad orquestal, en el compás 134, y es, de entre todos los aparecidos, el más simple. Aquí se manifiesta por primera vez un elemento destacado que será imitado por buena parte de la orquesta. Es el único de la obra que posee un contorno melódico claramente definido, aunque paradójicamente hace su aparición en la parte final. Dicho elemento posee un carácter ineludiblemente wagneriano, y será con este propósito con el que Soler lo utilice, ya que del mismo modo que el acorde wagneriano resulta inerte entre dos ejes —tonal y atonal—, éste expresa a la vez la ambivalencia mayor-menor resultante del encadenamiento interválico a una nota que actúa como eje central.

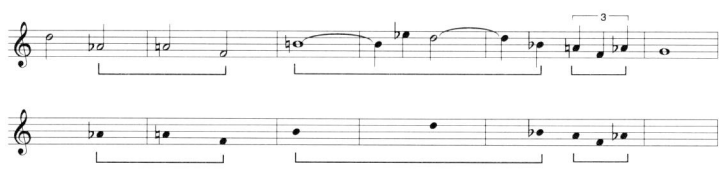

Ejemplo 39

En el ejemplo anterior se observa la interválica que utiliza Soler en el fragmento, que se halla supeditado a la relación mayor-menor, acogiendo en su seno elementos interválicos innatos a la música soleriana: la relación de tritono y el cromatismo absoluto.

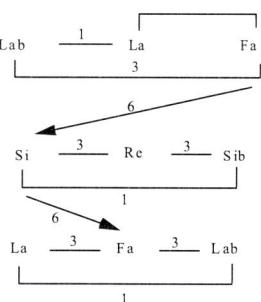

Ejemplo 49

Estos elementos no aparecen únicamente en el acorde wagneriano estudiado aquí, sino que de modo similar eran también utilizados en los procesos interválicos con base dodecafónica, en cuyas series se empleaba el tritono y la segunda menor .

La parte final de la obra se va a articular mediante el uso de la combinación del acorde mayor y menor, terminando con el acorde wagneriano —acorde real[23]— en su estado fundamental, algo que utiliza Soler en buena parte de su música actual. Dicho acorde no aparece hasta finalizar la obra, utilizándose anteriormente con todas las combinaciones, transposiciones y disposiciones posibles, aunque nunca en su estado original.

Conclusiones

De lo expuesto hasta aquí resulta obvio que en el lenguaje musical de Soler se discierne claramente la influencia y experiencia adquirida del estudio de las obras que considera fundamentales de la historia de la música, *«El arte surge cuando de muchas nociones obtenidas por la experiencia se produce un solo juicio universal sobre las cosas semejantes»*[24], algo que se convierte en una losa que no permite abstraer de aquella experiencia más que lo fuertemente desarrollado, convirtiéndose en un elemento férreo e incluso obsesivo en cuanto a su influencia. Lo curioso, y quizá lo más significativo de la música de Soler, es que el material de trabajo es limitadísimo, incluso exageradamente limitado, lo cual se debe a un temor explícito a la dispersión de las ideas y, consecuentemente, a la difuminación del discurso musical. En los dos períodos principales de su trayectoria creativa no existen más que dos focos de acción, el material derivado de la escala dodecafónica, que se articula siempre de un modo fijo, y el uso de un acorde que se encuentra en un estadio previo al del uso dodecafónico, constituyendo su utilización un retroceso lingüístico que le ayuda a evitar la disgregación y la falta de control del discurso musical.

Al compositor no parece importarle que estos elementos resulten en algún momento primarios: su espíritu creativo se halla lejos de planteamientos de desarrollo complejos. Predomina el aspecto intuitivo sobre el intelectual, siendo este último un subproducto de la exégesis que prevalece en toda su obra. Por lo antedicho no hay que achacar a la obra de Soler, como a veces se hace con cierta ligereza, la idea de que se trata de una obra poco pensada, sino todo lo contrario: la obra es para el compositor una forma de exteriorizar la experiencia del propio proceso intelectual y humano. En su obra Soler no permite al analista grandes disquisiciones, ya que es austera en el uso de materiales. Es en el contenido poético-dramático donde se halla toda su magnitud expresiva.

---

[23]   Entendemos como acorde real el utilizado por Wagner en su Tristán e Isolda (ejemplo 2).
[24]   Aristóteles: Metafísica 980a.

No hay duda de que a pesar de su continuo pesimismo, a veces exageradamente dramático, Soler está generando un significativo número de obras en la música catalana del siglo XX. Posiblemente en un futuro se reconozca y aprecie más que en el momento actual, ya que a menudo son otros puntos de partida e influencias, a menudo extramusicales, los que predominan en el criterio de una sociedad, siendo la de hoy una de las más ancladas en movimientos propagandísticos que distorsionan el hecho artístico en sí mismo, dando valor a obras que no lo tienen y despreciando a las que lo poseen.

Todavía queda mucha obra por estrenar del compositor, especialmente sus óperas. Las necesidades de montaje que en la actualidad exige una obra de estas características hace que en su mayoría todavía no hayan sido estrenadas. Su trabajo silencioso y constante son su moneda de pago a una sociedad en la que la cultura ocupa un lugar secundario, y en el que la música deviene espectáculo.

Capítulo VIII. Ramón Barce

Vanguardia y lenguaje personalizado
Análisis de Canadá Trío y Sinfonía número 3

INTRODUCCIÓN

El desarrollo de la música contemporánea entre los años 50 y 70 en el área madrileña pasa por varios grupos con tendencias ideológicas a veces dispares, pero que poseen en común una necesidad de búsqueda y puesta al día de la composición musical como no se había dado con anterioridad en la música española. En otras partes del país hay también otras reacciones —destacan las del Círculo Manuel de Falla y el Club 49 en Barcelona—, lo que denota una necesidad de cambio en el régimen establecido. De entre estos grupos de compositores, teóricos, críticos, etc., destacan el grupo Nueva música, Zaj, el Aula de Música del Ateneo, Alea, Grupo Sonda, Nueva Generación, Actum, etc. En varios de ellos hay una voz que se hará oír con fuerza, siendo una de las más prominentes en la discusión estética del momento. Se trata de Ramón Barce.

La colaboración con dichos grupos —el nombre de ZAJ es invención de Ramón Barce, así como la iniciativa de la creación del grupo Nueva Música— no ha supuesto, en ningún caso, plataforma hacia su éxito de personal, pues aunque él siempre ha mantenido un compromiso con lo nuevo no ha sacado partido de ello: *«Ramón Barce es la paradoja. Su nombre aparece incrustado siempre en la médula, gozne a gozne, de la música española de los últimos veinticinco años. E invariablemente, su nombre está ausente de las galas sonoras del poder [...]. Ha levantado más liebres de las que ha cazado, ha vivido intensamente todos los acontecimientos de la última música española, pero no ha sabido 'capitalizar' nada de esto»*[1]. Sin embargo, Barce no ha dejado de seguir hacia la búsqueda de nuevas formas de expresión: *«Toda frontera [...] es simplemente una línea que nos separa del terror. Precisamente por esto, toda frontera debe ser atravesada»*[2], si bien en la etapa actual no se encuentra el mismo ímpetu de antaño, ya que de algún modo ha hallado una vía de escape mediante el uso de determinados procedimientos que logran mayor control musical y claridad expresiva, especialmente en lo que se refiere a un punto de partida meramente músico-interpretativo.

---

[1]   BARBER, Llorenç: *Ramón Barce, un compositor tangencial.* Madrid: Revista Ritmo nº 502, Junio de 1980.

[2]   MEDINA, Angel: *Ramón Barce.* Oviedo:Universidad de Oviedo, , 1983. Pág. 182.

La irrupción del grupo Nueva Música, integrado por compositores vinculados con la Generación del 51, significó el punto de partida para su densa carrera como compositor, conferenciante, ensayista, crítico, traductor y estudioso de la música de la segunda mitad del siglo XX. Si bien Barce es conocido en el mundo de la estética musical por su libro «*Fronteras de la música*», además de las traducciones de los libros de armonía de Schoenberg, Haba y Schenker, su carrera creativa no deja de ser por ello significativa, sobre todo en lo que se refiere a la gran necesidad de búsqueda de nuevos horizontes, que le ha llevado a experimentar con buena parte de las pautas de la composición contemporánea. En la última etapa —la actual— tiende a la estabilidad, mediante la concentración en un único modelo de trabajo que, si bien resultó innovador en su inicio, no deja de ser una forma de expresión que aglutina la experiencia del pasado de la música tonal y modal, y en ese contexto se encuentra alejado de un mundo abierto y de azar.

El punto de partida de su trabajo compositivo se halla muy alejado del planteamiento de cualquier idea tonal o seudotonal. El principio de su intinerario creador se caracteriza por la búsqueda incesante de nuevas fórmulas que mantienen en común el uso de una escritura sin grandes innovaciones: «*Ramón Barce no es amigo de emplear constantemente escrituras que incorporen excesivas novedades en la grafía. Se puede observar un progresivo abandono de las grafías no convencionales - experimentales en cierto modo - a medida que el compositor va extrayendo las consecuencias de sus experiencias*»[3]. Esta búsqueda es la que le llevó a participar en proyectos que hoy nos parecen más bien ideas que completan el anecdotario de la música de los años 60, y no modelos significativos en el corpus de la composición contemporánea. Aunque Barce no fue creador absoluto de ninguna de aquéllas, participó como integrante con tanta o mayor convicción que los que las subscribieron. Probablemente, la necesidad del trabajo bien hecho es lo que le llevó a abandonar alguna de aquéllas de forma súbita e incluso imprevisible, aunque no faltaron otras razones: «*[...] tendré que renunciar por ahora a toda actividad ZAJ, ya que algunas de las personas de las que dependo económicamente se escandalizan bastante y me ponen en mala situación con vistas a mi renovación del contrato de trabajo [...]. Parece mentira pero hay que gente que se muestra casi ofendida por la música en acción y similares*»[4]. En los años 60 le interesa el pensamiento que se deriva de la lucha hacia una nueva forma de expresión y lo que conlleva de intelectualidad, en total contraposición a lo establecido como *regla* y huyendo de procedimientos de trabajo que se podían acabar transformando en conceptos férreos, si bien establece modelos propios que de algún modo sirven al mismo fin: «*En líneas*

---

[3]   MEDINA, Angel: *Ramón Barce*. Pág. 182.
[4]   *Ibídem* Pág. 93.

generales, mis intenciones estéticas podrían resumirse así: creación de estructuras sonoras perceptibles y expresivas con formas fluyentes y temporalmente flexibles»[5]. Esa negación de la ley y el establecimiento de postulados más o menos rígidos le lleva a una conversión del material sonoro en una *grafización,* paradójica e incluso poco natural en el compositor, quien a pesar de utilizar a menudo métodos no convencionales emplea medios de trabajo que no escapan en exceso a los procedimientos tradicionales, como se deduce del comentario para la composición de las **Síntesis de Siala** : *«Preferí el procedimiento 5) combinado con el 4),* [4/ elegir de toda la obra un número de pentagramas o de fragmentos hasta cubrir una hoja, eliminando el resto; 5/ estrechar los signos de notación hasta el límite, cubriendo una hoja y eliminando el resto], *eligiendo cuidadosamente los pasajes más característicos de la obra, soldándolos unos a otros, estrechando la notación y eliminando los elementos secundarios o menos tipificadores»*[6].

Se pueden establecer tres épocas significativas en la carrera del compositor: la inicial, de relación meramente dodecafónica, donde se establecen los primeros lazos de unión con el mundo musical desarrollado en la Europa posterior a la Segunda Guerra Mundial y a la que los compositores españoles se incorporaron durante los años 50 a 60: *«[...] es el autor* [se refiere a Barce] *más temprana, profunda y largamente expresionista producido por la música española»*[7]. Sigue una segunda etapa de búsqueda de nuevas formulaciones expresivas, en las que el dadaismo, azar o happenning, son punto de confluencia para la consecución de fórmulas de expresión musical. En su momento fueron con toda probabilidad nuevas y de obligada confrontación con el público y la crítica, algo que incluso le provocaría problemas económicos que le obligarían a abandonar determinados proyectos; y una tercera etapa, de restablecimiento de un nuevo orden de organización escalística que, huyendo de principios tradicionales se relaciona con aquellos mediante el uso de procedimientos modales en los que realiza un uso no tradicional de los elementos lingüísticos, indirectamente relacionados con el lenguaje de su primera etapa creativa.

En la actualidad predomina esta última etapa, por ser la lógica consecuencia de su evolución, y es por es razón por lo que la vamos a estudiar con mayor detenimiento mediante el análisis de una de sus más importantes obras: la **Tercera Sinfonía.** Sin embargo, no sería justo dejar de lado las anteriores etapas, puesto que no hay consecuente sin antecedente. Para ello realizaremos el análisis de **Canadá**

---

5   BARCE, Ramón: *Autoanálisis 1961.* Citado en el libro de Medina, *Ramón Barce,* pág. 41.
6   BARCE, Ramón: *Fronteras de la música.* Madrid: Real Musical, 1985. Pág. 73.
7   MAECO, Tomás: *Música española de vanguardia.* Pág. 83.

Trío, una de las obras del período de música abierta y azar que el compositor tiene en mayor consideración.

Lenguaje propio

Ramón Barce no inició su andadura en el mundo de la composición a partir de los modelos populares de la época: *«Muchos de mis colegas han empezado a escribir música con influencia de Falla, Mompou, Guridi.... pero yo nunca he escrito música de este tipo, he mostrado siempre un rechazo a ese tipo de música. Quizá era una música más 'tonal' que la que escribí después, pero no tenía nada que ver con el neoclasicismo, ni con el neopopulismo ni con nada de esto»*[8]. Por ello no debe interpretarse el lenguaje actual del compositor como una prolongación de aquél, aunque utilice ideas de tipo modal que incluso en algunos casos pueden hallarse cercanas al modelo nacionalista. Cuando es así es pura coincidencia. Precisamente el procedimiento modal de Barce busca todo lo contrario, es decir, una justificación atonal con el alejamiento absoluto de la idea de jerarquización que establece la tonalidad mediante el uso de la tónica, dominante o subdominante, aunque en determinados momentos se utilicen ideas semejantes.

Ramón Barce es un gran conocedor del mundo armónico —no en vano ha traducido varios libros sobre el tema—, por lo que domina la lógica consecuencia de un lenguaje modal. Aún así lo toma como propio y lo desarrolla en una dirección en la que el terreno resulta extremadamente escurridizo y puede hacerle caer en el uso de medios tonales: *«La armonía,[...] hay que estudiarla hoy más que nunca, porque se ha convertido realmente en un problema, y ya no es una colección de normas seguras y listas para su transgresión [...] para cambiar algo profundamente hay que absorber y dominar el pasado»*[9]. Ese conocimiento de la tonalidad es el que le permite y obliga continuamente a replantearse el modo de trabajo, dejando al margen determinados estereotipos y dirigiéndose hacia un medio más plausible y libre de engaño.

Así pues, la etapa actual utiliza un lenguaje cercano al de los sistemas modales, en los que la presencia de jerarquización tonal es referencia ineludible para la creación de un punto único de confluencia, a modo de tonalidad, en el que se suprime lo que la caracteriza como tal, es decir, la dominante como punto máximo

---

[8]   MEDINA, *Ramón Barce*, pág. 30.
[9]   BARCE, *Fronteras de la música*, pág. 79.

de la tensión tradicional y la subdominante como punto intermedio. No se suprime su tónica, que pasa a denominarse *nivel*. A pesar de todo, el uso de la escala es meramente cromático, lo que la distingue de la escala tonal tradicional. En su sistema, además de evitar la subdominante y dominante —con respecto a la nota nivel—, se utiliza la omisión de la sensible superior o inferior según sea el modo convenido. De ese modo se establecen un total de cuatro modos según se omitan unas u otras notas:

Ejemplo 1

El compositor determina el nivel y el modo elegido dependiendo de las necesidades expresivas, si bien a menudo se utiliza una cierta coherencia simétrica o de otro orden para establecer el contexto sobre el que se va a realizar la obra. Lo que puede resultar extraño al lector es el hecho de que Barce llegue a través de una evolución lingüística a un procedimiento que se halla, en realidad, cercano al punto de partida: «[...] no *se trata de una vuelta atrás en el sentido de los compositores que vuelven a hacer música clásica, o que imitan a Mahler como está ocurriendo en muchos sitios, por ejemplo en Alemania. No se trata de una vuelta a Mahler o a Debussy ni nada que se le parezca. En absoluto. Se trata de restablecer simplemente ciertas formas organizadas después de la música serial*»[10]. Eso puede resultar sorprendente, sobre todo por el hecho de que para algunos se halla en el lado opuesto de lo que representa la búsqueda de nuevos procedimientos ya que, si bien el medio resulta novedoso en la música española[11], no lo es en cuanto al procedimiento en sí.

---

[10] MEDINA, *Ramón Barce*, pág. 118.
[11] También otro compositor español, Javier Darias, desarrolla un sistema similar, en ese caso basado sobre el sistema de cuartas y las escalas derivadas de aquellos. Aunque se halla cercano al de Ramón Barce, el propósito y medio de desarrollo son completamente diferentes.

314

Compositores como Messiaen, Bartók y Scriabin entre otros hicieron lo propio con un sistema de escala que, a diferencia del de Barce, se hallaba relacionado al mundo tonal.

El sistema de Barce no obliga a ningún tipo de consecución melódica, ya que únicamente se utiliza el nivel como altura referencial. En ningún caso se usa como referencia explícita a otras notas de ese mismo nivel que representen algún tipo de jerarquización. El propósito es utilizar el nivel como única tónica, evitando cualquier otra altura que pueda dar referencias de tipo tonal. Ahora bien, ello no evita que otras alturas de ese mismo nivel, según sea el tratamiento recibido, puedan dar cierta sensación tonal pero ¿acaso no puede ocurrir lo mismo, incluso en cualquier música no tonal o dodecafónica? No hay duda de que no importa el sistema que se trate, puesto que éste nunca conferirá seguridad absoluta sobre el resultado final, al cual en última instancia hay que remitirse.

Vamos a realizar un análisis de dos obras significativas en la producción musical de nuestro compositor. La primera, perteneciente a la época de la música de azar: **Canadá Trío**, y la segunda, perteneciente a la producción musical posterior, que data de 1983: la **Sinfonía número 3**. De ambas intentaremos extraer los procedimientos de trabajo utilizados con el objetivo de obtener sus consecuencias lingüísticas.

CANADÁ TRÍO

Escrita en el año 1968, **Canadá Trío** es una de las obras que el propio compositor tiene en mayor consideración, siendo una de las que mejor sintetizan la labor emprendida hacia la dirección del azar y nuevas formas de expresión. En **Canadá trío** existe una dosis importante de libertad, si bien coexiste una necesidad de precisión y objetivación del hecho musical en sí: *«El azar está entendido matemáticamente, como ley del azar y no como indeterminación caótica»*[12]. Barce utiliza los elementos musicales de la obra con una configuración precisa, en contrapartida al azar como acción final. El procedimiento es simple: cada uno de los instrumentos posee una parte explícitamente escrita para él, en la que el azar individual resulta inexistente puesto que el texto se halla escrito con total precisión, si bien no se utiliza división de compás alguna. Utilizarla supondría salirse del contexto formal que aquí se pretende crear.

---

[12] MEDINA, *Ramón Barce*, pág. 61.

La obra tiene en la plasmación final su objetivo principal: el azar, y será entonces cuando la obra resulte completa, y no antes. Esto no debe interpretarse como una imprecisión o una forma fácil de escribir música. El proceso creativo que Barce emplea aquí se halla inmerso en una profundidad de pensamiento en la que confluyen distintos puntos de vista de gran seriedad. No hay duda de que la música que tenía como punto de partida el azar ha pasado a ser un movimiento musical parcialmente dejado de lado, pero fue útil para buscar nuevos procedimientos y examinar modelos de expresión que en aquel momento —entre los años 50 a 75— resultaban de absoluta necesidad creativa. También es cierto que el uso y abuso de ciertos métodos influyeron negativamente en el oyente, por lo que en muchos casos el autor perdió credibilidad. No es el caso de la obra que aquí nos ocupa, que lejos de ser relegada al olvido día a día es más interpretada.

Ejemplo 2

Canadá Trío establece un nexo de unión formal en el que es el azar la última consecuencia, siendo desplazados del plano convencional los aspectos de exposición de los medios a utilizar:»[...] *la obra de arte, para poseer una forma, no necesita de manera incondicional apoyarse en conformaciones exteriores ni presentar estructuras virtuales tales como simetrías, modelos transponibles o* *repeticiones»*[13]. Es por esa razón por la que no establece un medio que dé libertad a cada uno de sus intérpretes. Para llegar al azar es necesario conseguir la coherencia individual, algo que se halla alejado de procesos empleados por otros compositores, en los que normalmente es el principio de libertad el que gobierna su discurso musical. El *conceptualismo cageniano* es abandonado aquí por completo. Interesa hacer una obra en la que el material musical importe como tal, que ocupe un primer grado de importancia, y en el que el azar sea la consecuencia de utilizarlo según su propia inercia interpretativa y no el producto de la suma de libertades encontradas. De ese modo, resulta imprescindible abordar el análisis de la obra mediante una previa descripción, instrumento a instrumento, del material de uso, ya que es éste el que conforma su resultado final.

Contenido instrumental individual, material rítmico e interválico

A cada instrumento se le asigna un material específico, del cual sólo determinados modelos melódicos o motívicos son utilizados en otro instrumento, por lo que cada uno posee ideas que le son únicas y que se articulan independientemente. Así pues, creemos apropiado observar el uso que cada uno hace de dichos modelos, ya que si el fin último es su superposición, aunque sea con cierta libertad temporal —cada instrumento toca de forma independiente—, el punto de partida es precisamente el contrario: motivos de contorno gestual claro y con un orden combinatorio preciso. De hecho, la obra trata a cada uno de los instrumentos como si fueran modelos únicos, en los que cada cual se mueve con un proceso formal unívoco y en el que el tratamiento varía de instrumento a instrumento. Dada la imprecisión que se derivaría de la denominación de movimiento por pulsaciones —la obra no se halla compaseada—, hemos optado por enumerar los sistemas según la partitura editada, por lo que invitamos al lector a que la tome como referencia a la hora de leer el análisis con la partitura.

Resaltaremos también la diversidad de articulación entre los diversos instrumentos, que es considerable, ya que la tímbrica particular de cada uno impregna directamente su articulación y le confiere personalidad propia.

---

[13]   BARCE, *Fronteras de la música*, pág. 46.

Flauta

La parte de la flauta se ordena de forma simétrica, en la que el inicio es repetido y de nuevo variado en su final. Esta parte mantiene una ordenación férrea, a pesar de la diversidad de articulación que en ella existe. Seguidamente vamos a realizar una exposición de los elementos que la constituyen, lo que nos ayudará a obtener consecuencias de tipo organizativo. La parte de la flauta se divide en una serie de secciones que podemos observar en el ejemplo siguiente:

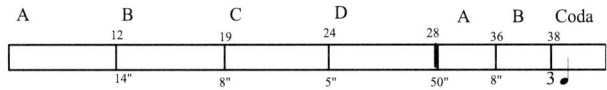

Ejemplo 3

Claramente aparecen las ideas de carácter temático que serán reexpuestas al final, con una reducción drástica de su longitud y contenido. Pero vayamos a observar cada una de estas ideas individualmente. En la parte inicial, que denominamos **A** y que se prolonga hasta el sistema número 5, a partir de la cual seguirá una pausa de 8 segundos, aparecen varias ideas importantes. La primera de ellas lo hace al inicio:

Ejemplo 4

Son elementos puramente rítmicos, ya que melódicamente utilizan encadenamientos de gran simplicidad. Otro elemento similar y derivado de los anteriores se usa también en un segundo grado de importancia:

Ejemplo 5

Junto a lo mencionado aparece siempre una nota mantenida que sigue a una serie de silencios de 3 negras. Ésta sirve a su vez de gran cesura entre los distintos grupos. Sin embargo, lo que resulta curioso es que a lo largo de todo el fragmento no aparece nunca la nota Sol#, más aún cuando la obra se inicia mediante la incorporación paulatina de las distintas notas. La no utilización de determinadas alturas será el principio sobre el que se basará su sistema armónico creado hacia el año 1968. En todo caso, la omisión de estas notas no tiene por ahora un interés específico. Si bien el contenido melódico no reviste gran importancia, sin embargo, se hace uso de la octava como medio expresivo, recurso utilizado en muchas de sus obras y que poco a poco se ha convertido en un gesto personal: « *El compositor ha llegado a un auténtico dominio de las posibilidades que encierra la octava y que son más de las que se podía suponer en un intervalo aparentemente tan vulgar. El empleo de este intervalo podría interpretarse [...] como un deseo de marcar distancias respecto al sistema serial ortodoxo, pero cuando se comprueba que son muchas las obras de Barce en las que la octava tiene un papel determinante, la interpretación anterior deja de ser válida por anecdótica y hay que considerar que el intervalo de octava, bien sea descendente o ascendente, bien armónico o melódico constituye un estilema importante en la obra de Barce»*[14].

En la parte segunda de **A**, en el sistema 6, aparece en su inicio —tras la pausa de 8 segundos— una nueva idea que utiliza una articulación diferente, si bien inmediatamente se retorna a la idea de la primera parte. Este nuevo modelo es rítmicamente simple, aunque con un carácter y contorno muy definidos.

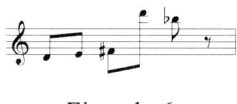

Ejemplo 6

De nuevo se omite Sol#, si bien tampoco aparecerá Sol natural. En lo que sigue a esta parte encontramos un elemento que nada tiene que ver con el anterior (**B**), que se articula como una especie de ostinato sobre varios grupos de notas, separados por grandes pausas.

Ejemplo 7

---

14   MEDINA, *Ramón Barce*, pág. 73.

Estos dos elementos **a** y **b**, junto a la variante **b'**, se combinan de tal modo que en su globalidad constituyen una idea simétrica:

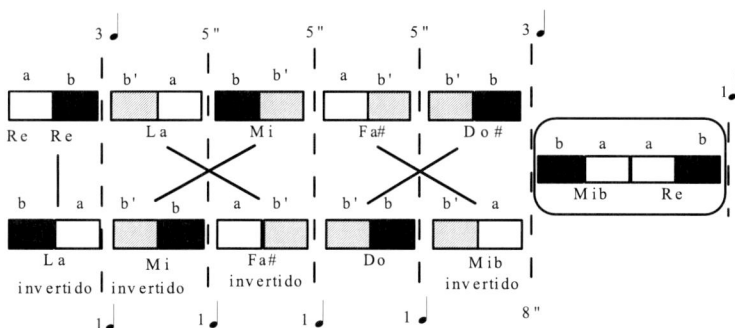

Ejemplo 8

En el ejemplo anterior se puede observar que existe una articulación en la que por encima de todo domina la simetría, y en la que en la primera parte se combinan grupos con cesuras internas de valores que se extienden, desde las 3 negras de silencio (♩ =80) hasta los 5 segundos, mientras que en la segunda —tras el fragmento que utiliza la simetría de **b-a-a-b**—, se utilizan únicamente pausas de una negra, a excepción del final, donde aparece un silencio de ocho segundos que es empleado como una gran cesura que prepara lo siguiente. En esta articulación formal se observa una combinación e inversión de las ideas aparecidas hasta el momento, a pesar de que se mantiene el mismo número a lo largo de todo el fragmento. En buena parte se utiliza una nota intermedia con trino que sirve para unirlos y evitar el exceso de silencios. Las notas que no aparecen son Fa, Sol y Si, o sea, las notas que corresponden al modo tercero del nivel Do (Ejemplo 1).

Lo que sigue a **B** es una nueva articulación melódico-rítmica —también apropiada para el instrumento—, que utiliza a su vez dos ideas distintas:

Ejemplo 9

Esta nueva sección (**C**), que empezará en el sistema 19 y se prolongará hasta el número 24, únicamente utilizará la combinación de dichos elementos añadiendo notas tenidas, manteniendo así una cierta desconexión con el resto de las ideas principales. En este caso, la nota que no aparece a lo largo del fragmento es la nota Si.

La parte final (**D**), la encontramos entre el sistema 24 y 28, en el que únicamente se utiliza como variación el seisillo, que se compone de un encadenamiento por distancias de semitono que se repetirá de forma ascendente a modo de progresión, pasando poco a poco de la nota fundamental Fa a Sol#, donde terminará.

Ejemplo 10

En esta ocasión las notas omitidas son Do, Mi y Sib. Tras aquella aparece la mayor pausa de la obra, cuya duración será de 50 segundos y tras la cual seguirá la idea **A**, de nuevo expuesta con una variación mínima y en la que la nota ausente será aquí Si. Le sigue la idea –sistemas 36 a 38–, la cual mantiene una combinación distinta a la de su anterior aparición, aunque en síntesis utiliza la misma articulación: agrupación de fusas con una combinación interválica en la que se mantienen todas las notas aparecidas en la primera sección **B**, aunque varíe su orden. Aquí serán las notas Do#, Fa, Sol y Si natural las omitidas, o sea, nos encontramos frente al modo cuarto del nivel Do (ejemplo 1).

La obra termina con una idea que actúa como coda y que aparece tras la cesura de silencio de tres negras con la omisión de las notas Re, Mi, Fa#, Sol# y Sib.

Piano

El piano, al igual que la flauta, utiliza un grupo de elementos individuales que se desarrollará de forma independiente con respecto a los otros instrumentos, si bien alguno se repetirá. Hay aquí una voluntad de aprovechar al máximo sus posibilidades instrumentales, tanto en el aspecto tímbrico como rítmico, por lo que el piano es utilizado como instrumento intermedio entre la flauta y la percusión, dado que es el único instrumento que posee la capacidad de producción de alturas y ataques percusivos. Por esa razón utiliza motivos que son meramente rítmicos y de gran contenido armónico.

El primer elemento o idea significativa irrumpe en el comienzo, y lo hace con dos sub-elementos distintos aunque complementarios:

Ejemplo 11

En su parte inicial se mantiene la idea del salto de octava utilizado en la flauta, pero con un ritmo distinto. Le sigue una idea rítmica muy específica que será utilizada a lo largo de todo el fragmento **A**. De hecho, este ritmo tampoco se comporta como tal, ya que en realidad se trata de una pulsación corta que mantiene el tempo, en contra del elemento de pulsación con notas negras que le seguirá. En este caso también han sido omitidas determinadas notas: Fa#, Do, Do#, Re y Mi natural.

Al final del sistema segundo aparece la segunda parte de **A**, que utilizará una variación de lo anterior mezclando a su vez la idea rítmica antedicha.

Ejemplo 12

En el anterior ejemplo se observa como el acorde pedal sobre el que se realiza el modelo rítmico (señalado con una flecha) ha sufrido una pequeña variación, siendo sustituida la nota Fa inferior por la nota Sol. Será dicha combinación la que se utilice de aquí en adelante. Las notas omitidas son Fa, Fa#, Sol y Sol#, es decir, las notas intermedias del nivel Do. Formalmente el fragmento queda del siguiente modo:

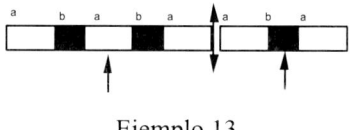

Ejemplo 13

En el ejemplo denominamos al elemento rítmico (ejemplo 11) como **b** . Obsérvese, que existe una clara simetría en la combinación de estos elementos, separados por una nota mantenida (Si).

Completa el final de la idea **A** una pequeña *codetta*, realizada tras los 6 segundos de pausa (sistemas 7 y 8) que, aunque aquí resulta de poca importancia, la tendrá tras la sección **C** (sistemas 22 a 24). Esta pausa nos llevará hacia la idea **B** (sistema 9), que en este caso es semejante a la aparecida en la Flauta a pesar de que no mantiene una relación igual que en aquella (ejemplo 7). Unicamente añade un acorde en la mano izquierda con las notas Mib-Do-Fa#. Las notas serán de nuevo las omitidas en la flauta, es decir Si, Fa y Sol, o sea, el modo tercero del nivel Do. También se añaden varios elementos distintos, dos con contenido menor que denominaremos c y d, y cuatro nuevos que denominamos e, f, g, h (ejemplo 15).

Estos elementos se combinan de forma coherente y, al igual que en la flauta, utilizando como medio de encadenamiento pausas con silencios de negra (ejemplo 16).

Obsérvese que en dicha combinación existe la constante repetición de las mismas agrupaciones, manteniendo también su ordenación. Tras la gran pausa de 48 segundos que sigue a la sección **B**, el fragmento que le continúa será meramente rítmico (sistemas 16 a 23), ya que no se han anotado las alturas. Es en el interior del piano donde haya que situar la acción. La ordenación de estos elementos no es tan precisa como lo fue en secciones anteriores, repitiéndose sólo algunos modelos rítmicos:

Ejemplo 14

Ejemplo 15

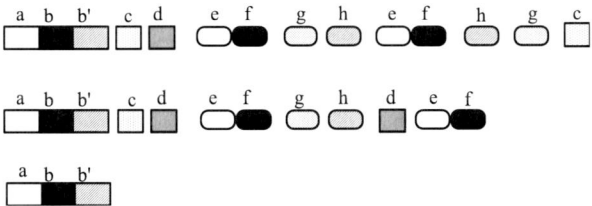

Ejemplo 16

Durante este fragmento (**C**) Barce utiliza únicamente dos alturas claramente delimitadas: Fa# y La, frente a la libertad de elección del resto de las alturas por parte del intérprete. A lo largo del fragmento hace uso de una octavación continua de dichos sonidos, es decir, utiliza una altura definida (Fa# y La) que se sitúa en determinados puntos sin que se mantenga su continuidad, de tal modo que en el sistema 16 aparece el Fa# 6, en el sistema 17 el fa# 5 y Fa# 4, en el sistema 18 el Fa# 3 y Fa#2, en el sistema 19 el Fa# 1 y Fa# 0. A partir del sistema 20 aparece el La 1 y La 0, en el 21 el La 1 y La 2, terminando en la repetición de la última altura mencionada. Ahora bien, estas notas no resultan audibles con claridad en el contexto global, ya que Barce no delimita el resto de sonidos, que son de libre elección — únicamente en este fragmento (**C**)—, de tal modo que unos se integran dentro de otros, si bien en parte han sido anotados con toda claridad.

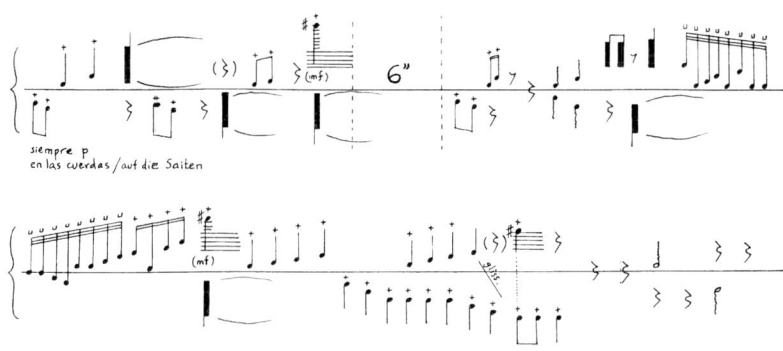

Ejemplo 17

En el sistema 22 aparece de nuevo la idea final de **A** (codetta), que se unirá directamente a los elementos de la segunda sección también de **A** (ritmo y pulsación), dando paso en el sistema 25, tras una pausa de cinco segundos, a un retorno a los elementos de **B** en fusas.

Utilizan una combinación formal de gran coherencia que se prolonga hasta el sistema 29 y que tras el modelo **d** se desarrollan en continua variación. Con ella terminará la obra. Dicha combinación mantiene el orden mostrado en el ejemplo 18.

Esta combinación posee en su inicio una repetición de elementos que se intercambian paulatinamente hasta la aparición de los motivos e y f, desde los cuales resulta más libre. Para unir un grupo con otro se utiliza de nuevo el silencio.

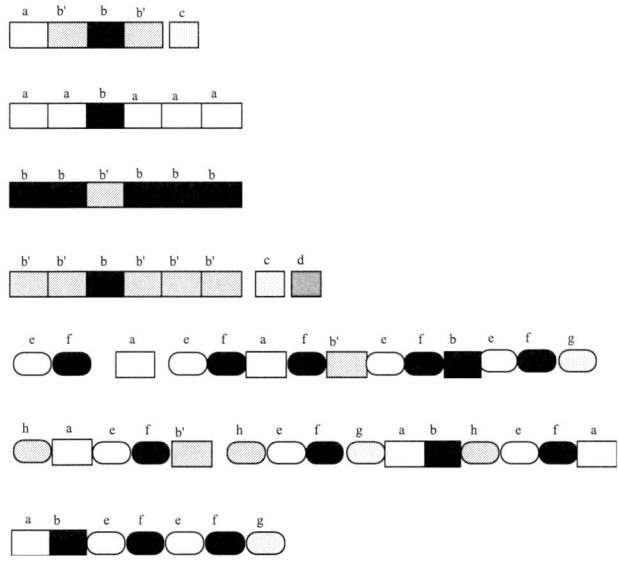

Ejemplo 18

Percusión

La percusión no utiliza ningún instrumento de sonido determinado (los instrumentos son: 2 bongos, 2 gongs, triángulo, temple-block, caja china y 2 cencerros), por lo que todo el control del material se limita exclusivamente al ritmo. Barce utiliza un proceso formal simple, de gran afinidad con el utilizado por los otros dos instrumentos que le acompañan.

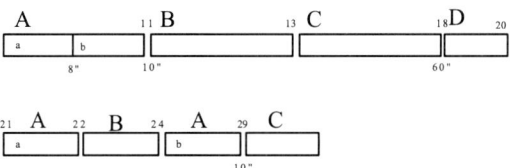

Ejemplo 19

Estos modelos rítmicos son usados, sobre todo, en los instrumentos de pulsación precisa, entre los cuales los bongos resultan especialmente privilegiados. Los utiliza en todo el fragmento inicial para delimitar el ritmo principal, que será la idea rítmica *leitmotiv* que encontraremos a lo largo de aquella.

Ejemplo 20

Esta idea, que será repetida tres veces en la parte **a** de la sección **A**, será utilizada de nuevo en el sistema 21, en el nuevo retorno a **A**, donde aparecerá dos veces seguidas omitiendo la nota blanca en trino del final. La parte **b** del mismo período **A** utiliza un modelo rítmico distinto, que es la combinación de un elemento que evoluciona desde el tresillo al cinquillo, junto a un trino en el gong:

Ejemplo 21

Este modelo también es empleado tres veces, como el anterior, lo que da aún más coherencia al material de uso. Hace su reaparición en el sistema 25, aunque con un contorno distinto ya que cambia el triángulo por la caja china. Mantiene exactamente la misma disposición rítmica, que repite un total de cuatro veces, si bien la penúltima no se halla completa.

La sección **B** desarrolla un modelo rítmico semejante al utilizado en el movimiento de fusas por los otros instrumentos (flauta y piano). El modelo es idéntico en cada aparición, ya que no utiliza variación alguna de alturas.

Ejemplo 22

Dicho modelo se repetirá un total de 11 veces. La siguiente sección (**C**) apenas establece un ritmo específico, y mantiene una pulsación continua que se combina entre todos los instrumentos de percusión, separada periódicamente por un silencio de negra. Estas pulsaciones se combinan en grupos de 6 corcheas, como ya se ha mencionado, separadas por un silencio de negra, a excepción del inicio, en el que se observa un grupo de pulsación de 12 corcheas y otro, que se halla al final del sistema 16, de únicamente 11. A lo largo de este fragmento se encuentran también dos grupos de 5, que son la condensación de los de 6, puesto que uno de ellos coincide en dos instrumentos a la vez.

Tras la gran pausa de 60 segundos se encuentra un pequeño período de transición que nos va a llevar directamente a la repetición de los elementos de **A** descritos anteriormente. En este fragmento se utiliza una mezcla libre de dichos elementos sin un orden establecido.

La obra terminará a partir del sistema 29 mediante el uso de la idea de pulsación mantenida en **C,** la cual, partiendo de su ampliación y pasando de valores de corchea a valores de negra, reutilizará de nuevo la idea anterior en su parte intermedia, retornando a la pulsación de negra en la resolución final.

Resultado sonoro final

Hasta aquí hemos ido demostrando que en la obra existe una fuerte relación interna del material utilizado. Paradójicamente, lo que el compositor pretende es lo contrario, es decir, que la obra resulte abierta aún utilizando elementos cohesionados. A pesar de que todos los intérpretes poseen un tempo en común de negra 80, el mismo compositor les recomienda, en las instrucciones que acompañan la partitura, que *«[...] Cada ejecutante tocará su parte independientemente de los otros dos y sin preocuparse por ningún tipo de ajuste; cuando los tres hayan terminado su parte (que podrá no ser simultáneamente), la pieza ha acabado. Tampoco es posible que ensayen juntos».* Puede darse el caso de que los tres intérpretes alcancen un tempo exacto entre sí. De todos modos, la obra observará los desajustes propios de la combinación de los instrumentos debida al ligero desplazamiento que se deriva del tempo individual. A ello ayudará la lectura particular que cada instrumentista haga de las divisiones internas en segundos, de las cuales algunas son extremas, por ejemplo, los 60 segundos de la percusión, lo que por la propia inercia y longitud de las mismas contribuye a la inexactitud.

Esta no coincidencia, claramente pretendida, provocará la inexistencia de dos versiones iguales de la misma pieza, en las que las partes individuales, por otra parte claramente delimitadas, se convierten en puntos extremos que el oyente puede intentar llegar a comprender, aunque la misma variedad provoca la negación de tal objetivo. Existe un propósito implícito de creación de una nueva obra, y no sólo en el contexto composicional, sino también en el momento de su ejecución, en el que cada nueva interpretación es una nueva creación. Esto se muestra en la globalidad combinatoria, aunque no en la individualidad instrumental.

Ahora bien, la pregunta que nos viene a la cabeza es la siguiente: ¿porqué ordenar tan minuciosamente el discurso interno si el fin propuesto es precisamente el contrario? Probablemente esta pregunta no la pueda responder con claridad más que el propio compositor, aunque algo sí queda claro: existe una necesidad interna de no dejar al margen nada de lo que tenga que ver con el acontecer musical, puesto que puede hacer peligrar su desarrollo. Esto es evidente en otras obras del compositor, como por ejemplo las **Síntesis de Siala**, en las que la partitura es meramente gráfica. Aún así, para realizarla se partió del modelo escrito en notas convencionales, por lo que puede ser contradictorio con el resultado final, ya que en ningún caso el intérprete volverá a realizar la parte escrita según la lectura gráfica derivada de aquella, resultando excesivamente aleatoria, *«podría hablarse en algunos casos de parodia: lo mismo que la música ha cultivado siempre el género paródico por imitación distorsionada de otras obras (acústicamente), los gráficos pueden considerarse en ocasiones como una parodia plástica de las partituras normales (no de su resultado sonoro, sino de su aspecto visual)»*[15].

Tras lo expuesto queda claro que es cuestión prioritaria del compositor la de ordenar todo el proceso musical, aunque sea únicamente para un propósito aleatorio, algo que forma parte de una necesidad de expresión concreta. En ello subyace la duda que el propio compositor manifiesta respecto al uso de la libertad total: *«[...] el azar que hacemos intervenir en la obra musical no es un azar absoluto, sino limitado o condicionado por el contorno que hemos establecido para el esquema originario»*[16]. Prueba de esa necesidad de control del material sonoro es la sucesiva evolución hacia el establecimiento de un nuevo modelo compositivo, basado en una dosificación exacta y precisa de los aspectos melódicos o de alturas, algo que se plasma en el sistema de niveles. No creemos que sea natural, por lo menos aparentemente, pasar de un modelo abierto a otro fijo, como es el sistema de niveles, si en el subconsciente del autor no existe la necesidad interna de control del material sonoro.

---

[15]   BARCE, *Fronteras de la música,* pág. 70.
[16]   *Ibídem,*   pág. 53.

Sinfonía núm. 3

La **Sinfonía núm. 3**, escrita en el año 1983, no vería su estreno hasta enero de 1993, diez años más tarde de su concepción. La cuarta sinfonía data de 1984 y también sería estrenada en el mismo año, aunque en Septiembre.

A la mayoría de los compositores les ocurre algo parecido con la sinfonía que con el cuarteto de cuerda. Si esta última es la formación camerística para la que se ha realizado la mejor música, aplicando en aquella su *saber* compositivo, la Sinfonía resulta un modelo semejante, aunque en el ámbito orquestal. Quizá el esfuerzo que supone para muchos de los compositores actuales abordar las principales formas de la tradición clásica, sea el motivo por el que se han escrito pocas sinfonías manteniendo el contexto y estructura tradicional. Aunque se ha mantenido el término, normalmente se ha desarrollado de acuerdo a una configuración formal distinta. En la actualidad nos encontramos en un regreso del uso del vocablo, aunque como ya se ha mencionado, se aplica a obras que poco que o nada tienen que ver con los aspectos tradicionales de su forma primitiva.

Barce es uno de los compositores que no huye del uso tradicional del término —incluso en su configuración formal—, sino que utiliza la sinfonía como un medio de creación musical en el que confluye el uso de su sistema modal con una disposición formal de claro entroncamiento tradicional. Toda la obra gira alrededor de una ordenación que tiene puntos en común con la forma sonata: el *tema o motivo temático*, como parte fundamental, y el *encadenamiento de las partes* implícito en el desarrollo, mediante el uso de la *exposición-desarrollo-reexposición*. Junto al uso del sistema modal subsiste un procedimiento de empleo de elementos motívico-temáticos que sirven para dar unidad a la obra, dentro de un marco que si bien se halla alejado del planteamiento sinfónico clásico, se entronca con él.

La obra se estructura en cinco movimientos, y en cada uno de ellos se utiliza un predominio instrumental distinto mediante la relación de varios instrumentos de la misma familia. La terminología utilizada para denominar a cada uno de estos movimientos es la de su disposición instrumental:

I	Dúo de oboes
II	Dúo de clarinetes
III	Dúo de fagotes
IV	Dúo de trompetas
V	Trío de violas

La utilización de distintas agrupaciones instrumentales en cada aparición de la idea temática principal sirve, a su vez, para dar variedad tímbrica. Si bien tenemos cinco movimientos, el *tema* es básicamente el mismo para todos, aunque poco a poco varía y adquiere nuevas formas.

Este uso temático puede resultar extraño para el lector, puesto que si establecemos cinco movimientos diferentes, ¿qué sentido tiene su división si se mantiene una idea temática común? Esta es precisamente la idea desarrollada en la sinfonía y lo que más claramente contrasta con el modelo clásico. La división interna de cinco movimientos no es más que una forma de delimitar un marco donde desarrollar el material sonoro. En realidad es una excusa y no un límite para su desarrollo expresivo.

Idea principal y motivo temático

Como anteriormente se ha mencionado, el desarrollo temático que Barce realiza en esta sinfonía nace de utilizar un elemento principal —tema o motivo temático— en continua variación. El aspecto tímbrico será aquí determinante, ya que el hecho único de utilizar un elemento contrastante de este tipo resulta suficientemente definitorio para el oyente, al tiempo que ayuda a no reconocerlo como tal. Sin embargo, no deja de ser curioso que sea una misma idea temática la que predomine en todos los movimientos, e incluso que sea simplemente una melodía, si bien éste es un propósito defendido por el compositor: *«Creo que busco cada vez más una formulación articulada [...]. La articulación debe darse a nivel mínimo, comenzando por el motivo de la más pequeña célula sonora, hay que recuperar la articulación rítmica y melódica [...]. El concepto de melodía no es exactamente el mismo que en otro movimiento, pero tampoco es del todo diferente, al menos yo pretendo que (mi música) sea melódica»*[17]. Seguidamente vamos a realizar una comparación temática que nos ayudará a observar el planteamiento y modelo de desarrollo utilizados, junto a su medio de relación temática.

---

[17]   MEDINA, *Ramón Barce*, pág. 134.

VANGUARDIA Y LENGUAJE PERSONALIZADO

Primer movimiento

El tema que inicia el primer movimiento de la sinfonía es realizado por los dos oboes, y sirve de entrada y presentación del material temático:

Ejemplo 23

Este grupo temático utiliza tres motivos internos que contrastan entre sí. Se irán modificando de forma independiente en los otros movimientos de la sinfonía :

Motivo **a**

Motivo **b**   Motivo **c**

Ejemplo 24

Hay aquí un uso modal que se halla a caballo de dos modos vecinos pero con una misma nota nivel, es decir, el modo primero y tercero de la nota-nivel Do[18]:

Ejemplo 25

Segundo movimiento

La idea temática utilizada en este movimiento es prácticamente la misma y observa una modificación mínima:

Ejemplo 26

Las notas que cambian son las que debido al uso de otro modo y nivel resultan afectadas. Se puede observar cómo el motivo **b** utiliza una anticipación de

---

[18]   Utilizamos a lo largo de todo el análisis la terminología que el propio Barce propone en su libro *Fronteras de la Música.*

un compás, aunque se mantiene orgánicamente inalterable. Aquí será utilizado de forma fugada. La parte que resulta más afectada es la del motivo **c**, que será anticipado siguiendo al motivo **b**, añadiendo un nuevo compás de tipo cadencial.

En este caso, será el modo cuarto de la nota-nivel Si el utilizado como base modal del tema:

Ejemplo 27

Tercer movimiento

En este movimiento la idea temática sufre ciertos cambios, aunque se mantiene lo esencial. El primer motivo ha sido alterado con un alargamiento de su contenido genérico mediante aumentaciones rítmicas, mientras que los dos siguientes se mantienen inalterables con respecto al segundo movimiento. Únicamente varía el uso modal:

Ejemplo 28

El modo utilizado aquí será el primero de la nota nivel Sib.

Ejemplo 29

Cuarto movimiento

El uso temático sufre serias variaciones al contener únicamente los dos motivos iniciales **a** y **b**. La idea cadencial (**c**) desaparece como tal, siendo a partir de aquella el motivo **b** el utilizado como elemento de desarrollo .

Ejemplo 30

En este caso, el modo utilizado es el tercero sobre la nota-nivel La:

Ejemplo 31

Quinto movimiento

Este movimiento desarrollará su idea melódica a partir del trío, lo que implica un cambio textural importante añadido a que por primera vez será un instrumento de cuerda el que utilizará la idea temática principal. Aún así, sigue predominando el mismo tema en dos de los instrumentos, siendo el tercero un añadido. De nuevo se utilizarán los dos motivos iniciales, que sufrirán sólo ligeras variaciones:

Ejemplo 32

El modo de uso vuelve a ser otra vez el primero de la nota-nivel Do, a modo de retorno a la tónica (ejemplo 3).

Toda la sinfonía se construye mediante el continuo desarrollo de dichos elementos, si bien con recursos limitados: a menudo únicamente con la inclusión de nuevas ideas o motivos de contraste que en algunos casos resultan ser generadores de nuevos materiales de desarrollo o motivos secundarios. Aunque pueda parecer extraño, Barce no hace uso de ningún encadenamiento interválico complejo, y tampoco éstos poseen relación alguna con el modelo serial. Es el procedimiento de niveles el gobierna el uso del material interválico. El único medio combinatorio utilizado es el del cambio de modo y nivel, y será éste el único que confiera a los fragmentos cierta variedad sonora, dentro de lo que se podría denominar *sonoridad melódica en ostinato*, ya que el uso melódico únicamente debe su variabilidad a la combinación de los sonidos de la escala según un criterio puramente intuitivo. El sistema sirve aquí para justificar un resultado auditivo que tiene que ver con los procedimientos utilizados en el mundo tonal, cuyos resultados son incluso pareci-dos.

Cada uno de los movimientos se articula de modo que los elementos de carácter motívico que aparecen se repiten en otros de forma íntegra o parcial. Para observarlo mejor vamos a realizar a continuación el esquema formal de cada uno de dichos movimientos.

Forma y contenido motívico

La forma de cada uno de los movimientos se articula mediante el uso de distintos procedimientos modales que, unidos al uso de las ideas motívicas, aparecen a lo largo de aquellos. Será en el primer movimiento donde se observen con mayor claridad. La articulación del proceso formal y el contenido motívico se articula a lo largo de la obra de modo verdaderamente complejo, lo cual no permite tener en cuenta cada uno de los movimientos independientemente, ya que aquellos utilizan un proceso modular en el que las ideas motívicas se comportan como elemento generador. Incluso cada uno de los elementos —a veces de aparente poca significación— pueden resultar cruciales en el desarrollo formal. Esta configuración hace compleja la síntesis analítica, ya que no es posible abordar el análisis sin tener en cuenta el proceso global de toda la sinfonía, con la dificultad añadida de su enorme longitud. Por esa razón, y tal y como se ha mostrado anteriormente con la idea temática, realizaremos un análisis pormenorizado de cada uno de los movimientos, algo que nos servirá para observar con mayor claridad la combinación motívico-modular de cada uno de aquellos. Quizá puede parecer excesivo para el lector, pero creemos que es la única manera de que el resultado analítico sea verdaderamente clarificador.

Primer movimiento

Barce utiliza un medio de desarrollo modular mediante el uso de la idea temática principal (**A**) y motivos generados a partir de aquella, con los cuales se intenta dar una coherencia temática íntimamente ligada al uso modal. Aquí se muestra en dos formas distintas. Por una parte, el uso modal del primer modo sobre el nivel Do, que será el predominante a lo largo de toda la obra; y por otra, el uso añadido de la nota Fa natural al mismo modo, algo que aparecerá en el compás 132 y durante un tiempo limitado.

El nuevo motivo que se encuentra en la parte intermedia (B), y que se comporta como segundo tema —contrastando con el primero—, utilizará también un nuevo modo, en este caso basado sobre el tercer modo del nivel Sol#, que lo hará en cada aparición del mismo modelo temático. El nuevo motivo se articula de la siguiente forma:

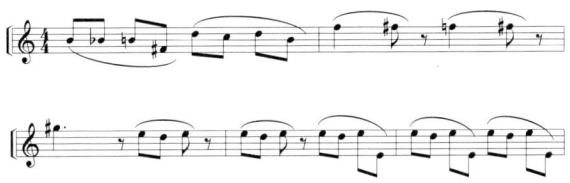

Ejemplo 33

Los otros fragmentos del movimiento se articulan mediante el desarrollo de dichos elementos, tomándolos como punto de partida. Es decir, tras la aparición del motivo temático principal (**A**) la obra desarrolla las ideas presentadas en aquél, al igual que sucederá en la parte que sigue al nuevo motivo (**B**).

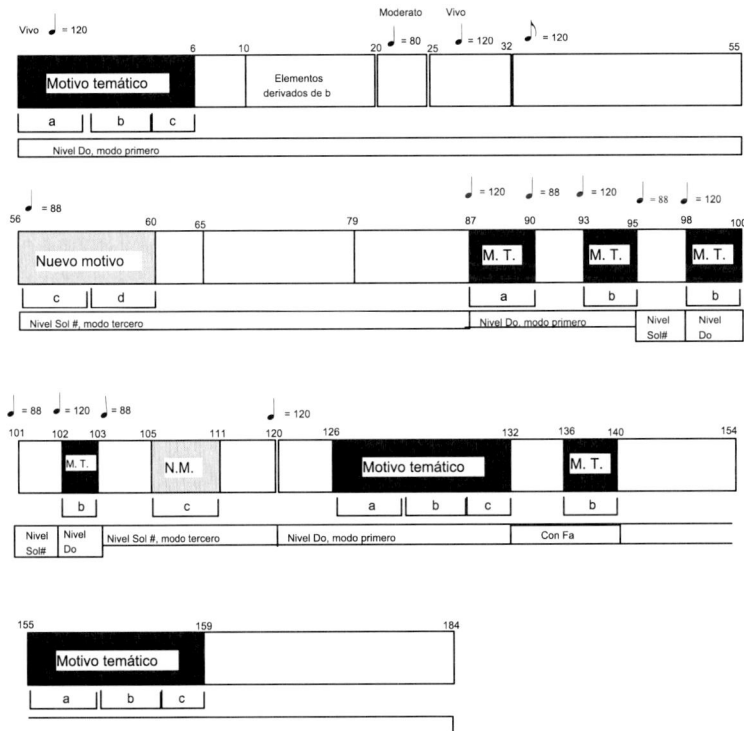

Ejemplo 34

Sin embargo, al estudiar la generalidad de la partitura se observa que coexisten figuraciones que, siendo utilizadas en el primer movimiento como ideas de paso o puente, son retomadas con posterioridad de forma prácticamente idéntica. Esto nos puede llevar a la conclusión de que son de la misma importancia temática, aunque en realidad son de importancia intermedia, lo que se confirma en su audición. A ello hay que añadir que las ideas verdaderamente importantes hacen su aparición con un acompañamiento modal explícito, además de utilizar un grupo instrumental contrastante que poseerá una importancia fundamental en la textura tímbrica. Por esa razón no las clasificamos como de primer orden. En el ejemplo anterior utilizábamos un tramado distinto para cada una de las ideas principales, para que de ese modo pudiera observarse con mayor claridad los procedimientos de encadenamiento junto a las apariciones temáticas principales. Obsérvese cómo la combinación temática utilizada se adscribe fielmente a la forma sonata, utilizando dos temas contrastantes con tempi también contrastados. Su uso sirve como identificación motívica, algo que será utilizado a lo largo de toda la obra.

La forma sonata no sólo la encontramos en la exposición inicial como plasmación de dos temas principales, sino que también es utilizada como idea de reexposición temática, en la que tanto el motivo principal (**A**), como el nuevo motivo (**B**) hacen su aparición completa y seccionada —caso del tema **A**— o únicamente parcial —tema **B**—, manteniendo su propio modo. Lo que en el análisis no resulta claro es el desarrollo, que en este caso es bastante limitado, puesto que son ideas nuevas —derivadas de las primeras— las que se utilizan como tales, y raramente son fragmentos que utilizan al motivo principal para desarrollarlo en la forma tradicional. Dicho proceso de desarrollo se realiza mediante la repetición de los mencionados elementos, combinándolos de forma variada o modular.

Digamos entonces que el desarrollo real mediante la combinación de elementos parte del compás 87 y se prolonga hasta el compás 126, lugar donde de nuevo se repite la idea inicial íntegra. En ese período se utiliza una combinación modal y temática mediante fragmentaciones, tanto de la idea **A** como de la idea **B**, añadiendo una confrontación modal que tiene en los niveles de Sol# y Do su punto de partida. De ese modo se consigue una cierta inestabilidad modal, algo utilizado a menudo en el desarrollo de la sonata clásica.

En la reexposición no aparece la idea **B**. Será únicamente la idea o motivo temático principal la que se use como recurso de repetición. Lo hace íntegramente dos veces: en el compás 126 y en el 155, utilizando únicamente una fragmentación temática del motivo **b** en el compás 136, en el que se añade la nota Fa al nivel Do, que no le pertenece. Quizá esto último sea un error.

Segundo movimiento

El segundo movimiento es el que más parecido guarda con respecto al primero, sobre todo en lo que se refiere a la exposición temática. En este caso la nota-nivel principal será Si, y el modo preferente el cuarto. El secundario será el nivel Sol# en su segundo modo. También se utilizará el modo Do en su nivel cuarto en el compás 111 a 114, a modo de proceso recordatorio del primer movimiento. Aquí se empleará un mayor número de ideas motívicas que en el anterior, y también repetirá muchos de los modelos previamente utilizados. De nuevo aparecerá un elemento significativamente importante en el contexto melódico y estructural de la obra. En este caso se comportará como contrastante. Este nuevo motivo temático, que denominamos **C**, aparecerá una única vez, entre el compás 88 a 103. Utiliza una doble idea dispuesta entre los instrumentos de madera y los de cuerda:

Maderas

Cuerdas

Ejemplo 35

En este caso el uso modal es más complejo que en el primer movimiento, si bien son los mismos niveles de altura los utilizados en la parte intermedia, es decir, Sol# —en su modo segundo—, con el añadido del nivel Do en el compás 110 —modo cuarto. En realidad se trata de un elemento repetido del movimiento anterior que conserva todas sus principales características —incluso modales. Obsérvese cómo aparte del motivo principal —que resulta muy explícito, ya que mantiene las mismas notas con la única diferencia del uso del nuevo nivel Si (modo cuarto)—, se repiten un número importante de secciones con respecto al movimiento anterior, es decir, los temas **A** y **B** y los dos fragmentos de carácter transitorio de los compases 26 y 91 del primer movimiento, que aquí son utilizados en los compases 37, 103 y 180 — elemento del compás 26 del primer movimiento—, y en los compases 111 y 118 — elemento del compás 91 del primer movimiento. A ello se añade la idea en desarrollo a partir del motivo **c** del tema **A**, que es utilizado a modo de idea cadencial al final de la exposición y como punto final del movimiento.

La configuración formal queda delimitada del siguiente modo:

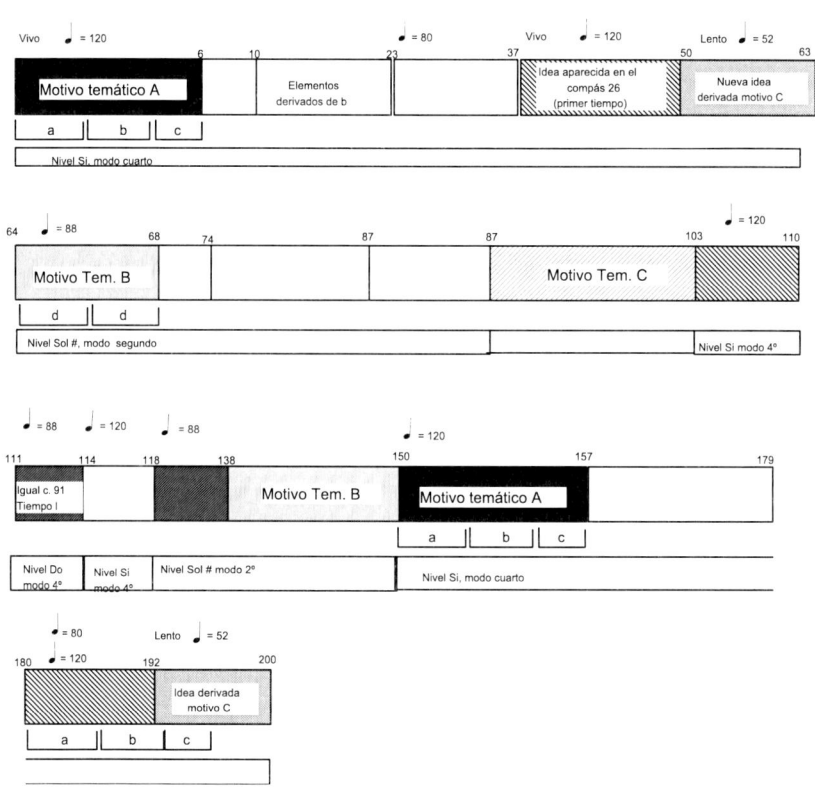

Ejemplo 36

El uso de elementos modulares es ya lo suficientemente explícito como para atreverse a afirmar que existe una voluntad del compositor de utilizarlos de modo que den coherencia al discurso musical, aunque se combinen a partir de un cierto grado de libertad. Barce establece una convención combinatoria en el que la forma sonata se comporta como el eje principal en el que confluyen todas combinaciones. Nada está dejado al azar, aunque tampoco el proceso formal ha sido descrito previamente con verdadera minuciosidad. Tampoco se trata de que los elementos de relación intermedia se comporten como relleno, sino que como E.A. Poe comentaba en su *Filosofía de la composición*: «*Nada está tan claro, como que todo argumento digno de ese nombre debe elaborarse hasta su desenlace antes de intentar nada con la pluma. Sólo el desenlace constantemente a la vista es como podemos dar a un argumento su indispensable aire de coherencia, o causación, haciendo que sus incidentes y especialmente el tono en todos los puntos, se orienten al desarrollo de la intención*». Así, el proceso formal se ordena de modo que estas ideas temáticas se comportan como elementos modulares que progresivamente van tomando forma, convirtiéndose en un gran puzzle cuya combinación resulta realmente abrumadora, ya que será únicamente el proceso modal lo que le confiera variabilidad.

Tercer movimiento

En el tercer movimiento, al igual que en los anteriores, se utilizan dos modos contrastantes que sirven también como referencia temática. El primero es el nivel Sib en su modo primero, y como modo de contraste el nivel Sol#, de nuevo en el modo primero y únicamente entre los compases 66 a 98. En estos últimos aparece la idea temática **B**, que aunque en su inicio se halla desintegrada va tomando forma en los compases 94 y siguientes:

Ejemplo 37

Esta idea contrastante se halla variada de forma temporal, ocultando un uso disperso, a modo de textura tímbrica del tema **B**, que no aparecerá con claridad hasta los últimos compases de la sección. Las principales ideas desarrolladas siguen siendo las derivadas de los motivos internos del tema **A**, apareciendo posteriormente nuevas ideas modulares utilizadas varias veces a lo largo del movimiento. La primera es la que aparece en el compás 98 y se comporta como una variante del motivo temático **B**, repetido en su integridad en los compases 155 a 170. Algo semejante ocurre en el compás 59 con el nuevo tema que denominaremos **D** y que posee personalidad propia. Éste será repetido en el compás 180 y hasta el final.

Ejemplo 38

También encontramos una combinación de grupos de compases entre el compás 15 y 31 que, utilizando elementos del tema **A,** se enlazan a modo de cuatro grupos simultáneos que mantienen idéntica combinación en ambas apariciones, si bien las del compás 118 a 149 son de mayor envergadura . Otro elemento, también de combinación de grupos temáticos, es la que se utiliza en los compases 99, 116 y 150, que parte de ideas ya utilizadas en los movimientos anteriores:

Ejemplo 39

Este elemento, constituye una variante mínima sobre parte del motivo temático **B**, y va a tomar forma en los siguientes movimientos convirtiéndose en una idea de gran importancia, aunque sea de carácter transitorio.

Otro es el que surge derivado del tema **A**. Aparece en el compás 46 a 57 repetido dos veces seguidas, mientras que en el compás 170 a 180 lo hace una única vez seccionado por un compás intermedio como se indica en el ejemplo siguiente:

Ejemplo 40

Cada una de las flechas del ejemplo 40 indica el lugar donde Barce añade un compás de silencio intermedio. La combinación final queda de la forma que a continuación describimos:

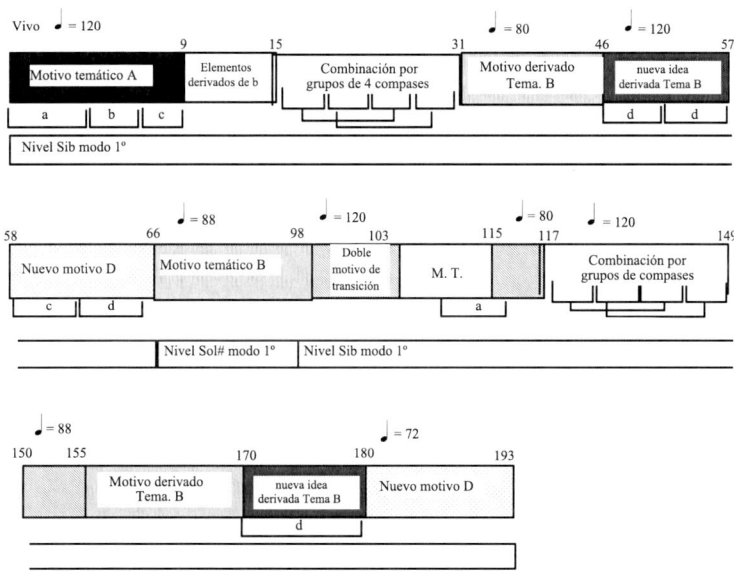

Ejemplo 41

El uso temático y su importancia se invierte en este movimiento, pasando a ser el tema **B** el más es utilizado. En su desarrollo el tema **A** ocupa un segundo grado de importancia.

Sin embargo, el proceso formal que adquiere este movimiento mediante el uso de los elementos anteriormente citados le confiere una singular organización, que tiene en la repetición temáticva —elementos siempre utilizados dos veces del mismo modo— su modelo definitivo de expresión, sustituyendo a la forma mayoritariamente utilizada en los movimientos primero y segundo .

Aquí desaparece la reexposición, sustituida por combinaciones de elementos que se repiten varias veces, a menudo en grupos de dos, de forma modular y desordenada, aunque dentro de una gran claridad de diseño formal.

Cuarto movimiento

El cuarto movimiento, a pesar de que recoge de nuevo la idea de reexposición, es el que más se aleja de un uso temático claro, sobre todo en lo referente al tema **A**. El tema **B** no es utilizado aquí, sirviéndose a lo largo del movimiento —es el más largo de la sinfonía y contiene un total de 267 compases—, de un medio de desarrollo sobre el motivo **b** del tema **A**, ampliado a grandes fragmentos. El primero se prolongará hasta el compás 40, prácticamente doblando la duración de cualquiera de los movimientos anteriores. En este caso el desarrollo sobre dicho motivo conlleva la total eliminación del motivo cadencial **c** del primer grupo temático.

En este movimiento se llega al límite del uso de los niveles, siendo el nivel La, en su modo tercero, el elegido. También se utiliza el nivel de Sol# entre el compás 108 y 172, aunque no lo hace sobre la idea contrastante de los movimientos anteriores (tema **B**). A partir del compás 173 el nivel vuelve a ser el mismo que en el inicio.

Retornando al uso motívico la obra utiliza elementos ya aparecidos en los movimientos anteriores, construyendo sobre aquellos el nuevo movimiento y formando entre sí una combinación modular que en este caso va a tener una nueva idea o motivo como variante del tema **B** de los movimientos anteriores. La primera parte de este movimiento —hasta el compás 80—, utiliza el motivo temático principal, desarrollando su elemento **b**. Sin embargo, en el compás 40, vuelve a aparecer la idea que ya encontrábamos en el compás 99 del tercer movimiento, aunque con una pequeña variación:

Ejemplo 42

Obsérvese que la variación es mínima, limitada al cambio de compás con respecto al anterior movimiento.

El nuevo elemento o motivo se desarrollará desde el compás 81 al 172, utilizando una combinación de tempi que son habituales en todas las partes intermedias de cada uno de los movimientos de la sinfonía. Este elemento, que posee identidad propia, es una derivación del tema **B** utilizado en los otros movimientos, aunque su contorno y conformación interna quedan difuminadas por una agrupación de ideas que se alargan hasta el extremo y que en algún caso pueden ser mínimamente reconocidas como motivo temático. Aquí se comportan como elementos nuevos, es decir, con carácter independiente.

Ejemplo 43

Este nuevo motivo continuará en el compás 109, en el que será de nuevo el nivel Sol#, en su modo primero, el utilizado hasta el final de la sección (compás 172). Sin embargo, en su interior aparece un grupo de transición que va del compás 137 al 151, reutilizado posteriormente en los compases 153 a 161. Por primera vez será la percusión la textura tímbrica de la que se compone toda su articulación motívica, si bien su importancia se debe más a lo que representa como contraste textural con lo anterior que como contraste temático.

En el retorno al tema **A** a modo de reexposición en el compás 173 dicho tema no se repetirá textualmente. En este caso el elemento **b** de dicho grupo no será apenas desarrollado, surgiendo una idea distinta en el compás 222 tras la repetición variada del grupo de compases aparecido en el número 40 —que por otra parte son la variación del compás 99 y siguientes del tercer movimiento. Aquí la percusión va a tener de nuevo protagonismo. En este caso serán los instrumentos de sonido determinado, en concreto el xilófono y la celesta, los que utilicen una especie de pedal en el agudo realizado de forma horizontal combinada.

Ejemplo 44

El proceso formal aparece combinado y desarrollado del siguiente modo:

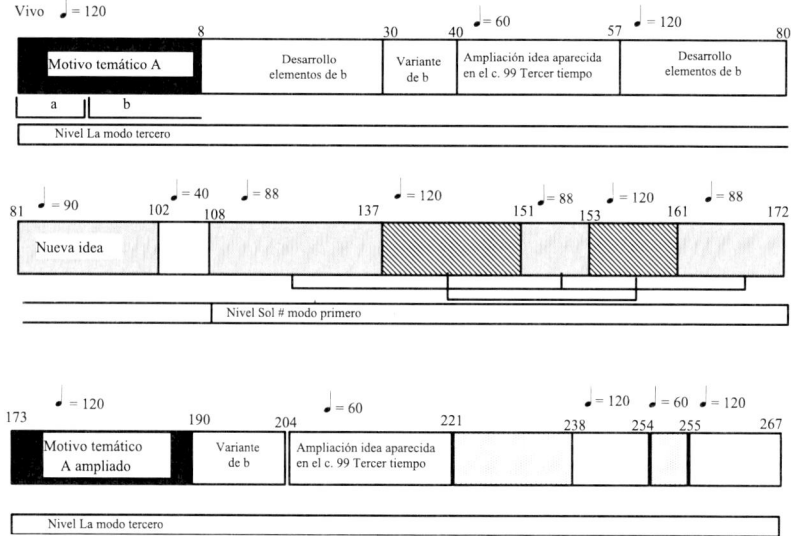

Ejemplo 45

De nuevo se evidencia el uso de la forma sonata, en este caso con tema único. Aunque hay otras ideas substitutorias del segundo tema en su mayoría no poseen la misma integridad que se observaba en los movimientos anteriores .

Quinto movimiento

Si el anterior movimiento era el más largo de la obra, éste es su contrario, el más corto. No por ello se dejan de utilizar las ideas temáticas anteriores, sino que éstas se mantienen íntegras añadiendo, como sucede desde el primer movimiento, una nueva idea que se convierte en nuevo motivo, denominado aquí como **C**. En este caso se halla intercalado entre los dos temas principales **A** y **B**. El tema **A** no reviste aquí grandes diferencias con el inicial, a excepción del uso de los tres instrumentos principales y el hecho de que tampoco utiliza el motivo final **c**. Su nivel vuelve a ser de nuevo Do, en su primer modo. El nuevo motivo, que aparecerá superpuesto al anterior en el compás número 11, lo hará de nuevo en el compás 79; en esta ocasión no contiene la perturbación de la superposición motívica anterior. Dicho motivo mantiene una gestualidad muy definida, lo que lo hace perfectamente reconocible:

Ejemplo 46

El nivel elegido aquí, desde el compás 9 al 46, vuelve a ser Sol# en su modo primero. Desde el compás 46 al 78 se mantiene dicho nivel en su modo cuarto. El mismo nivel, en el modo primero, se mantendrá hasta el compás 85, retornando en el compás 86 a la repetición de las ideas temáticas del inicio. El tema **B** vuelve en el compás 47 a su estado original y sin variaciones importantes:

Ejemplo 47

En el compás 86 aparece de nuevo el elemento **b** del tema **A**, que será repetido en el compás 93 con mayor longitud e intercalando y combinando entre aquellos el tema **C**. A partir del compás 105 se utiliza un elemento de paso que no tiene relación alguna con los anteriores y que nos lleva, a modo de conclusión, hasta el final del movimiento. Lo que resulta compleja es la combinación de niveles que Barce utiliza, ya que cada uno de ellos se hallará supeditado a la idea que contiene. Véase dicha combinación en el siguiente ejemplo:

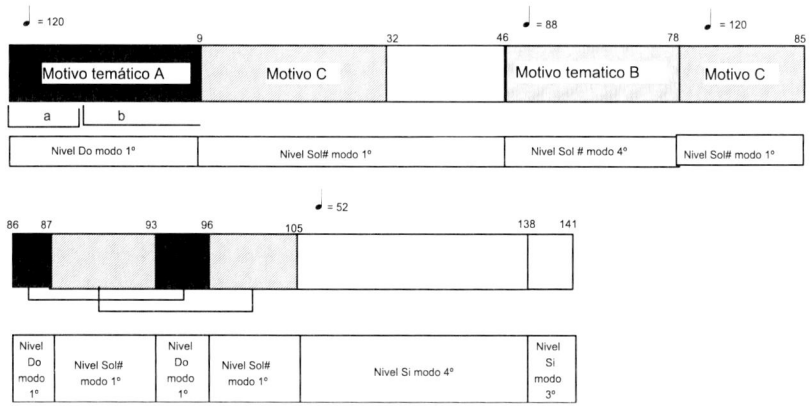

Ejemplo 48

En este caso no sólo se utilizan dos niveles como preponderantes, sino que a partir del compás 105 se usa un nuevo nivel que permanecerá hasta el final de la obra. Será el nivel Si en su modo cuarto —hasta el compás 138—, y en su modo tercero a partir del compás 139 hasta el final. Que la obra termine con dicho nivel no deja de ser curioso, ya que conlleva un alejamiento explícito de cualquier carácter tonal o seudotonal que pudiera ser interpretado como de uso en la obra, ya que cualquier idea jerárquica queda aquí totalmente eliminada mediante el uso de este grupo final. Sorprendentemente termina en un tritono de la cuerda, manteniendo entre los extremos agudo y grave la misma distancia —entre los violines primeros y la tuba—, en los que Si es la nota superior, y por consiguiente la más claramente audible, y Fa la más grave.

El desarrollo de niveles en la sinfonía

A primera vista se observa que el uso de niveles en el desarrollo temático pasa por un cromatismo que parte de Do hacia La en modo descendente, retornando de nuevo al primero (Do) y utilizando también el nivel de Sol# como contrastante. Ahora bien, es natural que un compositor que tiene en cuenta el proceso formal, tal y como hemos ido mostrando a lo largo de este trabajo, mantenga el mismo criterio de ordenación del uso del encadenamiento de los niveles, de modo que su combinación aporte coherencia al discurso global.

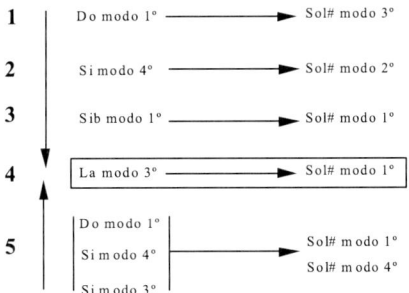

Ejemplo 49

El encadenamiento es simple, y hace uso de una idea concordante con el desarrollo de su sistema armónico: existe un elemento de tónica o nivel principal, representado en este caso por Do, que gobierna el primer y último movimiento. Al mismo tiempo otro modo actúa como dominante, en este caso Sol#, es decir, la nota más cercana a la dominante real. Resulta llamativo el parangón de ese uso modal con el de la *chorda mutábilis* [19] de la música gregoriana, si bien el sentido que posee aquí es distinto. La combinación parte de la supuesta tónica Do y desciende cromáticamente hacia La, como límite del nivel principal, ya que su nota inferior Sol# es la utilizada como dominante. De ese modo el uso modal queda restringido a 5 modos principales, entre los cuales La es su punto culminante. También se observa que en el clímax modal en La se mantiene un cromatismo de niveles La-Sol#, relación que igualmente será utilizada al final de la pieza con los niveles Do-Si. De uno u otro modo resultan tónica y sensible respectivamente, algo que se encuentra fuera del desarrollo programático de su sistema: «*[...] Toda verdadera intuición o representación es, al propio movimiento, expresión. Lo que no se objetiva en una expresión no es intuición o representación, sino sensación y naturalidad. El espíritu no incluye, sino haciendo, formando, expresando. Quien separa intuición de expresión, no llega jamás a ligarlas*» [20].

---

[19] La *chorda mutábilis* utilizada en la música gregoriana era el modo de sustituir la dominante o la tónica por la nota inmediatamente superior de la escala, evitando la distancia descendente de segunda menor que se producía entre estas y la nota inferior, considerada como intervalo prohibido - *diabulus in música* -.

[20] CROCE, Benedetto: *Estética*, cap. I: *La intuición y la expresión*. Buenos aires: Ed. Nueva Visión, 1969.

A modo de breve conclusión

El mundo de la música del siglo XX ha realizado un largo recorrido en un período de apenas 50 años, y Ramón Barce no ha sido ajeno a ello. Si bien la necesidad de comunicación de nuestro compositor le ha hecho buscar nuevas formas de expresión no por ello le ha hecho cambiar un ápice su forma de trabajo, que esperamos haya sido claramente mostrado en los análisis que hasta aquí hemos realizado. No hay en la música de Barce nada superfluo, lo que directamente influye en su escritura que resulta simple a ultranza, e incluso parca en el uso de elementos, en los que toda dificultad añadida resultaría vana, puesto que la alejaría de lo pretendido: «Se ha dicho con frecuencia que la música de Barce presenta grandes facilidades de lectura. Lo cual no es otra cosa que lo deseado por el compositor [...]. Pero como ciertas obras primitivas de culturas lejanas, nos tienden una trampa de la que resulta difícil salir. En el caso de las músicas aleatorias este fenómeno es evidente. Porque hay un enigma»[21]. Toda su obra se halla cercana al medio expresivo weberniano, en el que sobra toda idea que no parta del espíritu de necesidad constructiva.

La parquedad de los elementos choca directamente con el complejo medio de expresión que el compositor emplea para su realización. Por supuesto, las dos obras que aquí hemos observado no nos dan una visión completa de toda su obra. Nuestro propósito es observar el modelo de trabajo utilizado y la forma de pensar la música en el autor, por lo que hemos detallado un uso metódico fiel a un proceso sistemático de modelos de repetición y combinación modular —que se da en cada una de las obras aquí analizadas. Lo que no hay en su obra es una dialéctica superflua; es decir, se va directamente al grano, de ahí que no se utilice apenas el concepto de desarrollo, puesto que es un modo de ampliar el discurso y alargar el mensaje principal difuminándolo. Eso es algo latente en sus ensayos: raramente se alude a citas externas, sino que son las que provienen de su propio ideario las que sirven como fundamento y medio para la argumentación.

En todo caso, no hay duda de que Ramón Barce es un compositor atípico en el corpus compositivo español. Él nos arroja nuevas iniciativas que impulsan la creación musical y la búsqueda incesante del camino particular, sirviendo como ejemplo para los nuevos compositores.

---

[21] MEDINA, *Ramón Barce*, pág. 66.

Apéndice

Las partituras de las obras analizadas se encuentran en las siguientes editoriales:

CAPÍTULO I. LUIS DE PABLO

Sonido de la guerra y Senderos del Aire
Edizioni Suvini Zerboni

CAPÍTULO II. JOAN GUINJOAN

Tensión-Relax
Musikverlag Zimmermann
Frankfurt am Main
Música per a violoncel i orquestra
Catalana d'Edicions Musicals
Cadenza (Música per a violoncel i orquestra)
Salabert

CAPÍTULO III. TOMÁS MARCO

Sinfonías números 4 y 5
Editorial EMEC

CAPÍTULO IV. CRISTÓBAL HALFFTER

Debla, Cadencia y Preludio para Madrid 92
Universal Edition

CAPÍTULO V. ANTÓN GARCÍA ABRIL

Cadencias
Editorial Alpuerto

Homenaje a Mompou
Bolamar Ediciones Musicales

CAPÍTULO VI. CARMELO BERNAOLA

Sinfonía en Do
Editorial Alpuerto
Superficie número 1
Edition Modern München

CAPÍTULO VII. JOSEP SOLER

Sonidos de la noche
Ed. B. Schott's Söhne. Mainz
Concierto para Clavecín
Clivis Publicacions
Le Christ dans le banlieue
Catalana de Edicions Musicals

CAPÍTULO VIII. RAMÓN BARCE

Canadá Trío
Editorial Alpuerto
Sinfonía número 3
Editorial EMEC

BIBLIOGRAFÍA

ABELLAN, José Luis: *Historia del Pensamiento Español, de Séneca hasta nuestros días.* Madrid: Espasa Calpe, 1996

ADORNO, Theodor W.: *Disonancias.* Madrid: Rialp, 1966.

————: *Filosofía de la nueva música.* Buenos Aires: Sur, Colección estudios alemanes, 1966.

ALBET, Montserrat: *La música del siglo XX.* Barcelona: Salvat, 1973.

AMIOT, Emmanuel: *Mathématiques et analyse musicale une fécondation réciproque.* París: Revue Analyse Musicale núm. 28., 1992.

BARCE, Ramón: *La Vanguardia y Yo.* Barcelona: Revista Musical Catalana nº 59, Publi/ Tempo, 1989.

————: *Fronteras de la música.* Madrid: Real Musical, 1985.

BERRY, Wallace: *Structural functions in music.* New York: Dover, 1987.

BLANQUER, Amando: *Análisis de la Forma Musical.* Valencia: Piles, 1989.

BODELON, Luis: *Josep Soler.* Barcelona: Fundació La Caixa, 1994.

BONASTRE, Francesc: Música y parámetros de especulación. Madrid: Alpuerto, 1977.

BORETZ, B. y CONE, E.T: *Perspectives on Schoenberg and Stravinsky.* Connecticut: Greenwood Press, 1983.

BOULEZ, Pierre: *Puntos de referencia. Barcelona*: Gedisa, 1984.

————: *Penser la musique aujourd'hui.* Paris: Gallimard, 1987.

————: *Relevés d'apprenti.* Paris: Editions du Seuil, 1966.

————: *Par volonté et par hasard.* Paris: Editions du Seuil, 1975.

BRUACH, Agustí: *Josep Soler o la creació com a exègesi.* Barcelona: Fundació La Caixa, 1994.

————: *Analisi d'un quartet de Josep Soler.* Barcelona   : Tesina. UAB, 1992.

————: *Les òperes de Josep Soler.* Barcelona: Tesis doctoral UAB, 1996.

CABAÑAS ALAMAN, Fernando, J: *Antón García Abril.* Sonidos en libertad. Madrid: ICCMU, 1993.

CAGE, John: *Escritos al oído.* Murcia: Colegio Oficial de Aparejadores y arquitectos técnicos, 1999

CASABLANCAS, Benet: *Dodecafonismo y serialismo en España.* (Algunas reflexiones generales). Madrid: Actas del Congreso internacional España en la música de Occidente, INAEM-Ministerio de Cultura, 1987.

————: *Situació actual de la composició musical a Catalunya.* Barcelona: Revista Recerca musicològica , vol. II. Institut de Musicología J. Ricart i Matas. Serv. de Publ. de la Universidad Autónoma de Barcelona, 1982.

————: Recepció a Catalunya de l'Escola de Viena i la seva influència sobre els compositors catalans. Barcelona: Revista Recerca musicològica, vol. IV. Institut de Musicología J. Ricart i Matas. Serv. de Publ. de la Universidad Autónoma de Barcelona, 1984.

CASARES, Emilio: *14 compositores españoles de hoy*. Oviedo: Universidad de Oviedo, 1982.

————: *Cristóbal Halffter.* Oviedo: Universidad de Oviedo, 1980.

COOK, Nicholas: *A Guide to Musical Analysis*. New York: W.W. Norton & Company, Inc. 1987.

COSTERE, Edmond: *Mort ou transfiguration de l'harmonie*. Paris: Presses Universitaires de France, 1962.

CHARLES, Agustín: *Tomás Marco Análisis del lenguaje musical empleado en las sinfonías 4 y 5*. Zaragoza: Nassarre, Revista Aragonesa de Musicología Nº X, 1. Institución Fernando el Católico, 1994.

————: *Libre tonalidad Antón García Abril, análisis de Cadencias y Homenaje a Mompou*. Zaragoza: Nassarre, Revista Aragonesa de Musicología Nº XI, 1-2. Institución Fernando el Católico, 1995.

————: *La universidad de un lenguaje, confrontación de dos obras Debla y Preludio para Madrid 92 de Cristóbal Halffter*. Zaragoza: Nassarre, Revista Aragonesa de Musicología Nº VIII, 1. Institución Fernando el Católico, 1992.

————: *La composición hoy. Enseñanza y aprendizaje*. Madrid: Op. XXI nº 0. Real Musical, 1996.

————: *Ramón Barce, un compositor entre la vanguardia y un lenguaje personalizado. Análisis de Canadá trío y la Sinfonía número 3*. Barcelona: Anuario Musical, núm 52. Consejo Superior de Investigaciones Científicas, 1997.

————: *Una aproximación al expresionismo: Josep Soler: Análisis de "Sonidos de la noche", "Concierto para Clave" y "Le Christ dans la banliseue"*. Barcelona: Anuario Musical, núm 54 , Consejo Superior de Investigaciones Científicas, 1999

CHASE, Gilbert: *La música de España*. Buenos Aires: Librería Hachette S.A, 1943.

CHOUQUER, G. y CUNY, P.M: *Un pari sur la création. Archives d'une action musicale. Dole 1983-1986*. Besançon: Association Formes Espaces Musiques, 1986.

DAHLHAUS, Carl: *Analisi musicale e giudizio estetico*. Bolgna: Il Mulino, 1987.

————: *Schoenberg and the New Music*. Cambridge: Cambridge University Press, 1990.

DANUSER, Hermann: *Cristóbal Halffter un ejemplo de la nueva música comprometida*. Madrid: Actas del Congreso internacional España en la música de Occidente, INAEM-Ministerio de Cultura, 1987.

DARIAS, Javier: *La armonía en el ciclo cerrado de cuartas*. Madrid: Musicinco   S.A., 1987.

DE FALLA, Manuel: *Escritos sobre música y músicos* (introducción y notas de F. Sopeña). Madrid: Espasa Calpe, 1988.

DE LA MOTTE, Diether: *Contrapunto*. Barcelona: Labor, 1991.

————: *Armonía*. Barcelona: Labor, 1989.

DE PABLO, Luis: *Aproximación a una estética de la música contemporánea*. Madrid: Ciencia Nueva, 1968.

————: *Lo que sabemos de música*. Madrid: Gregorio del Toro, 1967

BIBLIOGRAFÍA

DORFLES, Gillo: *El devenir de las artes*. México: Fondo de cultura económica, 1986.

DUTEURTRE, Benoît: *Requiem pour une avant-garde*. Paris: Robert Laffont, 1995.

EIMERT, Herbert: *¿Qué es la música dodecafónica?*. Buenos Aires: Nueva Visión, 1973.

EINSTEIN, Alfred: *La música en la época romántica*. Madrid: Alianza Editorial, 1991.

ERICKSON, Robert: *La estructura de la música*. Barcelona : Vergara, 1959.

ESPLA, Oscar: *Función musical y música contemporánea*. Madrid: Revista Música núm. 12-13, Consejo Superior de Investigaciones Científicas, 1955.

FALK, Julien: *Technique de la Musique Atonale*. Paris: Alphonse Leduc, 1959.

FERNANDEZ GARCIA, Rosa María: *La obra pianística de Joan Guinjoan*. Madrid: Alpuerto S.A   1996.

FERNANDEZ-CID, Antonio : *La música española en el siglo XX*. Madrid: Fundación Juan March, 1973.

FORNER, J. y WILBRANDT, J.: *Contrapunto creativo*. Barcelona: Labor, 1993.

FORTE, Allen: *The Structure of Atonal Music*. New Haven: Yale University Press, 1973.

————: *Introduction to Schenkerian Analysis*. New York: W.W. Norton & Company, Inc., 1982.

FUBINI, Enrico: *Música y lenguaje en la estética contemporánea*. Madrid: Alianza, 1994.

FUBINI, Enrico: *La estética musical del siglo XVIII a nuestros días*. Barcelona: Seix Barral, 1970.

GARCIA BACCA, Juan David: *Filosofía de la música*. Barcelona: Anthropos, 1990.

GARCIA DEL BUSTO, J.L: *Luis de Pablo*. Madrid: Espasa-Calpe, 1979.

————: *Tomás Marco*. Oviedo: Universidad de Oviedo, 1986.

GARCIA LABORDA, José María: *El expresionismo musical de A. Schoenberg*. Murcia: Universidad de Murcia, 1989.

GARCIA, X. y CHARLES A.: *Joan Guinjoan*. Barcelona: Proa, 1999.

GARCIA-ALCALDE, Guillermo: *Tomás Marco, palabra y obra*. Las Palmas de Gran Canaria: Programa de mano del VI Festival de Música de Canarias, SOCAEM, 1990.

GASSER, Luis: *La música contemporánea a través de la obra de J. M. Mestres-Quadreny*. Oviedo: Universidad de Oviedo, 1983.

GENTILUCCI, Armando: *Guía para escuchar la música contemporánea*. Caracas: Monte Avila, 1977.

GERHARD, Robert: *Tonality in Twelve-Tone Music*. Londres: The Score and IMA magazine Nº 6. William Glock, Mayo de 1951.

————: *Developments in Twelve-Tone Technique*. Londres: The Score and IMA magazine Nº 17. William Glock, Septiembre de 1956.

GOMEZ AMAT, Carlos: *Tomás Marco*. Madrid: S. de Publicaciones del MEC, 1974.

GRAETZER, Guillermo: *La música Contemporánea*. Buenos Aires: Ricordi.

GRÄTER, Manfred: *Guía de la música contemporánea*. Madrid: Taurus, 1966.

GRIFFITHS, Paul: *Modern Music and After, Directions since 1945*. New York: Oxford University Press, 1995.

GUINJOAN, Joan: *Ab Origine*. Barcelona: Àmbit.1981.

————: *El Compositor davant el seu moment actual*. Barcelona: Reial Acadèmia Catalana de belles Arts de Sant Jordi. 1991

HAIMO, Ethan: *Schoenberg's Serial Odyssey The Evolution of His Twelve-Tone Method, 1914-1928.* Oxford: Oxford University Press, 1990.

HANSLICK, Eduard: *Lo bello en música.* Buenos Aires: Ricordi.

————: *De la belleza en la música ensayo de reforma en la estética musical.* Madrid: Casa editorial Medina, 1876.

HERZFELD, Friedrich: *La música del siglo XX.* Barcelona: Labor, 1964.

IGLESIAS, Antonio: *Bernaola.* Madrid: Epasa-Calpe, 1982.

KANDINSKY, Vasily: *De lo espiritual en el arte.* Barcelona: Seix Barral, 1981.

KRENEK, Ernst: *Autobiografía y estudios.* Madrid: Rialp, 1965.

KÜHN, Clemens: *Tratado de la forma musical.* Barcelona: Labor, 1992.

LA RUE, Jan: *Análisis del estilo musical.* Barcelona: Labor, 1989.

LANZA, Andrea: *Historia de la música, 12. EL SIGLO XX.* Tercera parte. Madrid: Turner, 1980.

LEIBOWITZ, René: *Introduction à la musique de doutze sons.* Paris: L'Arche, 1949.

————: *¿Qu'est-ce que la musique de douze sons?.* Liège: Dynamo, 1948.

LESTER, Joel: *Analythic approaches to Twentieth-Century Music.* New York: W. W. Norton & Company, 1989.

LOPEZ, Julio: *La música de la posmodernidad. Ensayo de hermenéutica cultural.* Barcelona: Anthropos, 1988.

————: *La música de la Modernidad (De Beethoven a Xenakis).* Barcelona: Anthropos, 1984.

MARCO, Tomás: *Carmelo Alonso Bernaola.* Madrid: S. de Publicaciones del MEC, 1976.

————: *Tendencias hacia las especializaciones nacionales en el internacionalismo musical de la segunda mitad del siglo XX.* Madrid: Revista de Musicología, 16, 1. Sociedad española de Musicología, 1993.

————: *Sobre mis sinfonías.* Madrid: Cuadernos de música. Vol 1. ICCMU, 1996.

————: *Luis de Pablo.* Madrid: S. de Publicaciones del MEC, 1971.

————: *La creación musical como imagen del mundo entre el pensamiento lógico y el pensamiento mágico.* Madrid: Real Academia de Bellas Artes de San Fernando, 1993.

————: *Historia general de la Música. VI. El siglo XX.* Madrid: Alpuerto, 1978.

————: *La música de la España contemporánea.* Madrid: Publicaciones españolas, 1970.

————: *Cristóbal Halffter.* Valencia: S. de Publicaciones del MEC, 1972.

————: *Historia de la música española. nº 6, Siglo XX.* Madrid: Alianza, 1989.

————: *Música española de vanguardia.* Madrid: Guadarrama, 1970.

MARTORELL, O. y VALLS, M: *El fet musical.* Barcelona : Dopesa, 1978.

MEDINA, Angel: *Crisis o reafirmación en la música española actual.* Madrid: Actas del Congreso internacional España en la música de Occidente, INAEM-Ministerio de Cultura, 1987.

————: *Primeras oleadas vanguardistas en el área de Madrid.* Madrid: Actas del Congreso internacional España en la música de Occidente, INAEM-Ministerio de Cultura, 1987.

————: *Ramón Barce.* Oviedo: Universidad de Oviedo, 1983.

————: *Josep Soler. Música de la pasión.* Madrid: ICCMU, 1998

BIBLIOGRAFÍA

MONTSALVATGE, Xavier: *Breu síntesi de la música espanyola a través dels seus compositors.* Barcelona: Academia Marshall, 1989.

———: *Papeles autobiográficos al alcance del recuerdo.* Madrid: Fundación Banco Exterior, 1988.

MORGAN, Robert P.: *La música del siglo XX.* Madrid: Labor, 1991.

NATTIEZ, J. Jacques: *Musicología generale e semiologia.* Torino: E.D.T. Edizioni di Torino, 1989.

———: *Il discorso musicale.* Torino: Giulio Einaudi, 1987.

ORTEGA Y GASSET, José: *La deshumanización del arte.* Madrid: Alianza, 1991.

PADROS, David: *Elements tècnics i morfològics en la música actual.* Barcelona: Revista Musical Catalana nº 30, Publi/Tempo, 1989.

PAHISSA, Jaime: *Los grandes problemas de la música.* Buenos Aires: Poseidon, 1945.

———: *Sendas y cumbres de la música española.* Buenos Aires: Librería Hachette S.A, 1955.

PAINE, R: *Hispanic traditions in twentieth century Catalan music with particular reference to Gerhard, Mompou and Montsalvatge.* Lancaster: University of Lancaster, Tesis Doctoral, 1986.

PAZ, Juan Carlos: *Arnold Schoenberg o el fin de la era tonal.* Buenos Aires: Nueva Visión, 1958.

PERLE, George: *Serial Composition and Atonality.* California: University of California Press, 1991.

PERSICHETTI, Vincent: *Armonía del Siglo XX.* Madrid: Real Musical, 1985.

PIÑERO, Juan: Música españoles de todos los tiempos. Diccionario biográfico. Madrid: Tres, 1984.

RAHN, John: *Basic Atonal Theory.* New York: Schirmer Books, 1980.

RETI, Rudolph: *The thematic process in music.* Westport, Connecticut: Greenwood Press, 1978.

———: *Tonalidad, Atonalidad, Pantonalidad.* Madrid: Rialp, 1965.

ROGNONI, Luigi: *La scuola musicale di Viena.* Torino: Giulio Einaudi, 1966.

ROSTAND, Claude: *Dictionaire de la musique contemporaine.* Paris: Librairie Larousse, 1970.

RUFER, Josef: *Composition with Twelve notes.* New York: Mac Millan, 1954.

RUST, Douglas: *Stravinsky's Twelve-Tone Loom Composition and Precomposition in Movements.* Indiana: Society for Music Theory, Volumen 16, nº 1. Primavera de 1996.

SALAZAR, Adolfo: *La Música en el siglo XX.* Madrid: Ediciones del Arbol, 1936.

———: *La Música contemporánea en España.* Madrid: La nave, 1930.

———: *La Música orquestal en el siglo XX.* México: Fondo de Cultura Económica, 1949.

SALVETTI, Guido: *Historia de la música 10, EL SIGLO XX,* Primera parte. Madrid: Turner, 1977.

SCHLOEZER, B. y SCRIABINE, M.: *Problemas de la música moderna.* Barcelona: Seix Barral, 1973.

SCHOENBERG, A. KANDINSKY, W: *Cartas, cuadros y documentos de un encuentro extraordinario.* Madrid: Alianza, 1993.

SCHOENBERG, Arnold: *Armonía*. Madrid: Real Musical, 1979.

―――: *The Musical Idea* (editado por Patricia Carpenter y Severine Neff). New York: Columbia University Press, 1995.

―――: *Tonality and Form*. New York: Pacific Coast Musician, 1935.

―――: *El estilo y la idea*. Madrid   : Taurus, 1963.

―――: *Cartas* (edición de Erwin Stein). Madrid: Turner, 1987.

―――: *Style and Idea* (edición de Leonard Stein). New York: Belmont Music Publishers, 1975.

SEARLE, Humphrey: *El contrapunto del siglo XX*. Barcelona: Vergara, 1957.

SMITH BRINDLE, Reginald: La Composizione Musicale. Milano: Ricordi, 1992.

―――: *La nova música*. Barcelona: Antoni Bosch, 1979.

―――: *Serial Composition*. New York: Oxford University Press, 1986.

SOLER, Josep: *La música. II de la revolución francesa a la edad de la economía*. Barcelona: Montesinos, 1982.

―――: *Escritos sobre música y dos poemas*. Barcelona: Boileau, 1994.

―――: *Fuga,técnica e historia*. Barcelona: Antoni Bosch, 1989.

SOPEÑA, Federico: *La música europea contemporánea*. Madrid: Unión Musical Española, 1953.

―――: *Historia de la Música Española Contemporánea*. Madrid: Rialp, 1976.

―――: *La nueva Generación*. Madrid: Revista Música, Consejo Superior de Investigaciones Científicas, 1954.

STOÏANOVA, Ivanka: *Manuel d'analyse musicale*. Paris: Minerve, 1996.

STRAVINSKY, Igor: *Poética Musical*. Madrid: Taurus, 1977.

STUCKENSCHMIDT, H.H.: *La musique du XXe Siécle*. Paris: Hachette, 1969.

TRUDA, Antonio: *La Scuola musicale di Darmstadt*. Milán: Ricordi, 1992.

VALLS, Manuel: *La música actual*. Barcelona: Noguer, 1980.

―――: *La música catalana contemporània.Visió de conjunt*. Barcelona: Selecta, 1960.

―――: *Diccionario de la música*. Madrid: Alianza, 1982.

―――: *Historia de la música catalana*. Barcelona: Tàber/Epos S.A., 1969.

VERZINA, Nicola: *Tradizione e innovacione due categorie estetiche a confronto in epoca seriale e post-seriale*. Nuova rivista musicale italiana, nº 25,3-4. Torino: Nuova Eri, 1991.

VINAY, Giafranco: Historia de la música, 11. EL SIGLO XX, Segunda parte. Madrid: Turner, 1977.

VOGT, Paul: *Der Blaue Reuter*. Un expresionismo alemán. Barcelona: Blume, 1980.

VVAA: *Cristòfor Taltabulll*. Barcelona: Boileau-Generalitat de Catalunya, 1992.

―――: *Primer encuentro sobre composición musical*. Valencia: Publicaciones del área de música - IVAECM, 1988.

―――: *Segundo encuentro sobre composición musical*. Valencia: Publicaciones del área de música - IVAECM, 1989.

―――: *Tercer encuentro sobre composición musical*. Valencia: Generalitat Valenciana, 1990.

―――: *La música en nuestros días*. Revista de Occidente, 151. Madrid: Comercial Atheneum S.A., 1993

BIBLIOGRAFÍA

————: *El jinete azul.* Barcelona: Paidós, 1989.

————: *Diàlegs a Barcelona: Joan Guinjoan/J.M. Mestres-Quadreny.* Barcelona: Ajuntament de Barcelona, 1988.

————: *La música contemporánea.* Barcelona: Salvat, 1973.

————: *Escritos sobre Luis de Pablo.* Madrid: Taurus, 1987.

————: *Miscel.lània. Oriol Martorell.* Barcelona: Publicacions de la Universitat de Barcelona, 1998.

————: *Música d'Ara. Revista núm. 1.* Barcelona: Associació Catalana de Compositors, 1998.

————: *Música d'Ara. Revista núm. 2.* Barcelona: Associació Catalana de Compositors, 1999.

————: *Música d'Ara. Revista núm. 3.* Barcelona: Associació Catalana de Compositors, 2000.

————: The New Grove Dictionary of Music. London: Macmillan, 1991.

————: *Diccionario de la Música Española e Hispanoamericana.* Madrid: Sociedad General de Autores y Editores, 2000.

————: *Don Quijote de Cristóbal Halffter.* Madrid: Teatro Real, 2000

————: *Transversal núm. 8, 1999. Pensar la música del demà.* Lleida: Ajuntament de Lleida, 1999

WEBERN, Anton: *El camí cap a la nova música.* Barcelona: Antoni Bosch, 1982.

ÍNDICE ALFABÉTICO